# Femmes et cinéma québécois

Louise Carrière

# FEMMES ET CINÉMA QUÉBÉCOIS

**Préface de Françoise Audé**

Avec la collaboration de: Louise Beaudet • Sophie Bissonnette •
Danielle Blais • Josée Boileau • Monique Caverni • Nicole Hubert •
Pascale Laverrière • Marquise Lepage • Jacqueline Levitin • Marilú Mallet •
Albanie Morin • Diane Poitras • Christiane Tremblay-Daviault

**BORÉAL EXPRESS**

Maquette de la couverture : Michel Rudel-Tessier
Photocomposition : Helvetigraf enr.

Diffusion pour le Québec:
Dimédia, 539, boul. Lebeau,
Ville Saint-Laurent, Québec

Diffusion pour la France:
Distique: 9, rue Édouard-Jacques
75014 Paris

ISBN 2-89052-076-5

Dépôt légal: 3ᵉ trimestre 1983
Bibliothèque nationale du Québec

# Préface

Le dossier que m'a confié Louise Carrière en juin 1983 — même si, au moment où j'écris, quelques-unes de ses pièces me font défaut — me semble bien conçu, ouvert sur tout le cinéma et à toutes ses dimensions: de l'animation au documentaire, de l'entreprise artisanale à la vie intérieure du grand O.N.F.; il ne se contente pas d'effleurer les questions. Si l'économique est omise, les réflexions approfondies, les indications utiles, les propositions fondées ne font pas défaut. S'il ne procure pas une satisfaction sans partage, *Femmes et cinéma québécois* est néanmoins éveilleur, polémique: en tout état de cause non aligné. Il est inconfortable, ce qui, au pays où le confort et l'indifférence sont parfois de bien surprenants ressorts sociaux et politiques, est sans nul doute une qualité.

Surtout et avant tout, ce recueil existe, ce qui ne va pas de soi. Il ne va plus de soi nulle part qu'une perception autre, qu'une approche autre, qu'une expression autre, que d'autres exigences que celles de tout le monde ou de tous les créateurs et penseurs — ces mots s'entendant au masculin universel — soient légitimes. Ce recueil a un ton direct qui me plaît. Le temps n'y est pas gaspillé à débattre des nuances entre le «féminin» et le «féminisme». Une vérité première y est postulée: la diversité *des* féminismes. La meilleure garantie de pertinence du point de vue féministe, c'est bien qu'il ne soit pas «un» mais plusieurs. Si l'un des féminismes s'avère totalitaire, langue de bois et censurant, les autres ne le sont pas pour autant. Sous le nom de socialisme d'autres régimes que le stalinien existent où l'on ne démérite pas de la liberté. Des libertés.

Louise Carrière a retenu de Pierre Bourdieu une phrase libératrice par la lumière qu'elle jette sur certains enjeux mentaux. «Un dominant, écrit-il, c'est quelqu'un qui a les moyens d'imposer à l'autre qu'il le perçoive comme il demande d'être perçu». Ainsi peut-on situer le procès intenté ici aux films québécois. Il ne leur est pas tant reproché de méconnaître les femmes en les réduisant à des stéréotypes datés (ceux de l'époque Duplessis ne sont plus ceux des années soixante-soixante-dix) que de faire passer ces images pour crédibles. L'effet de réel du cinéma n'est plus discutable. Son fonctionnement par identification et fascination ne l'est pas plus. L'innocence des représentations, leur justification par le recours à l'intouchable imaginaire sont des arguments exténués.

En mettant à part Bernadette dont la vraie nature est allégorique, les femmes du cinéma québécois, serveuses de bar ou épouses de la moyenne bourgeoisie, sont secondes. Je n'ai pas vu assez de films pour l'affirmer absolument, mais je n'admettrais guère que l'on m'objecte l'équivalente simplification réductrice des personnages masculins. Certes il y a les héros miséreux des étonnants films d'André Forcier. Certes, mais la complaisance aux stéréotypes de «forts» ou de «faibles», aux *loosers* des bois ou de la ville, n'exclut pas une hiérarchie entre les rôles sociaux et dans la vie relationnelle. Minables ou déchus, les hommes donnent le «la» des mélodies à deux. Dans le couple, ils imposent leur diapason. Ils sont vus comme ils souhaitent l'être, supermans ou vulnérables et angoissés peut-être mais leurs partenaires leur sont relatives quand elles ne sont pas dépendantes.

Le récent film de Brigitte Sauriol *Rien qu'un jeu* fournit un exemple frappant des effets profonds de cette emprise dominante. Au premier degré il s'agit de la dénonciation des conséquences désastreuses sur ses filles des pratiques incestueuses d'un père «indigne». Au second degré apparaît la permanence des valeurs traditionnelles. Dans la famille choisie chacun est et reste à sa place. Le père détient l'autorité. Malgré ses exigences sexuelles discutables, il est attendrissant car il pleure sur lui-même. La mère est plus lâche que son mari n'est abject ; elle devient son alliée contre leur fille dont la révolte est ainsi baillonnée. Piégée entre les deux adultes complices, l'adolescente est condamnée à l'inhibition et au silence. L'ordre — le fixisme — l'emporte.

Il serait très méchant d'ajouter qu'en victimisant à ce point la jeune fille, la réalisatrice souscrit implicitement à l'état de fait qu'elle attaque. La fatalité du destin féminin semble irrémédiable et il faut se reporter à l'analyse par Christiane Tremblay-Daviault du bagage catholique de la société québécoise pour imaginer possible tant de soumission, de démission et de passivité chez la mère et la fille. Il suffit de penser aux percutantes gamines perverses de l'œuvre de Forcier pour douter de la résignation de la lycéenne de Brigitte Sauriol. *Rien qu'un jeu* est un film moralisateur et anti-sexe: la sexualité n'y est que violence, laideur et mensonge. Le patriarcat est égratigné au nom d'un puritanisme qui doit plaire aux bons pères. Bien des femmes cinéastes fonctionnent sans trop de complexes dans le cadre ou au service de la morale dominante. La preuve d'une oppression est flagrante lorsque les dominés font implicitement leur le discours dominant.

Il est intéressant que le recueil rassemblé par Louise Carrière ne pratique pas l'équation en cours dans les années soixante-dix: film de femme = film féministe. Le film de femme n'est pas plus prédestiné ou taré à la naissance qu'un autre. La nature féminine n'immunise pas contre les pressions ambiantes. Nous sommes toutes des femmes «sous influence». Toutes plus ou moins décidées à nous en départir.

Le beau *Journal inachevé* de Marilú Mallet traduit bien à point et avec une rare élégance, le travail exténuant de l'auto-libération. Il en montre le lieu quotidien, le niveau immédiat, le permanent investissement de la lucidité requise. Il en désigne toutes les dimensions: professionnelle, politique, affective. Il en fait comprendre les risques et la douleur. De tous les films de femmes réalisés au Québec et diffusés au festival de Sceaux depuis 1979, de tous ces films souvent originaux et en prise avec le plus vif des démarches féminines contemporaines, de tous ces films qui ont été les seuls avec le contingent annuel venu de R.F.A. à témoigner de la percée en nombre des réalisatrices, *Journal inachevé* est l'oeuvre la plus subtile, celle dont l'écriture est la plus raffinée , celle dont le ton est le plus juste.

*Journal inachevé* est utile au cinéma québécois trop souvent empêtré dans les codes d'un réalisme pesant. Il lui rappelle la nécessaire tension vers plus d'intériorisation et de rigueur. Les temps ne sont plus au «nationalisme émotif» évoqué par Louise Carrière. L'inventaire culturel et sociologique, voire folklorique d'un peuple en quête de son identité, ne peut suffir indéfiniment. Les tentatives «à la manière de», qu'elles s'inscrivent dans la filiation de la Nouvelle Vague française ou qu'elles souscrivent aux normes de la narration et du spectacle classique ou à l'américaine, ne satisfont plus, à bien des titres, *Journal inachevé* est un film qui tranche.

Il n'est pas le seul, au Québec, à chercher une nouvelle voie mais il est exceptionnellement abouti. Magnifiquement apte à prouver l'intérêt, partout et toujours, de l'aspiration, envers et contre les idéologies, les esthétiques et les morales dominantes, à une vérité propre. Une vérité qui n'est pas «la» vérité puisqu'elle se donne pour individuelle et singulière. Après tant de décennies d'impérialisme culturel des systèmes totalisants (qui ont réponse à tout) et totalitaires (pas de dissidence!), le retour à la modestie du champ privé a toute chance d'être fécond. Et avec *Journal inachevé*, traversé et imprégné d'inquiétude et de solidarité envers les autres, le repli, la fermeture «psy» sur le «moi» à la mode, sont évités. Le face à face avec soi conduit à une prise en charge de l'histoire. Marilú Mallet en sort entamée, spoliée de l'amour et «vidée». Débarrassée des scories de l'inessentiel. Seule dans la blancheur nue de la neige mais, avec son enfant, debout.Ce livre lui donne la parole : il le fallait. Il y a quelque chose de discrètement exemplaire dans la démarche créatrice de Marilú Mallet.

Il est dommage, en revanche, que ce recueil esquive un véritable débat sur la délicate question de la pornographie. Les milieux féministes européens sont attentifs aux polémiques en cours au Québec. Il est surtout dommage qu'on ne trouve, dans ce recueil, qu'une prise de position, comme s'il n'en n'existait pas d'autres. Et je dois dire combien m'enbarrassent les *Réflexions en vrac* de Monique Caverni. Non pas que la condamnation des rapports dominants / dominés qui fondent la pornographie, ni la plupart des autres critiques, me soient étrangères, mais parce que leur transposition au plan législatif aboutit inévitablement à des mesures de censure.

La censure est pathogène. Elle incite à la transgression. Son combat est frileusement défensif et c'est un combat toujours perdu à l'avance. Ce n'est pas un hasard si les mots «censure» et

«interdit» sont utilisés à la fois dans la société civile et en psycha-
nalyse. Tout refoulement implique un jour le retour du refoulé.
Toute prohibition implique son revers, le non-respect de la loi et
le développement d'un trafic parallèle. Nous avons, en France,
le souvenir affligeant des foules d'Espagnols qui, pendant les
dernières années du franquisme, passaient la frontière pour faire
queue devant les salles spécialisées de Perpignan. Ce fut l'âge
d'or des exploitants de la ville. Censurer, c'est pratiquer la
publicité bénévole.

L'interdit crée le besoin. Et on simplifie tout de même le problème en ramenant la pornographie à l'écran, soft ou hard, à un
rituel de brutalité ou de tortures, à l'exploitation marchande et
conventionnelle des corps. Le corps masculin figure aussi,
enchaîné et flagellé, manipulé et humilié, dans certaines séquences sado-masochistes, mais cela ne change rien aux données de la
question. J'insiste : Freud a appliqué à la répression psychique le
vocabulaire du maintien de l'ordre public parce que ce vocabulaire est opérant bien au-delà de la stricte raison. Spontanément
il convient au domaine mystérieux et complexe de l'inconscient
et de l'imaginaire. C'est se masquer la réalité que de nier à la
pornographie une portée obscure et troublante qui dépasse sa
fonction de modèle aliénant. Elle met en jeu un matériau mental
secret, sans doute pas innocent mais pas non plus coupable a
priori. Un matériau apparenté, qu'on le déplore ou non, au
désir. Le désir pas plus que l'imaginaire ne se censurent. L'imaginaire se travaille. Le désir, qu'en sait-on?

Que l'on ne se méprenne pas : je ne souhaite pas l'améliora-
tion du genre, un souci de qualité filmique supplémentaire, que
sais-je, la moralisation par l'art de la pornographie. Non, je
m'insurge contre toute intention de prohibition pour deux
motifs. Le premier c'est l'inefficacité, à l'âge du magnétoscope
et des moyens illimités et *privés* de reproduction audio-visuelle,
de quelque mesure que ce soit. Le second est que je ne tolère pas
d'être spoliée de l'accès à la connaissance. Tout ce qui est de ce
monde doit, par principe, m'être autorisé. Tout ce qui existe,
fût-ce les choses les plus aberrantes, viles ou atroces, je revendique d'en être informée, quitte, après réflexion et passée l'émotion, à leur déclarer la guerre.

Rien n'est en droit de m'être dissimulé. On a trop longtemps usé de leur ignorance pour domestiquer les femmes. Je

plains la fillette surprotégée qui, démunie, devra seule se heurter aux «terrifiants pépins de la réalité» du cher Prévert. Le non-savoir n'est jamais une force, même «morale». Il est irrémédiable faiblesse. Il porte la responsabilité de la vulnérabilité de tant de ces filles que l'on disait autrefois «abusées». Vivre en aveugle n'est pas un choix, c'est une infirmité. Et Buñuel l'a illustré, il arrive que les aveugles soient de fieffés cochons.

Je m'étonne que si peu de cas soit fait de la déclaration circonstanciée de Kate Millett dans *C'est surtout pas de l'amour*. J'ai cru comprendre qu'elle rejoignait les positions favorables à la pornographie (toutes propotions gardées) de la cinéaste allemande Jutta Brückner. Jutta a écrit deux textes publiés en octobre 1982 par *Les cahiers du Grif* dont l'un est une pièce indispensable pour l'instruction du dossier de la pornographie. Son approche s'efforce d'être non émotionnelle et nuancée. Jutta Brückner — il faut peut-être la présenter — a réalisé six films dont le poignant *Hungerjahre* (*Les années de la faim*) multiplement primé en Europe. Son écriture est austère : bressonienne. Son inspiration est élevée, ambitieuse. Impossible de lui imputer de douteuses complaisances pour le spectacle et ses profits parfois démagogiques. A contrario de ce qu'elle fait, Jutta Brückner revendique (dans l'abstrait) l'accès à la pornoraphie. Elle émet l'hypothèse qu'il est concevable d'en briser les tabous et d'en utiliser les virtualités au service d'une autre image des femmes et d'un autre type de relations sexuelles. Parole de femme. Parole d'artiste. Parole de féministe engagée.

Il est un écueil de la pensée que je souhaite éviter, celui de prendre tout énoncé d'une conviction pour un symptôme. Alain Finkielkraut condamnait récemment (*Le Monde* du 31-07-1983) le postulat selon lequel «la vérité de tout discours résiderait dans le non-dit qu'il faut mettre en lumière». Philosophe, il prenait ainsi la défense du langage que trop de suspicion érigée en système a discrédité. Il est frauduleux d'imputer au locuteur, au nom de son inconscient ou de ses intérêts de classe, un sens caché, «vrai» mais contradictoire à ce qu'il avance. J'aimerais éviter un tel procédé critique mais je ne puis, à la lecture de bon nombre d'articles publiés dans la presse québécoise et que j'ai en main, m'empêcher d'y subodorer des relents de moralisme religieux, d'indignation vertueuse et préconditionnée. Le questionnement pointu et rigoureux par Christiane Tremblay-Daviault du lestage catholique des mentalités conforte ma méfiance. Le caricatural texte sur la sexualité, tiré d'un manuel à l'usage des enseignants et cité par Louise Carrière me pousse aussi à supposer aux contempteurs de la pornographie, un rapport ambigu à «l'animalité» de leur condition «d'êtres spirituels». D'où leur «répugnance» à la mise en spectacle naturaliste du plaisir ou de ses figures. À moins que l'hypertrophie seule du fait anatomique ne les gène. Obscurantiste, l'Église de la fin du Moyen Âge a, pour beaucoup moins que ça, interdit les dissections.

Les féministes hostiles à la pornographie ont probablement réfléchi au paradoxe d'une position qui les amène sur le terrain répressif des autorités religieuses. Qui les situe dans le cadre d'une morale si opprimante depuis deux millénaires qu'elle a fort bien su digérer les modalités de la révolution sexuelle des années soixante. La famille est sortie renforcée de la tempête. Le patriarcat n'a guère souffert. La libération des femmes a certes marqué quelques points mais sur l'ensemble du globe elle reste largement à faire. La pornographie n'est pas son ennemi principal en Iran. J'ai peine à croire qu'elle le soit en Amérique du Nord plus qu'ici.

Cela dit, je ne me résigne nullement à l'invasion d'images imbéciles, traumatisantes et humiliantes. D'images qui, majoritairement, insultent la dignité des femmes. J'admets que ces images soient en liberté, mais une liberté contrôlée. Régulée par le seul outil opératoire en la matière : l'argent. Que les fabricants, les éditeurs, les diffuseurs, les publicistes et autres marchands de ces produits soient astreints à l'impôt. Que la taxation ne laisse subsister à la vente que le strict nécessaire à la fourniture du client. Une demande existe : la stimuler, laisser forger de nouveaux besoins n'est pas indispensable. On peut le refuser et demander que les sommes issues de la fiscalité constituent un fonds de création pour droit de réponse des dominés / exploités. Des femmes.

La pornographie ne se nie pas, ne s'exorcise pas avec des vœux pieux ou des interdictions fantoches. La pornographie «ça» se cantonne. Ça se met en résidence surveillée, c'est-à-dire que l'espace qui lui est concédé ne devrait pas outrepasser ce qu'elle est : un épiphénomène. Évidemment, on peut rêver au futur, lorsque nous serons tous si bien éduqués, nourris et gouvernés que nos conduites compensatoires, nos pulsions libidineuses auront disparu. Ou qu'elles seront devenues assez bon chic bon genre pour être «tout public». On peut rêver à l'extinction de la prostitution, à la disparition de la pornographie en images (et pourquoi pas par le texte ?). L'utopie ou la vision à long terme est plus euphorisante que la solution pragmatique et hypocrite — je le reconnais — du lieu spécialisé ou du rayon particulier des librairies et des kiosques. Rêver aux temps heureux de la non-violence et du respect mutuel fortifie le refus du laxisme et du débordement prosélytiste du phénomène. On peut tout revendiquer pour endiguer la crue pornographique, mais on ne peut pas être idiotes.

La sexualité et ses représentations, les fantasmes qu'elle mobilise et qu'elle engendre — fussent-ils cauchemardesques — les marchés qu'elle ouvre et l'exploitation des corps qu'elle pratique, ne se suppriment pas magiquement. Il n'est pas certain que cela se discipline ni même qu'il soit souhaitable d'y prétendre. Non, la sexualité, comme l'imaginaire, ça se travaille. Que les victimes d'aujourd'hui aient les moyens de la réplique et surtout de l'expression. Qu'elles apportent leur avoir à peu près inconnu encore, leurs fantasmes, leurs représentations, leurs exigences. Que la projection à l'écran du plaisir ne soit plus seulement marchandise à consommer mais valeur d'échange affectif et fantasmatique. Lequel des deux produits, l'ancien ou le nouveau, croyez-vous, l'emporterait dans le jeu non truqué de la concurrence? Mais je rêve, les produits du dominé seraient d'imitation — contrafaçon. Ou ils seraient différents. Ils cesseraient alors de relever de la catégorie «porno». Résultat non négligeable.

Les femmes constituent aujourd'hui une faible proportion spontanée du public des films pornographiques et des sex-shops. À la suite du boom, en France, des ventes de magnétoscopes, une enquête publiée dans *Libération* a permis de dessiner le profil-type de l'acheteur de cassettes. C'était un jeune cadre faisant ses provisions pour le week-end : trois films, le premier, fin d'après-midi, «pour enfants»; le second, «tout public», pour les invités et l'après-dîner; le troisième, porno, pour l'intimité (à deux ou en partouze, peu importe). Il est clair que les femmes ne réagiront pas efficacement en se retirant du ring : «je vais ranger la vaisselle, surveiller le sommeil des petits ou soigner ma migraine». En tolérant à leurs époux des nuits chez les demi-mondaines, un «enfer» dans leur bibiliothèque et des amours ancillaires, tandis qu'elles mêmes menaient une existence prude, les bourgeoises du XIX^ème siècle n'ont pas légué une image bien sympathique d'elles-mêmes. Sans doute n'ont-elles pas eu les moyens culturels d'une résistance et encore moins le bonheur au foyer mais leur résignation n'est pas dénuée d'un peu de lâcheté. En cette fin du vingtième siècle, nous sommes condamnées à vivre avec le phénomène pornographique. À l'assumer — ce qui ne signifie par le prendre en charge ou l'accepter sans discussion.

L'attitude réaliste pour les femmes, c'est de se mettre à l'œuvre. En théorie, la création est libre, non téléguidable. En pratique, la décennie passée a vu les femmes accéder aux commandes des caméras. Leurs premiers pas dans la création sont hésitants, parfois insatisfaisants. Le rôle de la critique est de le dire, mais il est aussi d'encourager, dans l'absolu, cette initiative au féminin. Le terrain occupé par les cinéastes aujourd'hui au travail ne doit pas cesser d'être élargi et ouvert aux nouvelles venues. Partenaires dans le monde des créateurs et non plus seulement cas d'exception comme le furent les pionnières, les réalisatrices influenceront le cinéma. À tous les titres, droit de réponse et droit à l'expression, la «croissance» de la production cinématographique, audio-visuelle, artistique des femmes n'est que justice.

Je m'en voudrais de conclure par cette longue polémique. *Femmes et cinéma québécois* témoigne d'un amour exigeant du cinéma mais aussi de la déception de femmes qui attendaient autre chose, pour elles, de la Révolution tranquille. De femmes qui espèrent d'un cinéma aujourd'hui en difficulté économique et un peu en panne d'inspiration, qu'une meilleure part leur soit reconnue à l'écran et sur les plateaux. Ce livre n'est pas vandale (tout est mauvais) ou pessimiste (rien à l'horizon). Il interpelle plus qu'il ne juge. Ses verdicts, si verdicts il y a, ne sont pas sans appel. Tout reste possible : l'alluvion, le limon sont en place.

Françoise Audé,
le 4 août 1983 à Paris

# Avant-propos

Suscitant l'admiration dans les années 60, passé de l'enfance à l'adolescence dans les années 70, le cinéma québécois est actuellement délaissé par plusieurs. Pourquoi ce manque d'intérêt pour un cinéma vivant, marqué par le nationalisme et tentant depuis vingt ans au moins de refléter les changements sociaux? Cinéma politique et critique, axé sur le direct, proche de l'émergence d'une parole populaire, certains n'en connaissent que les films de «fesses» des années 70, d'autres, que les succès de festivals (*La Vraie Nature de Bernadette, Il ne faut pas mourir pour ça*) ou du *box office* (*Deux femmes en or, Les Plouffe, Mourir à tue-tête*).

Cinéma de décolonisation s'il en est, le cinéma québécois a pris un recul important depuis les années 60 à l'égard des modèles du «cinéma de papa» et du cinéma américain *made in Hollywood*. Mais, au demeurant, le cinéma québécois ne reste-t-il pas aussi un cinéma colonisé versant souvent dans le populisme, cinéma masculin sous le signe de la culpabilité d'être pauvre et dépossédé? Cinéma d'hommes faibles ou de coureurs de bois sacrant et buvant, pour masquer un profond mal de vivre, incapable de délaisser dans la fiction la caricature des classes populaires, il donne une image en négatif du Québec, de ses hommes et de ses femmes. Cinéma colonisé de l'intérieur, il projette un regard oscillant entre la «force légendaire» des Québécoises et leur soumission quotidienne. Muet sur la parole réelle des femmes et faisant des femmes les porte-parole des hommes, il nous oblige aujourd'hui à prendre la parole.

Le présent ouvrage est un recueil en deux temps sur les femmes et le cinéma québécois. Côté pile et côté face de la même réalité : femmes imaginées, fantasmées et souvent parodiées par les cinéastes québécois, et femmes de cinéma exprimant leur réalité et celle des autres femmes. Face à l'indifférence, à la discrimination et aux images violentes de leur vécu, elles opposeront un cinéma des différences, un cinéma d'autoconscience.

Oser prendre la parole c'est briser ce mur du silence sur la place des femmes dans le cinéma d'ici. Ce livre propose donc une réflexion sur deux aspects de leur situation : les images de femmes dans le cinéma masculin de 1940 à 1983 et les femmes prenant la parole comme spectatrices, réalisatrices et femmes de cinéma.

Les témoignages de femmes sur leur profession sont rares au Québec. Plus à l'aise dans l'audio-visuel et souvent plus effacées, elles défient rarement la page blanche. Habituées par ailleurs à plusieurs formes de bénévolat, elles ont collaboré encore nombreuses à l'élaboration du présent ouvrage, ne comptant ni les heures ni les suggestions, terriblement occupées et souvent happées par enfants, travail et vie professionnelle.

Ce volume est donc aussi un hommage aux femmes, à leur persévérance, au travail caché qu'elles continuent AUSSI de faire dans la profession cinématographique : au montage, à l'animation, à la conservation des films, à la distribution, à la production, à la réalisation.

Impossible, malheureusement, de parler ici de chacune d'elles, de leurs apports et contributions. Certaines, surtout en vidéo (comme Vidéo-femmes, Vidéo-Amazone, Vidéo-elle), n'ont pas eu le temps de nous répondre. D'autres ont pris peur devant la page blanche. D'autres enfin, professionnelles et techniciennes dans les domaines du maquillage, de la scénarisation, des décors, nous sont malheureusement inconnues.

Déjà, proposer différentes collaborations sur des aspects du cinéma représente un travail de trente mois et l'équivalent de trois gestations. Une cinquantaine de personnes au minimum ont soutenu, d'une manière ou d'une autre, cette première percée sur la contribution des femmes au cinéma. Des thèmes axés avant tout sur les représentations de femmes et les métiers ont retenu notre attention pour ce premier volume.

Pourquoi? Nous étions curieuses de saisir notre image dans le miroir et de la faire découvrir aux autres. Omniprésentes dans le cinéma masculin et surmaquillées, qu'avions-nous l'air sans fard ni faux cils dans les films des réalisatrices québécoises?

Cette première interrogation sur les représentations de femmes dans le cinéma féminin et masculin nous a incitées à comparer leurs préoccupations réciproques à plusieurs reprises. Nous voulions aussi démystifier le cinéma en tant que métier, le montrer tel qu'il se pratique et nous dégager du vedettariat en analysant les films et en donnant la parole aux femmes.

Dans ce sens, le présent ouvrage projette un éclairage nouveau pour une histoire du cinéma québécois à reconstruire.

*Louise Carrière*

# Remerciements

Cet ouvrage a pu être publié grâce à la collaboration et à la bienveillance de plusieurs personnes tout au long des différentes étapes de sa réalisation. En plus des auteures des articles, je voudrais remercier d'une façon spéciale Paule Baillargeon, Renée Roy, Hortense Roy, Luce Guilbault, Joyce Rock, Tahani Rashed, Monique Crouillère et Marthe Blackburn, pour les informations qu'elles ont données sur leurs pratiques dans le milieu du cinéma. Je remercie également Josée Lamoureux, Johanne Lessard, Nicole Tremblay-Larochelle et surtout Louise Vandelac, pour l'aide éditoriale qu'elles ont apportée lors de la préparation du manuscrit et de la correction des épreuves; le personnel de la Cinémathèque québécoise, en particulier Pierre Jutra, responsable du cinéma québécois, et Pierre Véronneau, responsable des publications, pour leur soutien constant dans nos recherches, ainsi que Lucie Charbonneau, des archives photographiques de l'Office national du film, Jean-Pierre Lefebvre, cinéaste, et Alain Gauthier, responsable de la photothèque de la Cinémathèque québécoise, pour leurs recherches iconographiques et leur contribution à l'illustration de ce livre.

L.C.

PREMIÈRE PARTIE

# ÊTRE VUES

*Parler des images multiples de femmes dans le cinéma québécois de long métrage, c'est questionner quarante ans d'histoire et de représentations ciné-matographiques. Durant ces années, le cinéma québécois s'est situé par rap-port au pays, à la camaraderie, à la situation politique. Il parlait au nom de la nation. C'est donc aussi au nom des femmes qu'il a exprimé ses frustra-tions, ses désirs et ses espoirs. Mais comment a-t-il parlé de nous, de vous, de celles-là dont on a maintenant perdu les traces et que Nicole Germain, Janette Bertrand ou Amanda Alarie ont un jour personnifiées? En suivant l'évolution des représentations féminines à l'écran, pouvons-nous mieux comprendre les nombreux changements de la condition féminine de 1940 à nos jours? Pouvons-nous saisir comment et à quel point les rapports hommes-femmes se sont transformés? Bref, le cinéma masculin est-il à l'écoute des femmes et de leur réalité, ou se contente-t-il de nous inonder d'images anciennes de femmes perdues dans le terroir?*

*Et si cela était partiellement vrai, se demande Christiane Tremblay-Daviault pour le cinéma de fiction des années 40, s'il nous rejetait dans le passé, quelles en seraient les raisons et les significations? Qu'apprendrait-on sur l'imaginaire collectif masculin de l'époque et sur nos structures socia-les?*

*Pour faire suite à ce texte, deux autres articles abordent les représenta-tions féminines récentes. Louise Carrière se demande si, depuis 1960, nous sommes enfin sortis des schématisations ou des images de la mère au four-neau. Pourquoi aurions-nous troqué tablier et chapelet? Dans le cinéma québécois de long métrage de 1960 à nos jours, avons-nous droit de cité en* dehors des films de «sexploitation»? Avons-nous une place substantielle dans le jeune cinéma national?

Et maintenant, en ces années 80, où en sommes-nous? demande Josée Boileau. Sommes-nous les mêmes qu'en 1960, les mêmes qu'en 1970? La crise actuelle amène-t-elle un recul dans la représentation des femmes à l'écran?

Plusieurs questions sont certes posées par ces trois textes, mais une certitude demeure : ce que nous venons de faire, personne ne l'a fait avant nous. Il s'agit d'une entreprise difficile et d'autant plus périlleuse que nous connaissons les difficultés actuelles du cinéma québécois et ses nombreux détracteurs et que nous connaissons aussi la très grande susceptibilité des milieux cinématographiques quand il est question de la critique des œuvres dans le contexte culturel actuel. Malgré et aussi à cause justement de notre respect-sympathie pour plusieurs cinéastes qui ont tenté de raconter le Québec, de dénoncer l'exploitation et les oppressions, il nous faut reprendre cette histoire de la représentation féminine à l'écran.

Des femmes ont déjà dit que le cinéma québécois était «un cinéma orphelin», un cinéma «à la recherche d'un public». Faudra-t-il maintenant ajouter : «c'est un cinéma avant tout masculin, voire misogyne, et peut-être surtout un cinéma de peur des femmes»? Voyons cela de plus près.

# Avant la Révolution tranquille : une Terre-Mère en perdition

## Christiane Tremblay-Daviault

Au cours de la décennie 1940-1950, qui a «tranquillement» pré-
cédé la «Révolution» des années 60, près d'une quinzaine de
longs métrages de fiction au succès relativement bien assuré ont
été tournés au Québec\*. L'une des causes reconnues du succès de
ces films fut certes la curiosité qu'ils suscitèrent chez les auditrices de romans-feuilletons. D'ailleurs, en plus d'être rentables,
ces premiers longs métrages avaient pour but avoué de donner
des images à la radio, de permettre au public de voir les vedettes
dont il connaissait déjà la voix. Un jeu de relations s'est établi
entre les deux moyens de communication de masse pour atteindre toute une génération d'auditeurs et d'auditrices — de spectateurs et de spectatrices — tant au niveau des personnages types
qu'à celui des valeurs qu'ils incarnent. Dans quelle mesure le

---

\* Ce texte ne suit pas la chronologie des films cités. Nous avons simplement
voulu regrouper les premières «images fictives» de notre cinéma en fonction d'un profil idéologique global tracé par l'ensemble des films. Pour
une étude détaillée des œuvres citées, *Un cinéma orphelin. Structures mentales et
sociales du cinéma québécois (1942-1953)*, Montréal, Éditions Québec/Améri-
que, 1981.

public se reconnut-il dans ces films? Qu'y chercha-t-il? Qu'y trouva-t-il?

La plupart furent des films à caractère mélodramatique, mais souvent s'y glissa subrepticement la comédie, sinon l'ironie : l'attention portée aux malheurs des autres présentés comme fictifs ne soulage-t-elle pas la tension de celui qui est malheureux? Or, deux des plus célèbres de ces mélodrames, *La Petite Aurore, l'enfant martyre,* de Jean-Yves Bigras\*, et *Cœur de maman,* de René Delacroix, sont définis par le narrateur-mémoire comme des «faits divers dont on ne pourrait croire qu'ils puissent arriver un jour».

Il est reconnu que les formes exaspérées de la comédie et du drame ont été surtout florissantes en période d'insécurité ou d'instabilité sociale. Caricatures ou exagérations sont des formes privilégiées de représentation sociale quand l'action politique, la transgression ou la subversion sont facteurs implacables de condamnation individuelle et collective. Car ces films sont aussi autre chose qu'une forme amoindrie du cinéma commercial. Certes, pour être rentables, ils se devaient d'assurer la crédibilité du rêve social et des mythes qu'ils destinaient au public. Quant à ce dernier, il n'a jamais dédaigné de s'abandonner au cortège d'«illusions naturelles» qui pouvait se substituer à sa propre vie.

Ces productions renseignent donc sur le réel puisqu'elles y ont nécessairement puisé. Par-delà leurs mystifications se révèlent les structures mentales, les images compensatoires, les tabous proposés par les idéologies dominantes à travers la laborieuse genèse d'un nouveau type d'outil susceptible de conduire à une représentation de l'identité collective. Marquée de constantes spécifiques, cette partie de l'histoire de notre cinéma a certes participé à sa façon à l'expression d'une identité, à une époque, ne l'oublions pas, où la vacuité culturelle était essentiellement conditionnée par la culture française d'une part, par l'invasion de sous-produits américains d'autre part, tandis qu'on

---

\*  Pour plus de références sur les films cités tout au long de cet ouvrage, on pourra consulter l'index des réalisateurs et celui des réalisatrices que l'on trouvera à la fin de ce livre.

affichait un mépris général pour notre peinture, notre musique, notre littérature.

Nous sommes donc à une époque cruciale, celle de l'après-guerre, où un changement rapide s'amorce pour provoquer des bouleversements sur le plan des valeurs, alors que les normes traditionnelles entrent en conflit avec les modes nouveaux de comportements. Qu'il nous suffise de rappeler ici que l'industrialisation et l'urbanisation avaient déjà touché aussi bien les femmes que les hommes (pendant la seule période de 1941 à 1944, près de 60 000 femmes avaient quitté les champs pour l'usine[1]). Travailleurs et travailleuses doivent faire face à un univers technique et anonyme, étranger à leur culture et auquel ne les avait en rien préparés leur formation traditionnelle. Le clergé persiste alors à fustiger les mœurs dissolues de la ville en tablant essentiellement sur l'édification mythique des vertus de la vie rurale, discours partagé par le pouvoir politique incarné par l'Union nationale et son chef, Maurice Duplessis. L'image de la femme, dans cette perspective, demeure indissociablement liée à la représentation idéale de la mère de famille traditionnelle, gardienne de la terre d'origine, des coutumes et des traditions, préservatrice de la culture spiritualiste, de l'histoire nationale, bref de toute notre Survivance... comme seule arme de défense contre tous les méfaits de la *money society* nord-américaine, c'est-à-dire l'industrialisation, l'urbanisation, l'impérialisme anglo-saxon et... les moyens de communication de masse[2]!

Le cinéma, comme produit culturel spécifique, n'a pas échappé à cette bataille idéologique. Dans la «catholique province», l'Église-Mère veillait depuis longtemps, estimant que ce moyen de communication pouvait avoir une influence néfaste sur les mœurs et la morale de la population. Son attitude réprobatrice apparaît déjà clairement dans un pamphlet publié par

---

1. Voir Jean-Charles Falardeau, «L'évolution de nos structures sociales», *La Société canadienne-française,* Montréal, Hurtubise-HMH, 1971, p. 129 et al.

2. Voir Marcel Rioux, «Sur l'évolution des idéologies au Québec», *Revue de l'Institut de sociologie,* Bruxelles, Université Libre de Bruxelles, 1968, p. 110-124.

l'Institut national populaire, dirigé par les Jésuites : *Parents chrétiens, sauvez vos enfants du cinéma meurtrier*[3]. Cette attitude mena, on le sait, à une application stricte de la censure, déjà plus rigide au Québec que partout ailleurs en Amérique du Nord. Dans les années 30, l'Action catholique identifie toujours irrévocablement le cinéma à une invention tout aussi maléfique que «l'alcool qui enfonce dans la pourriture et la barbarie», ou que «la danse, qui déforme les intelligences, déprave les cœurs, pousse dans la voie de la luxure, accroît la criminalité et la prostitution[4]».

Cependant des pionniers comme Mgr Albert Tessier et l'abbé Maurice Proulx avaient pris conscience de la force et de l'impact de l'image comme moyen d'animation et de diffusion de l'information, à des fins très nettement définies de propagande religieuse et nationale. Leur visée idéologique porta essentiellement sur l'édification des vertus traditionnelles — vie paysanne, vie au foyer, travaux ménagers, activités des instituts familiaux, pour le premier, joies du défrichage et de la colonisation, amour du sol et du pays, pour le second — avec, bien sûr, comme toile de fond, les préoccupations fondamentales de spiritualité et d'histoire propres à l'idéologie clérico-nationaliste de l'époque : langue, race, religion.

Après la Seconde Guerre mondiale, les événements politiques et culturels se précipitent: la radio pénètre partout, les femmes entrent à l'usine, obtiennent le droit de vote... puis c'est le référendum sur la Conscription, la victoire de Duplessis, la grève de l'amiante, le Refus global...

Dès lors les institutions enseignantes ouvriront elles-mêmes la voie à la «critique» cinématographique[5]

\* \* \*

3. Voir Yves Lever, *L'Église et le cinéma au Québec*, thèse de maîtrise ès arts (théologie), Université de Montréal, 1977.

4. Voir Richard Jones, *L'Idéologie de «L'Action catholique» de 1871 à 1939*, Québec, Les Presses de l'Université Laval, 1975.

5. Initiative des étudiants au départ, le mouvement des ciné-clubs a été rapidement contrôlé par les autorités religieuses à travers les centres diocésains, puis par un office national destiné à établir la «cote morale» sous les directives des publications de *Ciné-Orientations* dont les principaux collaborateurs étaient, dans les années 50, Jean-Marie Poitevin, p.m.é., Jules Godin, s.j., Léo Bonneville, c.s.v., ainsi que le cardinal Paul-Émile Léger.

## À la croisée des chemins (1942)

Il n'est donc pas étonnant que le premier long métrage sonore, intitulé *À la croisée des chemins,* ait été réalisé par un prêtre des Missions étrangères, Jean-Marie Poitevin. Même si le contenu et la forme diffèrent sensiblement de l'ensemble des productions ultérieures, c'est justement la transparence de ses images — et, à travers elles, les valeurs qui en soutiennent la visée idéologique — qui nous permettra de comprendre en profondeur la nature mythique des représentations que nous offriront les œuvres subséquentes produites par l'industrie privée[6].

Une Église-Mère au faîte de sa gloire sera ici, on s'en doute, la première héroïne du cinéma québécois. L'histoire raconte les troubles de conscience d'un adolescent qui hésite entre l'amour «terrestre» et sa vocation missionnaire. Il choisira, bien sûr, la Vocation, car «Dieu l'emporte sur le monde» et la Grâce sur la «nature» — la nature étant en l'occurrence incarnée par la femme-amour-obstacle devant le fils «élu». Quant à l'Église-Mère, elle est «plus haute que toutes les patries terrestres» : éternelle, universelle, dispensatrice exclusive d'une Vérité totale établie une fois pour toutes, instrument privilégié du Pouvoir en pleine possession du Savoir.

Devant cette «rivale sacrée», la femme-mère ne sera pas autre chose que la pierre d'achoppement du prosaïque, du «matérialisme», du terre-à-terre. Lieu de toutes les stratégies de séduction et d'aliénation, destinée au sacrifice, elle s'inclinera de reconnaissance devant cet «honneur» qui lui est échu et qui, seul, lui permettra de se sentir «en dehors du commun des mortels». Or, le personnage de la jeune première à laquelle doit «résister» le «héros de Dieu» porte les caractéristiques de la plus grande ignorance et de la pire banalité. Issue par surcoît(!) de

---

6. Le cinéaste Jean-Marie Poitevin, p.m.é., quoique très conscient des techniques de séduction et d'identification qu'il s'est employé à bien maîtriser pour les besoins de la «cause», prétend n'avoir jamais voulu faire œuvre commerciale. Son film, réalisé au coût de 2 000 $, n'aurait «rapporté» (*sic*) que 20 000 $ en dix années de diffusion dans toutes les institutions de la province (collèges, séminaires, couvents, salles paroissiales), au bénéfice des nouvelles recrues «offertes» à la «séduction» par l'Église.

milieu privilégié, elle n'a pour unique intérêt que les plaisirs mondains! Pourtant ce type de femme constitue l'idéal même de tout jeune homme de bonne famille, et symbolise la future épouse appelée à «fournir les munitions», tandis que les élus seront soldats de l'Église! Quant au prototype masculin, contrairement à sa sœur frivole, il préfère l'étude, les «œuvres», le coin du feu, la radio, «un peu» de cinéma et les aventures autour de la maison... Le sacrifice de la jeune mondaine sera d'autant plus grand que ce n'est que plus tard, selon sa mère, qu'elle comprendra que la souffrance est le «bien» de la femme qui, devenue mère, se chargera d'émotivité, de générosité, de renoncement dans la résignation. Ces données de base une fois convenues, «fort de sa supériorité culturelle, le Canadien français peut désormais s'inspirer du Miracle de toute la civilisation chrétienne», concluait le film de l'abbé Jean-Marie Poitevin.

*   *   *

La visée explicitement «cléricaliste» aura certes des retombées non négligeables tout au long de cette partie de l'histoire du cinéma québécois. Ainsi en 1945, le président-directeur général de France-Film, Joseph-Alexandre DeSève, participe à la fondation de Renaissance Films Distribution et se joint à un ecclésiastique, l'abbé Aloysius Vachet, directeur de Fiat Film de Paris et réalisateur, entre autres, de *Notre-Dame de la Mouise* (1941) ainsi que d'un film sur... les vocations. Ensemble, ils tentent de convaincre «idéologiquement» les investisseurs en mettant l'accent sur la nécessité d'un cinéma engagé, c'est-à-dire capable de combattre le «Mal» de l'athéisme et du communisme. Dans son rapport aux actionnaires du 21 octobre 1946, DeSève déclarera: «Nous envisageons bien davantage [d'actionnaires] puisque la création d'un Centre international du film d'inspiration chrétienne devra propager notre enseignement familial, pédagogique, professionnel, social, politique, esthétique et religieux.» Dès lors, l'abbé Vachet entreprend une série de conférences à la radio québécoise et des tournées du dimanche dans les paroisses où, en chaire, il invite les paroissiens et les paroissiennes à passer à la sacristie, après la messe, pour acheter des actions Renaissance...

Un certain nombre d'œuvres s'inscriront explicitement dans le prolongement mythologique de cette visée édifiante «à tout prix»: *Le Curé de village* (1949), *Le Gros Bill* (1949), *Le Rossignol et les cloches* (1951) et *Cœur de maman* (1953). À première vue, ces films se présentent avec toutes les caractéristiques du traditionalisme le plus pur: moralisme, cléricalisme, messianisme, intégrationnisme opportuniste, toutes caractéristiques reliées au mythe de la récupération-conversion, y compris celle de l'«étranger», pour que soient maintenus «coûte que coûte» l'ordre et les valeurs d'une société qui persiste à se croire inchangée et inchangeable. Une symbolique de fond recouvre ces trois versions du mythe initial de la Terre-Mère: celles du clocher, de l'église, de la paroisse.

## Le Curé de village (1949)

Comme l'indique le titre, le personnage central de ce film de Paul Gury est le prêtre-curé, éducateur, guide, père spirituel, substitut du père de famille (qui n'est plus qu'un déclassé, un faible ou un absent), animateur-catalyseur de la vie paroissiale. Il connaît intimement tous les membres de la paroisse et prend toutes les initiatives dans le règlement des affaires de la communauté. Autour de cet illustre personnage, on retrouve une institutrice physiquement minuscule, une jeune fille dont l'unique fierté est de bien faire apprendre le catéchisme à son petit frère, une ménagère-bonne-à-tout-faire, maternelle et entièrement dévouée à son père spirituel, et enfin une bonne dame qui s'inquiète des éventuelles fréquentations de sa sœur cadette qui doit s'exiler à la ville pour y travailler.

Au premier plan, une héroïne exemplaire: Juliette, jeune fille sans famille, devenue postière grâce aux relations politiques de son curé... Définie naturellement comme la «pureté même», destinée au meilleur parti de la paroisse, le fils de la mairesse, elle a, par surcroît, de «beaux yeux». Ce sont justement ces beaux yeux qui séduiront le criminel endurci qu'est son père et qui l'amèneront à se repentir et à sacrifier son identité pour que jamais ne soit ternie la réputation de la jeune fille et, par extension, l'honneur de toute la paroisse. La candeur du personnage féminin est posée comme représentation absolue de la réussite humaine, voire comme principe même de permanence de *la* morale établie pour toute la communauté, envers et contre toute forme de contamination. Les pôles internes de cette communauté sont par ailleurs occupés par le commérage, la médisance, la calomnie: toutes fautes portées par les femmes de l'arrière-plan! En contre-champ, une héroïne négative et vaincue, en l'occurrence la mairesse du village, mère du jeune prétendant, dont la seule «faute» est d'avoir voulu éloigner son fils qu'elle aime trop de la belle postière. Fautive de pousser à la limite son rôle de mère? Le curé y mettra bon ordre. Invectivée en pleine chaire, elle finira par admettre «avoir été rendue comme folle», prête désormais à s'arracher le «mauvais» qu'elle avait dans le cœur! Quant à son complice, le notaire de la paroisse, beaucoup plus roué qu'elle d'ailleurs, il passera simplement pour un «pauvre sénile» qui provoque la risée de tout le village. Ce qui ne l'empêchera pas, dès l'instant où il perd tout espoir de conquérir la belle postière, de revenir hypocritement faire la cour à une veuve naïve et depuis longtemps énamourée de lui.

Seul le prêtre-curé aura été légitimé d'accéder à la connaissance du réel qu'il s'emploie démagogiquement à falsifier pour que soit gardée à tout prix l'illusion d'un univers paisible, préservé de tout danger moral, en particulier pour les jeunes filles. Dans la scène finale, toujours en arrière-plan, une «commère» s'étonne, perplexe : «Quand il se passe de quoi ici, j'suis pas loin derrière, neuf fois sur dix je peux dire avant le temps ce qui arrivera et comment ça va finir, et à quelle place exactement, mais ma foi du bon Dieu, il doit y avoir quelque chose qui ne fonctionne pas, j'ai perdu la trace...»

## Le Gros Bill (1949)

Dans *Le Gros Bill*, de René Delacroix et Jean-Yves Bigras, l'euphémisme est radical. Petit-fils d'un ancêtre exilé aux États-Unis, le Gros Bill est venu récupérer son héritage : la terre paternelle laissée en friche. Le protagoniste, une espèce de géant Beaupré, est le prototype du super-héros au physique imposant, pour lequel toutes les femmes se «pâment», en particulier la jeune héroïne romantique et une vieille fille, la tante Mina (le diminutif est pour le moins transparent), qui, ayant la taille inversement proportionnelle à celle du colosse, doit allègrement se hisser sur les meubles pour lui «tenir la conversation»! Quant à la jeune première, il va de soi qu'elle tombe instantanément amoureuse de l'étranger et relègue tout aussi instantanément son ancien cavalier dans l'oubli. Ce dernier n'a plus qu'à s'éliminer du champ narratif dont les ficelles sont encore tirées par le grand machiniste-prêtre-curé. C'est que le Gros Bill est un idéal d'homme, c'est-à-dire la «bonté même», puisqu'il ne boit pas, ne fume pas, ne «placote» pas; il apprend le français, défriche sa terre, sans même avoir à «gagner» (il a des économies), ce qui lui permet de jouer de la guitare… Il ne pouvait manquer de détourner à son avantage l'attention des femmes, jeunes ou vieilles, par la «virilité» de ses qualités, mais surtout par ses chansons sentimentales «religieusement» écoutées. Bref, il comble les aspirations et les rêves de toutes et Clarina sera heureuse avec son colosse car ils auront de nombreux et beaux enfants…

## Le Rossignol et les cloches (1951)

Par-delà cette «symphonie pastorale», un nouveau discours se fait entendre dans *Le Rossignol et les cloches*, de René Delacroix: une nouvelle morale du rachat par… l'achat. Le mythe de la paroisse passe inévitablement par la récupération de l'image de la femme traditionnelle déjà en plein processus de transformation. Le traditionalisme, nous l'avons mentionné, se rattache à un sentiment profond d'insécurité économique, individuelle et collective, sentiment propre à une minorité ethnique dont le niveau de vie dépend de facteurs étrangers. Comme la terre apparaît seule garante de la pérennité du code moral établi, de la culture française et de la pratique des vertus chrétiennes, le clergé fustige les mœurs dissolues de la ville, lieu de perdition et de damnation morale et physique. Ceux qui y émigrent deviennent les «moutons noirs» des familles. Ce qui vaudra d'autant plus pour la femme-gardienne-du-foyer-pays.

Au début du film, l'image de la femme protagoniste est à l'opposé de la visée traditionaliste. Nicole est présentée comme une femme déviante parce qu'elle a des velléités d'émancipation: douée d'un talent exceptionnel de pianiste, elle est mue par l'ambition «démesurée» de faire carrière en dehors de son village natal! Elle habite seule à la ville, dans un appartement luxueux, et fume cigarette sur cigarette. Elle n'hésite pas à repousser son imprésario — originaire de sa paroisse et amoureux d'elle — sous prétexte qu'il ne sait manier les intrigues auprès des grands patrons anglais des orchestres symphoniques. Qui plus est, elle refuse d'accompagner le petit Rossignol, enfant prodige, lors d'une soirée-bénéfice donnée dans la salle paroissiale au profit des nouvelles cloches que réclame l'église afin de se redonner une «nouvelle âme». Nicole devra donc «payer». En d'autres mots, elle devra abandonner ses rêves de «gloire humaine» et se résigner à une «petite gloire domestique» au service de sa communauté, puisque telle est la voie la meilleure, la seule assise durable à un mode d'existence authentique. C'est ce que lui fait comprendre sa sœur, religieuse dans un couvent, alors que Nicole, acculée à la solitude, admet que les ambitions autres que spirituelles ne «valent» rien pour elle. Nous sommes pauvres, mais notre nature est riche… Puisque la ville, la gloire, l'argent appartiennent aux étrangers, mieux vaut se contenter de jouer sa petite musique parmi les siens.

Dès lors, la femme retrouve, dans une sorte d'initiation à rebours, la «sensibilité», qualité indéfectiblement liée à la modestie que la «science de la technique lui avait fait perdre». Elle retrouve aussi les qualités essentielles à lui rendre l'homme auquel elle est destinée… C'est ce qui «compte». La conversion se «rachète» dans les formes de l'âme nouvelle — l'esprit des cloches — lieu exemplaire de l'équilibre entre le spirituel désintégré et l'économie réintégrée.

Un nouveau discours émerge: l'importance d'éliminer de la conscience collective le réalisme — en l'occurrence celui de l'argent et des conditions de vie matérielle permettant d'accéder au bonheur. Or, les agents traditionnels, médiateurs de l'ordre établi, ne sont déjà plus les mêmes: le curé de la paroisse aura tout ignoré de l'intrigue et la jeune femme aura toujours été à ses yeux, comme aux yeux de la majorité des paroissiens, «cette grande artiste envoyée par le bon Dieu pour aider les cloches...» Les bienfaits que la femme-artiste attendait de son émancipation n'auront finalement cours que dans la mesure où cette velléité sera «inspirée» par une activité considérée comme le prérequis de tout progrès: le rachat!

## Cœur de maman (1953)

*Cœur de maman,* de René Delacroix, s'inscrit aussi dans le prolongement de ce nouveau système binaire progressivement occupé par les pôles Terre-Mère/Femme anti-Mère. La contamination dite exogène, celle de la ville, celle de l'étranger, celle de l'argent, envahit insidieusement tous les secteurs de la vie humaine. À la base de cet itinéraire exorcisant contre le «Mal», se trouvent deux prototypes féminins, *la victime et le bourreau,* tandis que tous les personnages sont désormais aux prises avec des problèmes d'alcoolisme, de maladie, de vieillesse, de pauvreté, de chômage, ou de conflits familiaux. L'existence est minée par l'indifférence générale, l'exploitation, l'aliénation, la perte d'identité devant l'effondrement des traditions. La grande victime ne pouvait être incarnée par nulle autre que la Mère qui, sous le nom de Madame Paradis (toujours cette transparente nostalgique de la pureté originelle...), est toujours investie de vertus aussi édifiantes que la bonté poussée jusqu'à la faiblesse, la modestie, la vaillance, la tolérance, la soumission, la résignation, qui appellent le culte du passé et de la famille.

Abandonnée par ses enfants, Madame Paradis est condamnée à vivre dans le monde rétréci de son isolement et de son indigence, avec ses souvenirs et ses illusions. La dépossession progressive de la société traditionnelle est clairement médiatisée par ce personnage qui doit se départir peu à peu de ce qui lui est le plus cher, depuis les derniers meubles lui restant de son patrimoine jusqu'à son chien, ultime confident, en passant par l'horloge grand-père qui marquait implacablement tout ce «beau temps» qui passait. Ne lui reste qu'un album de famille... des images, des lettres d'un fils incarcéré pour avoir défendu ces valeurs qui n'ont plus cours. Elle se résigne à mendier et à périr de froid, stoïquement, sans une plainte, sans un murmure. Elle ne déplore que son impuissance à ne pas pouvoir vivre *pour* ses enfants, tout ingrats qu'ils soient, et elle craint par-dessus tout l'hospice, «asile» et «lieu des sans-famille». À l'hospice, d'ailleurs, on n'accueille que les vieilles gens nanties et la pauvre dame pourrait n'y être «tolérée» qu'à la condition de savoir faire la cuisine et le ménage. Un curé lui trouve tout de même une place de laveuse de planchers dans son presbytère! Acculée à la solitude et à la dépendance, Madame Paradis s'effondrera dans le recoin obscur d'une cathédrale déserte, tandis que le presby-tère de l'évêque aura été détruit par un incendie. Cependant, la Providence aidant, elle-même soutenue par un nouveau démiurge, le médecin-narrateur de ce «fait divers dont on ne saurait croire qu'il puisse arriver un jour», la famille sera à nou-veau réunie. La femme-bourreau anti-Mère dont fut victime l'exemplaire maman aura été éliminée dans un accident d'auto «miraculeux», tandis que l'argent de la caisse de son magasin d'articles religieux, qu'elle avait emporté avec elle, sera tout aussi miraculeusement récupéré par sa propre fille qui viendra, dans la scène finale, chanter l'hommage au «cœur ineffable d'une maman». Il va de soi que le fils idéaliste aura été «réhabi-lité» et épousera la nièce du docteur, nouveau modèle idéal d'une absolue pureté, vis-à-vis duquel toute forme de déviation constitue une transgression à l'autorité qu'il représente.

Quant aux caractéristiques de la femme telle que définie à travers cette nouvelle édification de la petite bourgeoisie mon-tante médiatisée par le médecin-narrateur, elles sont assez éton-nantes : la nièce du docteur ne doute jamais, tout au long de l'in-trigue, qu'un ordre supérieur providentiel viendra un jour ou l'autre rétablir la justice des choses. Pour oublier sa peine devant l'injustice, elle a le privilège, entre autres, de faire un voyage au Mexique d'où elle assure de sa fidélité son prétendant : elle l'épousera, même s'il est travailleur non spécialisé, fils d'un ouvrier déchu, à la condition qu'il trouve un emploi stable... Le médecin y pourvoira. Entre-temps, pendant que ce dernier fait des démarches menaçantes pour obliger les enfants ingrats à donner une pension à leur mère plongée dans une extrême indigence, la caméra nous montre en avant-plan la jeune femme se limant calmement les ongles. Dans la situation initiale, elle avait offert en cadeau à l'indigente un sac à main luxueux et à son mari alcoolique, une bouteille d'eau-de-vie!

Par opposition aux motifs «positifs» de chacun de ces personnages, la femme anti-Mère symbolise les facteurs négatifs qui provoquent la détérioration des liens affectifs de parenté et dont la conséquence la plus dramatique est l'envahissement des valeurs spirituelles par l'économique. Céleste (!), belle-fille de Madame Paradis, est une anglophone littéralement «possédée» par la Possession/Capitalisation à outrance. Une «baise-la-piastre» qui parle français parce qu'elle y est obligée, mais une «femme d'Église», aux yeux de son mécréant de mari, «car la preuve en est faite par la bonne marche de son commerce». Céleste est marchande d'articles religieux : elle exploite le fétichisme religieux des petites gens et la bonne foi de ses proches aux dépens de qui elle n'aspire qu'à s'enrichir. Fausse représentation de la «sainte femme», faisant appel aux «sentiments» des pauvres gens, source par excellence de profits. Elle estime d'ailleurs avoir passé l'âge d'avoir une mère et les impératifs naturels du respect des enfants à l'égard de leurs parents sont, pour elle, de «futiles idées de grandeur». C'est dans la crainte du tort que causerait à son commerce la révélation du sort imposé à sa belle-mère qu'elle l'oblige à cacher son identité pour ensuite tenter de s'en débarrasser en la *vendant* littéralement à une communauté religieuse. Ce personnage maléfique a toute latitude, puisque les autres enfants Paradis ne sont que des «inconscients» ou des «dégénérés», en particulier cette autre belle-fille qui, résidant à la ville, n'a pas d'enfant et perd son temps à fréquenter les bals comme une dévoyée, alors que son mari est littéralement «branché» sur les sports à la radio!

En réalité, l'étrangère ne fait pas que désincarner la bonne foi des paroissiens, elle dégrade *la* Foi. Elle est le principe même du Mal, sacrilège du secteur économique et des valeurs marchandes à l'encontre des valeurs humanistes traditionnelles. Source de tous les maux, la femme anti-Mère est condamnée sans sursis. Elle périt dans un accident de voiture en voulant se sauver avec les bénéfices de son commerce, mais l'argent de la caisse est providentiellement retrouvé pour être redistribué «entre bonnes mains». Le clergé est relégué dans l'ombre de l'impuissance par son ignorance des faits réels. Pour survivre, il faut désormais affronter le Mal, mais la qualité des résultats, sous les apparences d'un réalisme prosaïque (condamnation à mort de la «mauvaise mère»), fait appel à la morale d'un romantisme, sous le décor de la réconciliation à tout prix (réunification fortuite de la famille en hommage *au cœur d'une* (pauvre) *maman* — chanson-thème du film reprise en finale). Ce qui «force» en quelque sorte le bonheur de tous. Le prélat est tout de même obligé de constater qu'il y a désormais des paroissiens — en l'occurrence une fausse paroissienne — qui spéculent sur les valeurs religieuses: «La Providence [dissimulée sous la caution morale du médecin Dieu-le-Père] fait encore tout de même bien les choses!» conclut-il, hiératique.

*    *    *

Mais avant que ne se lève explicitement la frontière entre les «impressions» troubles de ce réalisme incertain ou de cet idéal rêvé, se présentent deux films-charnières, deux héroïnes, deux orphelines, à la fois de leur mère, de leur terre, de leur identité intrinsèque pour un seul thème: la «sainte Misère» de Donalda, dans *Un homme et son péché,* de Paul Gury, et celle d'Aurore, dans *La Petite Aurore, l'enfant martyre,* de Jean-Yves Bigras.

### *Un homme et son péché (1948)*

Dans ce film, comme dans *La Petite Aurore...,* une thématique centrale: la Terre-Mère, lieu éminent de l'identité collective dans l'idéologie de conservation, ne «rapporte» plus. Non seulement le statut d'habitant n'est plus une garantie d'indépendance et d'autonomie comme le voulait cette même idéologie, mais il devient le facteur déterminant de toutes les formes de dégradation, de dépossession et d'aliénation. L'«habitant» est un faible, un innocent passif, abruti de travail. C'est le cas du père d'Aurore qui, à la source du martyre de sa propre fille qu'il compare toujours à sa première femme décédée, alimente ainsi la haine de

*Séraphin* de Paul Gury, d'après C.-H. Grignon, avec Guy Provost, Henri Poitras et Suzanne Avon. (Collection Cinémathèque québécoise)

*Le Gros Bill* de René Delacroix, avec Paul Guèvremont, Ginette Letondal, Maurice Gauvin et Amanda Alarie. (Collection Cinémathèque québécoise)

sa deuxième femme qui se transforme en bourreau anti-Mère. C'est le cas aussi du père Laloge qui laisse Donalda au diabolique usurier pour sauver sa terre dont les récoltes sont mauvaises; c'est encore le cas d'Alexis qui, incapable de rembourser les dettes contractées pour ses instruments aratoires, doit s'exiler de son pays d'origine. L'Église-Mère, la Mère-Patrie (paroisse), la femme-Mère font désormais partie intégrante du registre de la Misère, dans une société minée de l'intérieur où les facteurs de dégradation naissent de cette morale même de la soumission et de la résignation. La Conversion prend la voie du non-retour, suivie de près par la Providence qui participe désormais à contre-courant du temps des hommes. La femme Terre-Mère: un Passé perdu.

Donalda, orpheline de mère, a perdu l'amour et le sens de la vie en perdant Alexis. Elle a perdu jusqu'à son dernier rêve puisque Séraphin ne pourra jamais lui faire un enfant et, ultime dépossession, sa soumission totale au pouvoir de Séraphin, qui la rend moins précieuse que son argent, la voue à la privation et au dénuement complet. Il ne lui reste qu'à laver les planchers pour «qu'avec rien, ils deviennent beaux comme de l'or», à implorer «sainte Misère» et à contempler le bonheur d'Alexis avec une autre, Artémise. Donalda n'est plus qu'un portrait-souvenir (la mère d'Aurore sera un portrait-mortuaire), une image figée entre la fenêtre et la porte, et c'est pour l'avoir irrémédiablement perdue qu'Alexis boit, joue, s'endette, s'exile. Séraphin n'a besoin de Donalda que parce qu'il n'est pas «fait de bois» et que «la créature, c'est faite pour ça», étant entendu que «ça» aime toujours le plus fort, ou finit toujours par l'aimer, avant ou après le mariage, car «ça» ne sait regarder que ce qui paraît (*sic*)... Même son échec pour transformer l'avare est total. «Il faut payer [puisque] telle est la loi», conclut-elle dans *Séraphin*[7], deuxième adaptation filmique du célèbre roman. Dans le roman original[8], il était spécifié par ailleurs que

---

7. Cet autre film de Paul Gury fut produit huit mois à peine après la sortie d'*Un homme et son péché*, dont l'accueil avait été triomphal tant de la part de la critique que de celle du public.

8. Claude-Henri Grignon, *Un homme et son péché*, Sainte-Adèle, Les Éditions du Grenier, 1950.

Donalda finissait par ne désirer que la mort, désir que Séraphin anticipe tout autant puisque, très prévoyant, il garde un cercueil dans sa maison! Et Donalda «fait la morte» pour oublier la vie. Le grand vainqueur, c'est Séraphin et le pouvoir que lui confère son argent en lui permettant de subjuguer toutes valeurs humanistes. La grande vaincue, c'est Donalda, une «bête de somme condamnée à mort», fatalement séparée du monde nouveau qui s'amorce autour d'elle et pour qui il n'y a plus de place sur «terre». Quant à Alexis, il n'a plus qu'à adhérer au mythe d'un ailleurs indéfini et utopique où tout pourrait être recommencé comme avant.

C'est que Donalda était une «créature du bon Dieu» tandis qu'Artémise est le «petit poulet du printemps», gage concret pour une vie nouvelle, qui vient simplement à Alexis pour le solliciter à venir vers elle quand elle le découvre immobile, perdu dans ses pensées, arrêté devant les obstacles. Elle est perçue en quelque sorte comme l'incarnation des valeurs poursuivies par Alexis et qu'aurait épargnées la dégradation. Cette symbiose «idéologique» est naïvement illustrée dans la séquence de la demande en mariage alors que leurs deux chaises berçantes finissent par rythmer leur accord dans le même sens! Mais Artémise n'est qu'un personnage secondaire qui tient très peu de place dans l'espace narratif.

Dans la version de *Séraphin*, où l'anecdote et le burlesque l'emportent sur la visée héroïque, Artémise, comme tous les autres personnages, a fait siennes, malgré les apparences, les tactiques et les stratégies liées aux nouvelles structures mentales commandées par les règles et les valeurs d'une société fondée sur le quantitatif: le capital, l'argent. C'est avec son «trésor tout en or» qu'Alexis réintègre l'idéal du retour à la terre.

La visée idéologique du film *Séraphin* a transformé le discours initial du mythe de la colonisation en tragi-comédie de l'ordre idéal «défricheur-cultivateur-gardien des traditions et des coutumes». Sur le mode de la comédie, toutes connotations reliées à la désintégration du traditionalisme sont désamorcées. Ainsi Alexis, le personnage problématique de la première adaptation d'*Un homme et son péché*, a subi un détournement et un retournement complets: il ne boit plus, ne «couraille» plus, ne s'exile plus; il a pris Artémise pour femme «afin de participer allègrement à la revanche des berceaux»! Assuré de l'appui du curé Labelle et des notables pour restimuler les colons à défricher malgré la misère, il est devenu à son tour «roi et maître» du Nord. Quand Séraphin périt dans l'incendie de sa grange, une poignée d'avoine dans une main, une pièce d'or dans l'autre, «telle est la nouvelle Loi-Providence, plus dure que le Pays-d'en-Haut», murmure une «sainte femme» (Donalda) au terme du travestissement de cette épopée de la colonisation et… de la misère «sanctifiée».

## La Petite Aurore, l'enfant martyre (1951)

Le film de Jean-Yves Bigras, *La Petite Aurore, l'enfant martyre,* archétype du mélodrame québécois, n'est pas uniquement l'histoire d'une enfant maltraitée par sa belle-mère, femme anti-Mère jusqu'à la limite. Nous sommes ici au cœur d'une démarche tortueuse et torturée de révolte implicite contre le manque à gagner, contre les frustrations des plaisirs vitaux, contre ce modèle intransigeant de la féminité «pure et bonne comme la terre» et, surtout, contre l'interdiction obscurantiste d'exprimer la dépossession matérielle, spirituelle, affective, existentielle.

La faillite de l'idéologie de conservation est plus grande qu'on ne serait porté à le croire à travers un «fait divers». Le film tout entier repose sur un schéma structurel essentiellement défini par la privation. Le déséquilibre interne est ici intégral et la pauvreté reste le seul lot des enfants de ce déséquilibre. L'histoire d'Aurore est celle d'une enfant mutilée non seulement «jusqu'au fond de son corps» comme le décèle le médecin-nouveau-démiurge, mais jusque dans son appartenance à une identité collective retournée contre elle-même, contre ce qui fut sa «force vive»: la survivance.

Les malheurs d'Aurore ont pour origine un lourd secret, entretenu d'ailleurs complaisamment comme le seul bien qu'elle possède et qui l'unit à sa mère à laquelle elle s'identifie et *est identifiée* par son père: elle a vu Marie-Louise administrer à sa mère une dose mortelle de médicaments. Or, tout au long de son martyre, les réticences d'Aurore à saisir les occasions qui se présentent de révéler les cruautés que lui infligera Marie-Louise, devenue sa belle-mère, ne sont pas dues seulement à la crainte de subir des souffrances encore plus terrifiantes. Le motif réel d'Aurore, que son père persiste à comparer physiquement à sa première femme, est de s'identifier totalement à celle-ci jusqu'à ce que «son âme se séparant de son corps», elle puisse rejoindre sa mère dans la mort. «Maman, viens chercher ta fille» est moins un cri d'agonie que le cri originel d'une démarche d'identité à rebours.

Il s'agit bel et bien d'un sentiment de délivrance, au terme d'un cheminement obscur, sorte d'initiation par le dépouillement progressif d'une vie où l'on ne trouve pas sa place. Une quête suicidaire, sado-masochiste bien sûr, pour tenter l'ultime commencement des choses, pour gagner un lieu interdit où serait possible un plus grand bonheur. Ironique «aurore», car l'enfant a perdu tout rapport avec la réalité: sa mère n'est plus et il lui est interdit de s'identifier à elle sous peine de mort, de même que lui est interdit le monde de l'enfance. N'appartenant pas au monde d'autrui par la condition terrorisante dans laquelle elle est maintenue, elle ne peut non plus s'appartenir elle-même, se donner une identité propre — pas même par procuration — qui lui permettrait de donner un sens à sa vie, d'où son isolement et son inefficacité absolue dans son vécu quotidien. De plus, cette étrangeté à elle-même exclut toute forme de purification/conversion.

Ce cheminement suicidaire n'appartient certes plus à la mystique traditionnelle. Les tourments de l'enfant ne sont jamais justifiés par la «foi»: le processus d'«imitation» est ici essentiellement tourné vers un passé symbolique folklorisé — la Terre-Mère n'est plus qu'un décor, des paysages, une intonation. Et ce processus d'autodestruction se fait envers ou malgré les impératifs religieux, devant l'impuissance sinon avec le consentement implicite du médiateur traditionnel, le prêtre-curé, qui intervient toujours, comme par hasard, à contre-temps, ou qui reporte l'«affaire» aux mains de la loi (quand une voisine lui fait part de ses soupçons sur «quelque chose de pas très catholique» chez une certaine famille de misère). C'est pourquoi la faillite est si grande: comme il n'est plus possible de vivre avec le seul attachement au passé (la mère), la destruction radicale par la révolte voudrait remplacer la résignation. Mais, dans cet univers obscurantiste régi par les interdictions formelles et informelles de divulguer les faits ou certaines réalités, seules la pudibonderie et l'hypocrisie peuvent être portées jusqu'à leur extrême limite, retournant contre soi-même sa propre révolte.

Dans cet univers d'aliénation, un impératif absolu traduit un aspect original de la révolte contre la privation d'identité et d'identification au monde: la prise de la parole. En accusant Aurore de lui rappeler sa mère et de compromettre ainsi la place qu'elle s'est acquise, Marie-Louise, la femme bourreau anti-Mère, se pose elle-même en victime. Elle-même enfant de la misère, Marie-Louise vit dans l'insécurité d'un crime imparfaitement commis (contre le passé) et qu'il lui faut recommencer sur l'enfant. Pour qu'Aurore ne parle pas de sa mère, Marie-Louise doit lui «couper» la parole en lui brûlant littéralement la «langue», en la lui «lavant», en atteignant ainsi les perceptions-sensations les plus profondes de son être. Par ailleurs, il lui faut retrancher de sa vie cette enfant qui «ressemble trop à sa mère» afin d'assouvir une revanche contre une privation originelle: sa propre identité de femme.

Aurore n'a pas aussitôt mis les pieds dans la maison de son père nouvellement marié avec Marie-Louise que cette dernière, sans raison apparente, s'empresse de lui interdire de «toucher» à Maurice, son propre fils, et de lui imposer un surcroît de travail «pour lui chasser les mauvaises idées». Elle lui ravit ses belles robes de la ville, lui secoue la tête dans les chardons, l'enferme au grenier après l'avoir soupçonnée de «s'amuser» dans les buissons ou de s'être «collée» contre le petit Maurice. Or, les pires tourments se déclenchent à la suite d'une séquence où, dans la nuit, Marie-Louise, après avoir tenté en vain de se rapprocher de son mari épuisé de fatigue, surgit dans la chambre d'Aurore pour la surprendre en train de contempler le portrait mortuaire de sa mère. Les mauvais traitements subséquents seront ainsi précédés soit par l'expression d'une révolte contre le souvenir de la «morte», soit par la divulgation anachronique du martyre d'Aurore par l'un ou l'autre des personnages de l'intrigue, en particulier par les médiateurs de la morale de l'histoire, c'est-à-dire le prêtre-curé ou Catherine, une voisine, jeune veuve elle aussi, en instance de mariage avec un autre veuf, père de plusieurs enfants. Il est toujours trop tôt ou trop tard pour «parler», comme il est trop tard pour faire de Théodore un «maître», signale le curé lorsque le père d'Aurore sera accusé de complicité pour les crimes commis par Marie-Louise. Tout autant que les révélations mitigées et ambiguës faites par Aurore elle-même, celles des observateurs de son drame traduisent une duplicité complexe des rapports pathologiques qui régissent, en réalité, tout le système sous-jacent: l'identification au réel devient principe du «mal» entretenu à la fois par le bourreau menacé et la victime menaçante. «Vous êtes contre moi», «Vous avez menti», profère Marie-Louise qui a poussé jusqu'à son extrême limite cette pathologie du réel conjugué au passé. Malgré l'«heure de Dieu», à son verdict de condamnation, Aurore n'est plus Aurore depuis longtemps «dans l'esprit» et «dans le sentiment» de la femme anti-Mère, «ce n'était *que* la fille de *sa* Mère» (la première femme de Théodore) — Terre-Mère en perdition — tandis que se clôt imperturbablement la morale de l'«histoire»: les enfants, ça n'empêche rien... surtout pas la famille!

*   *   *

Les obstacles au bonheur social ne sont donc plus exogènes. L'envahissement du secteur économique, le «matérialisme» de l'argent, sont en nous, parmi nous. Quand abstraction est faite de cette nouvelle «loi» (morale de la misère qui n'empêche pas la famille) pour éviter qu'un scandale n'arrive, c'est la révolte exaspérée et pétrifiée de la femme anti-Mère travestie en déviation pathologique, sinon en burlesque.

## Les Lumières de ma ville (1950)

C'est avec *Les Lumières de ma ville* de Jean-Yves Bigras, et *Tit-Coq*, de René Delacroix et Gratien Gélinas, que la démarche héroïque de notre cinéma franchit le cercle de la visée proprement régionaliste pour s'inscrire concrètement dans le milieu urbain. Or, seuls certains privilégiés parviendront à y médiatiser encore quelque valeur qualitative traditionnelle, le milieu urbain restant, par définition, vicié. Les protagonistes de *Lumières de ma ville* évoluent au cœur de la métropole, dans le milieu particulier du *show bizz*, où ils font face à tous les modes de l'aliénation dans la contamination générale des valeurs: corruption, dépossession, angoisse, mépris, impuissance, échec, solitude. Chacun des personnages de cette «Carte du Tendre» (le film est publicitairement présenté comme un drame sentimental qui aurait pu s'intituler *Les Errances du cœur*) prend place sur l'écran des «liaisons dangereuses» pour démontrer que les lumières de la ville éclairent difficilement le Québec des années 50.

Dans ce lieu «qui rend malade», «où on respire mal», seuls les «créateurs» (le protagoniste est auteur de romans à succès) ont les qualités requises et la force voulue pour tenter leur chance, car ils ont l'«inspiration». Quant aux faibles (qui le sont toujours «par nature»), comme le compositeur plagié et exploité par la femme-artiste-fatale, ils y perdent leur propre identité. Ils sont définis par les roués comme des *comiques*. Ainsi Denise, une admiratrice évincée par le héros, «pur», grand romancier à succès, est-elle décrite comme une adolescente naissant à l'amour, gâtée et maladive: bref, de par sa nature, une «neurasthénique en puissance», tandis qu'un personnage Dieu-le Père, Capitaine philosophe-commentateur de l'intrigue, est d'une «poésie émouvante et subtile qui reflète les mille nuances d'un cœur qui sait battre et d'une âme qui sait se souvenir».

Du côté des personnages forts et rusés: les tenants anglophones de l'économie qui tirent les ficelles du spectacle des déracinés, soutenus par une complice-traître exemplaire, la femme-artiste contaminée de l'intérieur et, par le fait même, instrument privilégié de la mystification et de la dégradation de toutes les valeurs authentiques. Monique, la chanteuse, est une femme «dépassée par ses ambitions», «laide de peur» sous son masque d'ange, «une dinde parée de plumes de paon» qui s'emploie à trafiquer les sentiments de ceux qui ont «encore le cœur sensible» — pour que triomphe une «affaire de *business*». Avec cette nouvelle doctrine de la Chance, les roués ne sont même plus sanctionnés. La morale de la purification/conversion n'a plus lieu d'être. Chacun se «gagne» une place selon ses modalités respectives et si les sentiments l'emportent malgré tout, c'est au détriment de l'idéalisme foncier.

La jeune première aimée par le célèbre romancier est, comme par hasard, l'illustratrice de ses romans quand elle n'est pas occupée à réaliser la finition des bateaux miniatures que construit, dans ses loisirs, le vieux Capitaine commentateur-Dieu-le-Père. Au cours de l'intrigue, elle aura la «chance» d'apprendre à s'«inspirer» de la vie, c'est-à-dire à admettre que l'homme qu'elle aime et qui est «beau comme un acteur» n'est pas celui dont elle avait rêvé, mais appartient bel et bien à la vie quotidienne et prosaïque. Dès lors, celle qui était «si fière de sa pureté» transgressera jusqu'aux fondements de la morale traditionnelle en choisissant, à l'encontre de toutes conventions, de rejoindre son bien-aimé à la ville, pour ne plus penser qu'à l'amour, comme on «compte sur un billet de loterie», comme un défi aux statistiques.

## Tit-Coq (1952)

L'édifice social sur lequel reposaient les valeurs spiritualistes traditionnelles est irrémédiablement délabré. Dans Tit-Coq, les tentatives d'affirmation personnelle (recherche d'identité de l'orphelin/démarche d'identification à des valeurs révolues) sont vouées à l'échec. L'anti-héros ne pourra jamais réaliser avec Marie-Ange le rêve d'avoir un enfant légitime, parce qu'il doit s'incliner devant le Pouvoir clérical qui fait un retour en force et subjugue: car pendant qu'il était au Front, la «femme de rêve» a épousé, sous les pressions familiales, un homme qu'elle n'aimait pas, et le divorce, dans les années 50, est encore une idée pour le moins... scandaleuse. Un moralisme implacable: divorcée, Marie-Ange ne pourrait plus lui donner ce que le sans-famille voudrait avoir, affirme l'aumônier de l'armée, c'est-à-dire un foyer, des enfants, l'affection d'une famille, toutes conditions essentielles au respect de soi et d'autrui — puisque Marie-Ange ne pourra jamais lui donner autre chose qu'un «bâtard», comme lui-même! Celle qu'il surnommait «Mam-'zelle Toute-Neuve» ou «Touches-y pas» (incarnation d'autant plus absolue de la pureté, l'orphelin se définissant lui-même comme le «fils du vice») n'hésitera certes pas à endosser son malheur avec force autoculpabilisation et résignation, puisque c'est elle-même qui a douté de lui «comme du Ciel» —comme le lui fait (encore) comprendre le prêtre! Ainsi le lui rappelait une tante, enfant de Marie «enragée» à l'âge de cinquante ans: «Si tu n'es pas une fille qui se dévergonde, t'en endures [...] Mais une chance que le bon Dieu est là dans l'autre monde...»

Or, Marie-Ange sera punie et condamnée par tous, y compris par Tit-Coq, parce qu'elle est «faible» (toujours «par nature») donc «incapable d'aimer véritablement»! C'est que Marie-Ange avait un «péché», la danse, péché pour lequel elle pourrait se laisser «manger en salade». Se comparant elle-même à Séraphin, on pourrait lui demander de se passer de manger mais non de danser, «c'est plus fort que son vouloir». C'est ainsi qu'elle trahit sa promesse de ne pas danser tant que Tit-Coq sera au Front, promesse qui constituait la plus grande preuve d'amour qui soit. Mais elle succombe à la tentation de «tourner au milieu de la place comme une possédée» avec le jeune Vermette, natif de son village et devenu contremaître à la ville. «Comme une ivrogne qui aurait mis le nez dans la bouteille après un an de tempérance», vaincue par le vide et à force d'absence, elle a dû épouser son cavalier par «faiblesse» et par «manque d'encouragement» de la part des siens.

Marie-Ange n'était en réalité, pour l'orphelin, que la «page blanche» d'un album de famille qui contient les images récurrentes de l'unité familiale, de la conformité sociale, de la légitimité paternelle, elle-même se sentant «réchauffée» par la seule idée d'être «tout» pour un seul homme, y compris l'incarnation exclusive de ses «images». Quand se dissout cette «illusion de parenté», l'album de famille n'est plus qu'un paquet de cartons «communs», sales et usés, tout juste bon à jeter à la poubelle (!), tandis qu'au terme de cette dépossession tragique, le pauvre orphelin coule comme un noyé. Pour Madame Désilets, la mère de Marie-Ange, l'amour est, de toute façon, une illusion de jeunesse qui se résorbe... tant que l'on peut «régner» dans sa cuisine et être «propre». Le reste du temps, souligne son mari, elle «engraisse» car, si elle n'a pas inventé le téléphone, elle est «dépareillée pour la mangeaille» quand elle n'est pas occupée à vanter ses enfants!

Conformément à la tradition, le prêtre-aumônier de l'armée (canadienne) aura fait triompher la morale des bons senti-

*La Petite Aurore, l'enfant martyre* de Jean-Yves Bigras, avec Paul Desmarteaux, Lucie Mitchell, Marc Forrez et Yvonne Laflamme. (Collection Cinémathèque québécoise)

*Tit-Coq* de René Delacroix et Gratien Gélinas, avec Monique Miller et Gratien Gélinas. (Collection Cinémathèque québécoise)

ments en départageant le vice du devoir, la transgression du sacrifice, le ritualisme de la normativité, le réalisme de la Providence. La femme-Mère peut demeurer à sa place: étrangère au monde et/ou orpheline d'elle-même.

## L'Esprit du mal (1953)

Très stéréotypé et de facture purement mélodramatique, *L'Esprit du mal*, de Jean-Yves Bigras, est une production qui pourrait être permutée avec n'importe quel autre film du genre, américain ou européen. Qu'il nous suffise de souligner que ce film reprend le schéma structurel: jeune première pure et orpheline/belle-mère anglaise démoniaque, en mettant en scène la petite-bourgeoisie d'affaires francophone et la bourgeoisie possédante anglo-saxonne au contact de laquelle l'honnêteté du premier groupe social se dégrade temporairement. Dans cette conjoncture, un ingénieur minier, généreux de nature mais faible, s'est laissé dévoyer par une épouse anglo-saxonne, tandis qu'une francophone mariée à un certain MacDonald a mis au monde un enfant débile. Le personnage de la femme criminelle est intrinsèquement investi de «méchanceté», habité par l'«esprit du mal». Elle sera «proprement» éliminée en périssant dans un incendie provoqué indirectement par l'enfant-fou que l'on qualifierait plutôt aujourd'hui de «perturbé socio-affectif». Au terme de l'intrigue, l'héroïne privilégiée, jeune bachelière romantique et «charitable», retrouve, avec l'affection épurée de son père, l'amour et… la fortune, un peu de hasard et de chance aidant, la bonté, l'«esprit du bien», triomphant sur la «raison» (*sic*).

\*    \*    \*

Deux autres films se détachent de l'ensemble des œuvres de cette époque du fait que les équipes techniques et les auteurs des scénarios sont des étrangers. Toutefois, dès leur origine, ces films ont été destinés au public québécois et l'on ne saurait négliger leur intérêt, ne serait-ce que par leur production et leur diffusion, les thèmes et les structures significatives ayant été jugés aptes à correspondre à la mentalité locale. (Sans compter que la plupart des rôles avaient été attribués aux principales vedettes de la radio québécoise de l'époque.)

## Le Père Chopin (1944)

*Le Père Chopin*, de Fédor Ozep, fut le premier long métrage de fiction à facture explicitement commerciale. Dans ce film, la visée idéologique se pose à l'encontre de celle des autres films, non pas au niveau de la mise en valeur des vertus traditionnelles comme telles, mais dans la mesure où la connotation nationaliste se résorbe en un équilibre en trompe-l'œil entre le pouvoir anglo-saxon et les vertus rustiques et spirituelles de la vie traditionnelle québécoise poussée dans les derniers retranchements de sa folk-lorisation. Dans la scène finale, l'*Union Jack* claque de gloire dans le ciel de la métropole pour couronner la victoire d'un musicien français, tandis que les petites gens du village fictif de Saint-Valentin (en réalité Saint-Théodore de Chertsey) — un rêve écologique — assistent, passivement et mélancoliquement, à l'ascension et à l'accomplissement de leur hôte tandis qu'eux-mêmes demeurent rivés à la Terre en attendant que la Chance vienne un jour leur sourire, à leur tour...

Entre-temps, un dur passage initiatique aura été vécu par tous les personnages, en particulier par les femmes que l'épreuve du «matérialisme» en société urbaine aura «salies de la tête aux pieds», exception faite naturellement de la jeune première, toujours définie comme romantique, idéaliste, foncièrement pure, détentrice de tout ce qui constitue une *authentique féminité*. Sous ses «airs de gamine», l'héroïne est en effet d'un sérieux «étonnant» — ce qui la rend susceptible de devenir une merveilleuse maîtresse de maison — puisqu'elle a beauté, jeunesse, entrain, en plus d'un possible héritage du riche industriel. Elle a surtout le privilège d'être aimée par le meilleur parti de la paroisse (étudiant en médecine) que l'«esprit du clocher» (*sic*) de la paroisse permet de «regarder de haut» — attitude providentielle qui épargne de la dégradation en milieu urbain où il faudra désormais «survivre».

## La Forteresse (1946)

Dans *La Forteresse*, de Fédor Ozep, c'est aussi une super-héroïne qui vient couronner cet équilibre «fictif» entre la vertu, l'amour, la gloire et la fortune, toutes qualités reliées inévitablement *et* aux bienfaits de la Providence *et* à ceux de la *money society* nord-américaine. La protagoniste est une journaliste d'origine américaine qui, à la manière d'une psychanalyste-détective, dévoile les faits, recueille les preuves, catalyse le réel, divulgue la vérité, ouvre une brèche dans la «forteresse» d'une «cité de légendes», en l'occurrence la ville de Québec. À ses collègues qui s'étonnent qu'elle s'occupe d'affaires criminelles plutôt que de mondanités ou de chroniques du cœur comme le voudrait la tradition, le personnage investi d'une force de caractère à toute épreuve s'explique: grande sportive, elle aime le risque. Comme lorsqu'elle fait du ski, elle aime choisir les pentes dangereuses! Ses qualités d'observation, de rationalisation, d'analyse surprennent d'autant qu'elles s'allient, tout «naturellement», à l'intuition et à la sensibilité, qualités dites plus féminines, désignées, selon les circonstances de l'intrigue, comme de simples corrélats du «raisonnement pur» quand il s'agit de la gent masculine.

Par opposition à la nature exemplaire de cette nouvelle démiurge, les femmes autochtones sont des ratées ou des névrosées, vaincues par les forces du pouvoir judiciaire ou médical, quand ce n'est pas par leurs propres fantasmes ou leur impuissance devant la fatalité.

Une ex-actrice est ainsi enfermée à l'asile parce qu'elle connaissait la vérité sur un crime commis par un avocat véreux, mélomane psychopathe. Les spécialistes les plus éminents ont décrété que c'était elle qui avait le cerveau «ébranlé» par un simple accident survenu inopinément. Sa carrière détruite, elle est condamnée à vivre physiquement dans la misère et, psychiquement, dans la peur. Son ultime recours est un agenda personnel qu'elle remplit, dans les dernières années de sa vie, sous les combles d'une chambre sordide de la rue Sous-le-Cap, dans la Basse Ville... Elle meurt tout aussi tragiquement qu'elle a vécu, victime d'un accident de voiture.

Quant à l'épouse du protagoniste, un célèbre auteur-compositeur, elle est définie comme caractérielle, frustrée, angoissée, colérique, hystérique, hypocondriaque, insomniaque, infantile, solitaire, malpropre! Blanche (*sic*) est en résumé une «souillon qui travaillait du chapeau»: victime exemplaire de... l'Art, pour lequel s'impose «de soi» une vie de misère et de privation. Sa problématique n'est pas autrement définie par les personnages masculins qui l'entourent: elle est devenue névrosée, d'après le musicien et son mécène, par dépit de ne pas posséder un talent de chanteuse aussi grand que celui de son conjoint en création musicale. «Tel est le lot d'un homme de grand talent», précise le scénario. «Elle finit par haïr son mari, en croyant dans sa cervelle troublée que ce dernier veut la détruire.» Séparée du réel en ses délires paranoïaques, elle n'a d'autre recours que le suicide: «C'est qu'elle a lu trop de romans policiers», décrète encore le mécène. Ce dernier incarne en l'occurrence le personnage maléfique de l'histoire, lequel prévoyait, de toute façon, d'assassiner la pauvre héroïne afin de pouvoir incriminer de meurtre son protégé qui, à son tour, à force de chantage, aurait été conduit à assassiner la journaliste qui en savait trop...

Quant à la femme forte et justicière, elle appartient à un monde étranger, non seulement par sa nationalité, mais par les qualités que lui confère le monde de l'information journalistique présenté, dans le contexte, comme la cristallisation de l'intégrité morale du système social nord-américain universaliste et anhistorique. Placés désormais au-dessus de toute contingence affective et matérielle — la sensiblerie romantique, les frustrations ou les névroses ayant été évacuées du champ narratif, au même titre que la pauvreté — la journaliste américaine et le créateur québécois sont réunis dans l'apothéose de la célébrité pour la continuité du meilleur des mondes: ils sont les heureux bénéficiaires des lieux fortifiés de la Justice, de la Vertu et du Savoir. À l'ombre de cette «forteresse» immanente, les femmes ordinaires sont vouées, comme les pauvres, les médiocres, les déviants ou les «comiques», aux pouvoirs occultes du «fait divers», privées de l'expression de leur identité réelle comme de la connaissance «objective» de la réalité.

\* \* \*

C'est ainsi que se déroulèrent sous nos yeux, jusqu'à l'avènement de la télévision, noir sur blanc, des images mythiques ou profanes, toujours «édifiantes». Or, nous nous apercevons que derrière le modèle initial de la mère, tiré de la «mentalité de l'époque», derrière le folklore et le triomphe apparent de la Vertu, de la Grâce et de la Providence, derrière le culte de la Famille et de la Misère... ce Rêve social persistant de la femme — pure et bonne comme la Terre — traduit en réalité un moralisme implacable commandé uniquement par les visées en trompe-l'œil d'une société passéiste «où rien ne doit changer»... En cette période dite de «grande noirceur», notre cinéma se présente dès lors comme un théâtre d'ombres filmées où il y a pourtant des blancs: blancs d'exaspération, d'insécurité et d'instabilité, pour exprimer les formes d'une aliénation, celle de la Femme-Mère-Terre en perdition, parfois jusqu'au travestissement d'une révolte: la femme anti-Mère... Un cinéma de l'entre-deux dans la «catholique province» où les valeurs spirituelles entrent précisément en conflit avec le «matérialisme» à outrance de l'industrialisation nord-américaine. Un rôle bien profane désormais pour l'image traditionnelle de la femme selon son degré d'adaptation ou... d'inadaptation.

Les producteurs, eux, étaient bien «adaptés»: ils ont permis à Margot, Yvette et compagnie, de verser quelques larmes discrètes sur des images qui, mine de rien, ne devaient pas les concerner: les victimes, sous les apparences du fait divers fictif, étaient toujours les «autres», puisées ou non dans des «impressions de réalité».

C'était comme à la radio, à la manière des tranches de vie d'un roman-fleuve où, entre un réalisme incertain et un idéal rêvé, les faux dénouements — immanquablement heureux pour les «pures» — faisaient grand écran à des réalités implacablement transformées. Faux dénouements du châtiment et de la récompense, sur un scénario qui se décomposait presque invariablement en trois mouvements: les malheurs de l'«inadaptée», la punition/conversion, le triomphe de la Vertu, le tout sous l'égide d'une Justice immanente, providentielle, bien distributive. Ce fut rarement celle des hommes. Ce ne fut jamais celle des femmes.

En dépit de ce cinéma en trompe-l'œil, qui ne se souviendra, bon gré mal gré, de ces images tortueuses et torturées de femmes victimes-bourreaux, foncièrement investies par le «Mal» quand elles n'en sont pas purement et simplement les premières instigatrices? De ces femmes-mères-enfants dépouillées de leur propre identité comme de leur identification au monde? — Aurore (*La Petite Aurore, l'enfant martyre*), «mutilée jusqu'au fond de son corps», dont le seul espoir est de rejoindre sa mère dans la mort. — Donalda (*Un homme et son péché*), réduite à invoquer sainte Misère parce que lui sont interdites les joies de la maternité, son seul motif de survie. — Marie-Ange (*Tit-Coq*), cette illusoire «Mam'zelle Toute-Neuve», condamnée à épouser un homme qu'elle n'aime pas parce qu'elle se «pâmait pour un rien» comme la danse et qui, par le fait même, ne pourra jamais donner ni à l'un ni à l'autre l'enfant «légitime» de «son» amour. — Nicole Payette (*Le Rossignol et les cloches*), cette talentueuse pianiste qui a le tort, dans ses velléités d'émancipation, de chercher en dehors de «sa »paroisse autre chose qu'une «petite gloire domestique».

Qui ne se souviendra de ces «étrangères», figures exemplaires de l'«inadaptation», qui ne portent pas moins que tout le poids social de la contamination par le Mal tout autant économique que spirituel? — Marie-Louise (*La Petite Aurore, l'enfant martyre*), la marâtre belle-mère, condamnée pour avoir voulu acquérir, par un acte criminel, dans un monde malade, une place qui n'était plus faite pour elle. — Céleste (*sic*), l'«étrangère» (*Cœur de maman*), marchande d'articles religieux de son état, qui dégrade *la* Foi, la religion dans toute son essence, en capitalisant sur la «bonne foi» des petites gens comme sur les valeurs de piété filiale posées comme principes même de Survivance collective. — Enfin, au terme de cette démarche diabolique, l'image du «cœur» d'une maman effondrée dans le recoin obscur d'une cathédrale, abandonnée par ses enfants.

Ainsi en fut-il des principes de changement en même temps que de résistance au changement d'une idéologie conservatrice plafonnée jusque dans les derniers retranchements de son anachronisme. Une «symphonie pastorale» où la vie rurale traditionnelle était posée comme seule assise durable à un mode d'existence authentique. Une représentation sociale idéale pour un univers convenu que seule l'image de la femme-mère-terre était susceptible de préserver grâce à une morale tout aussi convenue des «bons sentiments»: «La Pauvreté et la Misère ne doivent à *aucun prix* empêcher d'aimer les enfants», proclame la morale de l'archétype de mélodrame québécois, *La Petite Aurore, l'enfant martyre*. Tel fut le moralisme global de l'Histoire. Des figures cinématographiques se déroulent, comme à reculons, dans le temps des hommes, de la mémoire, devant l'écran et derrière la caméra, avec la «mélancolie» de femmes orphelines d'elles-mêmes comme de leur propre «cinéma». L'idéologie de conservation avait atteint son «maximum de conscience possible». La difficile naissance d'un cinéma culturellement «nôtre» en est certes issue. Que fut-il proposé depuis la tranquille «Révolution» des années 60? Aujourd'hui que la télévison pénètre partout, comme la «radio-romance» de ces années mélancoliques? Et de ces images des télé-romans actuels, toujours aussi «mélancoliques»…?

# Les images de femmes
# dans le cinéma masculin : 1960-1983

## Louise Carrière

## I. LES ANNÉES SOIXANTE : LA MÈRE
## SE MÉTAMORPHOSE LENTEMENT EN INGÉNUE...

En tant que cinéphile, étudiante et jeune femme, j'ai vécu ces années de la Révolution tranquille en glorifiant moi aussi les monstres sacrés que nous déversait le jeune cinéma mondial. La mythologie du rêve et de l'évasion était notre pain quotidien. Nous, les professeurs, comme beaucoup de jeunes, étions avant tout des amoureux du cinéma : des cinéphiles distants envers l'histoire et le féminisme. Avec les années il nous faudra couper le cordon!

Le nationalisme aidant, il était tout à fait justifié, pensions-nous, de glorifier l'image toute récente à l'écran des nouvelles Québécoises «autonomes»; nous étions gagnées d'avance... (Pensons à Luce Guilbault, par exemple : en tant que comédienne, peu importait le genre de rôles qu'on lui faisait tenir.) Il était à propos d'être fasciné par le regard de Mouffe ou celui de ses sœurs, Carole (Laure), Micheline (Lanctôt) ou Céline (Lomez). Était-ce à la même époque que nous fredonnions les chansons de Jeanne Moreau dans *Jules et Jim,* d'Anna Karina dans *Une femme est une femme* ou de Corine dans *Cléo de 5 à 7* : «Toutes portes ouvertes, au fond du désert, je suis une maison vide sans toi, sans toi… comme une île déserte que recouvre la mer, mes plages se dévident sans toi, sans toi.» Tout cela, jusqu'au jour où nous avons pu chanter nos complaintes de femmes en québécois avec Renée Claude: «Un homme comme toi… à me lever la nuit pour te faire ta soupe aux pois… puis un jour le gâteau des anges, anges…» Ouf! Pouvions-nous dire que c'était ça la belle époque?

Nous étions prises dans un Québec en bouleversement, partie prenante, sujet et objet des différentes réformes en cours. Nous étions les cobayes de la lutte opposant les réformateurs et les conservateurs sur le plan culturel. Nous vivions en pleine époque de rattrapage. Mais qu'est-ce qu'il nous fallait rattraper au juste? Le cinéma nous influençait au moment où il était lui-même traversé par les changements.

L'un des premiers enjeux de changement se jouera sur le terrain de la censure. Pour certains, le cinéma doit demeurer le garant de la loi et de l'ordre. Les femmes doivent être sur le premier front de la lutte contre les sept péchés capitaux. «Souvenez-vous, mes bien chers frères, qu'il y a l'avarice mais aussi la gourmandise et la concupiscence.» D'autres forces cherchent plutôt à promouvoir ce que l'on a appelé depuis l'«idéologie de rattrapage».

Dans ce contexte, le cinéma québécois connaîtra de multiples transformations. La première, et non la moindre, est l'arrivée d'un nouveau code de la censure.

> La grande bataille de la censure est un moment important de l'histoire du cinéma mais c'est aussi à l'échelle de la société globale un tournant de l'histoire. Ce bureau de censure constituait une sorte de bastille du conservatisme et du puritanisme. C'est autour des films français que se fit la bataille[1].

La représentation de la femme à l'écran et la morale sexuelle constituent l'un des enjeux importants des questions de censure. Les écrans québécois avaient été épurés pendant des années de tout film à propension sociale (pas de films de Joris Ivens, de René Vautier, ni même de longs métrages de Chaplin). Il était

---

1. Michel Brûlé, «Les impacts du cinéma américain sur le cinéma et la société québécoise», *Sociologie et Sociétés*, vol. 8, n° 1, avril 1976, p. 39.

encore moins question de présenter des images autres que celles des rôles traditionnels de mère, de prostituée au cœur d'or ou de vierge au cœur pur.

Pratiquement, des films français comme *Hiroshima mon amour,* d'Alain Resnais, ou *Le Rideau cramoisi,* d'Alexandre Astruc, étaient déjà amputés par les ciseaux des censeurs. Une nouvelle génération de jeunes, y compris ceux des ciné-clubs, réclamait la levée d'interdit et une révision complète de la catégorisation des films pour les salles.

Ces changements dans la représentation des mœurs à l'écran auront des effets sur les cinéastes et sur les spectateurs. L'élargissement du code de la censure est lui-même un *signe* des changements opérés dans la société québécoise, mais il sera aussi un *moyen* qui garantira une plus grande ouverture face aux films étrangers et stimulera la réalisation de films québécois à thèmes contemporains.

Le Bureau de la censure cédera la place au Bureau de surveillance du Québec dont la philosophie libérale est maintenant bien connue. «L'attitude traditionnelle judéo-chrétienne face à la sexualité ne tient plus. Le citoyen est libre de disposer de lui-même. On n'assiste plus au débat ancien sur la moralité mais à celui des droits fondamentaux[2].»

Vers le milieu des années 60, la «politique des auteurs» et la libéralisation du code de la censure nous feront découvrir le cinéma européen et ses prototypes de «femmes émancipées». Ce sont Emmanuelle Riva, Jeanne Moreau, Macha Meril, Brigitte Bardot, Anna Karina, Jean Seyberg, Françoise Dorléac, et aussi les héroïnes de Richardson, Chabrol, Varda. «Elles sont gourmandes, avides même. Elles interpellent leurs partenaires et le public au plan du sexe. Désirables, elles sont telles qu'il est impossible de feindre ignorer ce qu'elles expriment à leur usage propre: le désir[3].»

Parallèlement à cette ouverture au cinéma européen, le public québécois découvrira les réalités des pays de l'Est, du

---

2. Claude-Armand Sheppard, interview de Luc Perreault, *La Presse,* 4 février 1980.

3. Françoise Audé, *Ciné-modèles, cinéma d'elles. Situation des femmes dans le cinéma français 1956-1979,* Lausanne, Éd. L'Âge d'homme, 1981, p. 196.

Brésil et de l'Afrique. Les documents de Forman, Wajda, Rocha apporteront aussi des regards différents sur la situation des femmes de leurs pays, sur la représentation du couple, sur l'«émancipation des femmes».

Ces changements allaient sonner le glas de la représentation traditionnelle de la femme gardienne du Foyer et de la Vertu.

### Les premiers documentaires

L'approche documentaire du cinéma québécois vers la fin des années 50 et au début des années 60 fut une entreprise des plus stimulantes. Ceux que l'on a associés au travail de déblocage du cinéma québécois faisaient partie de l'«équipe française» de l'Office national du film. On expérimentait de nouvelles méthodes de tournage, des équipements plus légers. À travers le Québec, on se déplaçait à la recherche de sujets familiers pour «nommer le pays» et construire un immense «album de famille». La chanson avait ses Claude Léveillée, Renée Claude, Claude Gauthier et Gilles Vigneault. La poésie, ses Miron et Chamberland. La télévision, son *Survenant*, ses *Plouffe*, son *14, rue de Galais* et son hockey. Le cinéma devait aussi «scorer».

Le nationalisme émotif se construisait une place dans différents domaines. Il fallait en finir avec la peur d'être Québécois. Les artistes ont donc, durant ces années, concouru à faire ressurgir la fierté de tout un peuple. Mais il n'était pas question de faire profiter aussi les femmes de cette entreprise de «décolonisation culturelle» et de revalorisation.

Il allait de soi qu'elles faisaient partie du Québec et, pourrait-on dire, du décor. Ainsi, les cinéastes vont répertorier les signes de québécitude auprès de la population masculine principalement. À ce moment-là, l'ethnologie québécoise «oublie» d'approfondir son regard *live* et de scruter la vie des femmes au Québec.

Bien sûr, durant ces années, on tournera quelques films dont les sujets sont les femmes. On pense à *Fabienne sans son Jules*, à *Solange dans nos campagnes* et, plus tard, à *Chantal en vrac*. Loin de nous présenter des portraits réels ou des approches vivantes, ces films ressemblent plutôt à des pastiches et s'apparentent aux mots d'esprit: plusieurs femmes vont réciter leurs boniments mais nous n'apprendrons rien sur elles.

Par ailleurs, dans les films de cette époque consacrés à la femme au travail, l'esprit traditionaliste avec lequel on la représente est flagrant. Dans le film de Pierre Patry, *Il y eut un soir, il y eut un matin,* il est question d'une travailleuse de bureau à la place Ville-Marie: on ne retiendra de la réalité de cette femme que ses angoisses existentielles dans  la solitude des grands couloirs modernes. On glisse inlassablement sur les décors pour traduire, sans doute, l'ennui des femmes sur le marché du travail; mais c'est plutôt le spectateur qui finit par s'endormir devant ce traitement laborieux, peu humain, et complètement étranger aux problèmes d'insertion sociale que vivent les femmes. On n'approfondit pas les réactions de la famille devant leurs nouvelles activités. Le propos du film dégagera surtout la réprobation morale devant l'existence nouvelle des femmes: le travail, c'est quelque chose de compliqué, de lourd, pour les femmes! Les couloirs, les grands espaces, l'incommunicabilité les assaillent. Bref, une femme qui travaille à l'extérieur risque d'alourdir le climat familial. Mais, au fait, pourquoi les femmes travaillent-elles? Quels besoins les y poussent? S'agit-il avant tout d'une impulsion métaphysique? Le film de Pierre Patry semble abonder dans ce sens.

Dans un autre documentaire, *Caroline*, de Clément Perron, le personnage principal sera décrit avec plus d'attention, même si l'accent est mis à nouveau sur la «psychologie» des femmes. Le personnage sera perçu avec sympathie et un brin de paternalisme, signe d'un intérêt nouveau pour la condition féminine.

De façon générale, les documentaires des cinéastes masculins s'intéressent particulièrement aux rituels d'hommes, surtout à ceux qui sont liés au travail; ce sera *Télesphore Légaré garde-pêche, Alexis Ladouceur métis, Les Bûcherons de la Manouane, Le Notaire de Trois-Pistoles, Normétal,* les films de la série *Au pays de Neufve-France* sur les Indiens de la Côte-Nord. *Pour la suite du monde* racontera la pêche aux marsouins et l'univers des patriarches de l'île aux Coudres. Les cinéastes aborderont secondairement l'univers des loisirs masculins: la boxe (*Golden Gloves*), la lutte (*La Lutte*), la raquette (*Les Raquetteurs*), la bicyclette (*60 cycles*) et le hockey (*Hockey, un jeu si simple*).

Cette absence des femmes dans le cinéma québécois demeure l'aspect principal du renouveau nationaliste de nos productions cinématographiques. Les films dont on se souvient le plus, les films éclatants, revivifiants — *Le Chat dans le sac, À tout prendre, Hockey, un jeu si simple, Les Bûcherons de la Manouane* — demeurent des films d'hommes sur les hommes. Les autres aspects de la représentation des femmes à l'écran, que nous aborderons maintenant, sont secondaires et doivent être bien situés par rapport à cet aspect principal.

### Les films de fiction

Dans certains longs métrages de cette époque, on retrouvera des vestiges du passé québécois où persistent l'univers rural et l'image traditionnelle des femmes. *L'Héritage*, de Bernard Devlin, *Les Brûlés* et *Astataïon ou le Festin des morts* en sont des exemples.

Dans ce dernier film, le scénario est pourtant celui d'une femme, Alex Pelletier. Elle y retrace la vie des Jésuites chez les Indiens dans les premiers temps de la colonie. La société matriarcale où se déroule l'histoire aurait dû favoriser la présentation d'images réalistes de femmes indiennes. Pourtant le film passe à côté de toutes ces questions et se limite à une représentation d'Indiennes aux seins nus, aussi effacées et absentes que dans les autres longs métrages de cette catégorie.

*Trouble-fête, Caïn, La Corde au cou,* les longs métrages de Coopératio (Pierre Patry, Jean-Claude Lord), cristallisaient l'espoir des cinéphiles et de l'industrie cinématographique québécoise. Ils auront déçu les uns et les autres. En proposant des personnages masculins angoissés, repliés sur eux-mêmes, ils témoignent, par transposition, des craintes importantes des Québécois face aux changements et face aux femmes. Ces films empreints de narcissisme présentent des personnages masculins en quête d'identité, immatures et sans humour, dont les longs monologues font regretter les reparties vivantes d'un cinéma populiste plus traditionaliste. Les interrogations existentielles de Jean-Claude Lord, de Pierre Patry et de Camil Adam (*Manette la folle et les dieux de carton*) font l'effet de repoussoir pour tous les personnages féminins. Il faudra atteindre la fin des années 60 pour retrouver chez les cinéastes masculins un quelconque intérêt pour les femmes au présent.

*Visages de femmes*
*dans la nouvelle vague québécoise*

Certains cinéastes vont être plus sensibles à l'évolution des mœurs au Québec. Bien que les femmes ne soient jamais les personnages principaux ni centraux de leurs films, ils nous les présentent avec des caractéristiques très nouvelles. Le personnage de la jeune ingénue deviendra dans les années 70 le célèbre prototype de la «jeune et libre célibataire». «Elle est séduisante parce qu'elle se sert de son cerveau. Elle est indépendante et non dépendante... Elle n'est pas un parasite, une voleuse ni une fainéante. Elle donne, elle ne prend pas; c'est une gagnante et non une défaitiste[4].»

Ces nouvelles femmes proposées à l'écran ont dans la vingtaine. Elles appartiennent à la nouvelle génération de femmes non mariées qui vivent en appartement. Travailleuses, elles gravitent souvent autour du milieu artistique montréalais et côtoient les intellectuels de l'époque. Elles n'ont pas et n'auront pas d'enfants, ni d'obligations familiales. Comme le héros, en fonction duquel elles sont situées, elles ont beaucoup de temps et de loisirs pour discuter. Ce sont des femmes qui ont des opinions, chose très nouvelle à l'écran. Pourtant, même si elles commencent à prendre des décisions, leur discours demeurera toujours très sommaire. Les héros masculins font la démarche principale.

Ces femmes, ce sont: Barbara dans *Le Chat dans le sac*, qui voudrait, tant bien que mal, sensibiliser Claude à ses problèmes; Pierrette dans *Mon amie Pierrette*, de Jean-Pierre Lefebvre, qui conteste pour la première fois l'autorité familiale. Pierrette en a assez de veiller au salon avec Yves; comme Raoul, l'artiste, elle veut faire sa propre expérience et éviter les rituels aliénants et la routine. Plus tard, nous connaîtrons Mouffe, dans *Jusqu'au cœur* et dans *Où êtes-vous donc?* qui cherche son chemin dans le monde

---

4. Cité par Barbara Ehrenreich et Dreide English, *Des experts et des femmes,* Montréal, Éd. du Remue-Ménage, 1982, p. 289.

de la publicité, et Geneviève, dans *Entre la mer et l'eau douce,* fasci-
née elle aussi par l'artiste Claude.

Ces femmes ne sont plus des représentantes de la vierge au
cœur pur ni de la prostituée au cœur d'or. Elles ne sont pas non
plus réductibles à l'image passive de la mère. Elles appartiennent à une nouvelle génération de femmes pour qui la tête et le
cœur ne font qu'un.

Il faut en effet mesurer la *liberté* de ces personnages de femmes vivant dans un contexte social encore très répressif. Nous
n'avons qu'à énumérer rapidement quelques «interdits» de
l'époque et à les confronter aux images nouvelles données par les
films québécois pour mesurer la distance parcourue sur la question des femmes.

Que penser à ce moment-là d'une femme qui fume, dîne
seule au restaurant, baise sans être mariée, prend la pilule, travaille même si elle vit avec quelqu'un, ne veut pas d'enfant
immédiatement après le mariage, manifeste ses goûts sexuels à
son partenaire, ose faire des avances à un homme, ne veut pas se
marier à l'église ou refuse totalement le mariage, parle de politique, de travail et pas simplement de décoration, d'enfants, de
maladies, de mari?

On pourrait continuer ainsi pendant des pages à dégager les
normes morales, sociales et sexuelles qui, dans certains milieux
et dans certains films, commencent à vaciller.

Par ailleurs, si nous revenons sur chacune des représentations féminines de ces films, nous percevons rapidement les limites des personnages féminins. Les cinéastes masculins veulent
témoigner du vent nouveau mais leur description des femmes
demeure intellectuelle. Cherchant à rendre une *idée,* leurs femmes nouvelles récitent leur goût de liberté et de changement plus
qu'elles ne le vivent à l'écran. Avouons que les cinéastes semblent encore complètement fascinés par les femmes-enfants.
Jean-Pierre Lefebvre, Gilles Groulx, Jacques Godbout vont
nous présenter une Brigitte Bardot québécoise: moue enfantine,
docile, espiègle, désinvolte. Cela est manifeste dans *Kid sentiment, Où êtes-vous donc?* et *Jusqu'au cœur.* Les dialogues entre femmes comme leurs sentiments sont flous et même leur volonté
d'émancipation ressemble à un jeu anodin. Dans *Kid sentiment,*
les filles pensent-elles à autre chose qu'au maquillage, à la

mode? Si oui, arriveront-elles à dire au cinéaste Godbout et à leurs deux partenaires: «Oui on baise, non on ne baise pas»?

Voilà pourquoi Mouffe, plus âgée dans *Où êtes-vous donc?* arrive difficilement à se définir. C'est vrai, elle ne veut plus être ouvrière mais chanteuse, elle accompagne librement Georges et Christian, tous trois veulent fuir le chômage et être célèbres un jour... mais Mouffe mordra à l'hameçon du riche producteur de disques et couchera avec lui en espérant la gloire en retour. Et surtout, Mouffe ne dit rien à l'écran, elle ne parle à personne. Elle récite. On ne sait pas d'où elle vient et très peu où elle va. Mouffe devient ainsi une image symbolique, un symbole-idée de la difficulté de libération des femmes, une Mouffe aliénée par l'image publicitaire des femmes. On peut aussi reprocher cet intellectualisme froid concernant les femmes et les rapports du couple à des films comme: *Jusqu'au cœur, La Chambre blanche* et *Ultimatum*, de Jean-Pierre Lefebvre.

Les images-clichés continueront avec plus de force dans certains films de Gilles Carle comme *La Vie heureuse de Léopold Z., Red,* ainsi que dans *Parlez-moi d'amour* et *Bingo*, de Jean-Claude Lord.

Dans *Bingo*, les femmes supporteront l'analyse schématique de l'auteur sur le triangle social de l'époque: la droite, la gauche et le centre. «À droite on trouve Éva, la grand-mère aveuglée par les médias, droguée par les quiz et autres bingos... Au centre, Geneviève qui désavoue l'engagement politique et à «gauche» Louisette du groupe terroriste[5].»

Dans *La Vie heureuse de Léopold Z.,* qui raconte l'histoire d'un vidangeur la veille de Noël, les femmes n'ont pas davantage de dimension psychologique. Références à des tableaux cocasses, elles ornent l'analyse stéréotypée de l'auteur sur la femme-objet et l'éternel féminin. Jean-Claude Jaubert demande avec pertinence, dans une étude très intéressante, si les personnages féminins de Carle traduisent des améliorations dans la représentation des femmes à l'écran:

> On peut se permettre de douter que la mère de famille ait beaucoup gagné à passer du rôle de «Sainte» à celui d'irresponsable

5. Michel Houle et Alain Julien, *Dictionnaire du cinéma québécois,* Montréal, Fides, 1978, p. 16.

coquette... Tous les clichés sont ici réunis pour caricaturer la
femme. L'épouse de Léopold déploie une activité fébrile pour ne
rien faire ou pour s'occuper de futilités. Le téléphone d'une main,
les crèmes de beauté de l'autre... Son cerveau d'enfant ou d'oiseau ne peut plus se souvenir de rien... Sa sœur Josita est le portrait type de la femme-enfant qui est en même temps la femme
objet...[6]

Les cinéastes québécois traduiront aussi avec maladresse les
changements opérés dans les mœurs sexuelles. Le débat autour
de l'émancipation sexuelle est encore nouveau à l'époque. Est-
ce la garantie de la libération des femmes? Il est intéressant de
remarquer que les cinéastes québécois associent l'image de
l'«étrangère» à l'émancipation sexuelle: Johanne, dans *À tout
prendre*, nous sera présentée comme une Haïtienne; Barbara,
dans *Le Chat dans le sac*, sera québécoise, mais surtout juive anglophone. Plus tard, nous connaîtrons des prostituées «étrangères»,
dans *Les Corps célestes*, et une pléiade de femmes «émancipées» qui
ont troqué leur nom «québécois» pour un label plus international: Réjeanne Padovani, Bernadette Brown, Gina, Q-bec.

Avec les années 60, une grande découverte illumine les
écrans: la sexualité n'est plus un péché, ni un «devoir» à remplir.
La femme n'est pas réductible à un objet sexuel ni à une aide
domestique. Pourtant un puritanisme certain traverse encore les
films. La sexualité est souvent vue à travers les agressions physi-
ques (*Gina, Le Temps d'une chasse, Vie d'ange*). À l'opposé elle sera
réduite à de simples rapports de tendresse difficiles à exprimer.
Chez Leduc, Dufaux, Brault, Lefebvre à la fin des années 60, et
plus tard chez Tana, Théberge, Noël, Arcand, Carrière, les
hommes «artistes», «poètes», «cinéastes», «hommes à tout faire»
essaient sans succès de vivre des rapports de tendresse avec des
femmes à la fois présentes, mais trop souvent silencieuses, stati-
ques (dans *Gina*, de Denys Arcand, Gina, Dolorès et la femme
de l'hôtel sont trois personnages féminins sur qui on exerce un
silence complet, aussi bien sur leur vécu de femmes qu'à propos
de leurs liens avec les hommes). En effet, ces femmes partagent

---

6. Jean-Claude Jaubert, *L'Image du pays à travers le cinéma québécois*, thèse de 3ᵉ
   cycle, Université d'Aix-en-Provence, juin 1975, p. 142.

leur vie affective avec ces éternels «loosers» que sont les hommes québécois. Ces «loosers» instables refusent toute responsabilité et «leur» femme partage alors leur lenteur, leur misanthropie et leur relative inertie sociale (*Ti-Mine, Bernie pis la gang, Gina, Les Grands Enfants, Il ne faut pas mourir pour ça, Entre la mer et l'eau douce, Ti-cul Tougas*).

Pour les hommes, le couple-oasis, le couple silence et complicité a peu à voir avec les réalités sociales de la vie urbaine ou les drames sociaux des années 60 et 70. Il témoigne davantage de leur volonté d'échapper aux conflits et de retrouver une tendresse «fraternelle» presque asexuée.

Le désir d'échapper aux pièges de la pornographie est manifeste dans plusieurs films du jeune cinéma québécois des années 1967 à 1975. Par ailleurs, cet effort s'accompagne malheureusement d'une description aseptisée, puritaine, des rapports hommes-femmes.

Ainsi dans des films comme *YUL 871*, on s'embrasse, on se touche, on couche, on dort, mais on est froids, éteints, sans passion, sans éclats. Dans plusieurs scènes de lit, les personnages sont si ternes qu'à les voir nus on les croirait en fibre de verre! Reliquat de l'éducation morale, sexiste, janséniste, transmise par la famille et l'école sous la domination du clergé des années 50 et 60? Bon nombre de cinéastes semblent avoir été marqués par leurs années d'adolescence dans l'univers religieux et masculin des collèges classiques et cela transparaît dans leur films.

> On forme à la centaine des hommes et des femmes pour qui la sexualité demeurera un monde mystérieux rempli de dangers et dont il ne faut pas parler. Ces hommes et ces femmes auront une vie tronquée par le refus de leur sexualité qu'on leur a inculqué sur les bancs de l'école au nom de principes angéliques...
>
> Tiré d'un petit manuel à l'usage des professeurs voici une pièce d'anthologie:
>
> «L'acte générateur, étant par nature
>
> a) essentiellement *animal* et par contre-coup facilement *répugnant* à notre dignité d'êtres spirituels,
>
> b) source, pour la femme surtout, de *charges* et de *souffrances* physiques et morales,
>
> il serait souvent omis, et par conséquent la conservation de l'espèce serait sérieusement compromise.
>
> Pour faciliter et assurer sa finalité, Dieu lui a attaché un plaisir

d'une intensité extrême vers lequel l'être humain sent une tendance toujours forte et vivante[7].

On pense alors aux films de Pierre Patry et à leurs fortes
inhibitions sexuelles, à *Délivrez-nous du mal* et à son moralisme
exacerbé contre les homosexuels, et aussi au film *À tout prendre,*
de Claude Jutra, avec ses pirouettes intellectuelles. Claude, le
personnage principal, a une liaison avec Johanne, une femme
noire:

> Tout au long de l'histoire, à peine quelques images sur son métier,
> une rencontre avec un ancien amant (rencontre superficielle d'ail-
> leurs) et une longue confession sur son enfance malheureuse. De
> son état actuel, pas un mot; de ses amies à elle, de son passé immé-
> diat, de son mari, de son mode de vie antérieur, rien. Mystère...
> elle sera «la toute belle», l'innommable, l'indescriptible, l'indéfi-
> nissable...[8]

Claude finira par laisser cette femme représentant pour lui
l'amour impossible avec le sexe féminin. Ce non-dit du film
enveloppé dans cette présentation mythique de la femme noire
traduit la négation sociale de l'homosexualité active. Dans *À tout
prendre*, le tabou, la répression inhibée, les transferts cachent tout
un drame social et Claude Jutra n'arrive pas à en témoigner
véritablement. Le non-dit demeure l'aspect principal du film.

Lorsqu'on regarde rétrospectivement une partie de la production cinématographique québécoise des années 60, on voit
apparaître sans équivoque le caractère de ces films.

Les histoires de tournage entre hommes, leur complicité,
leur camaraderie, leurs nombreux articles sur leur prise de
parole cinématographique rendent compte de cette propension à
l'autogratification et de l'absence des femmes.

La myopie face aux femmes, leur négation, ou simplement
l'omission de leur existence — qui ne se résume pas à un simple
rôle de faire-valoir masculin — demeurent les symptômes évi-
dents des carences dans l'imaginaire québécois et les récits des
années 60. Ces personnages-femmes sont si loin de la réalité

---

7. Laurent Girouard, «Des divers sexes à la pédagogie», *Parti pris,* n^os 9-10-11,
   été 1964, p. 47.

8. Denys Arcand, «Cinéma et sexualité», *Parti pris*, n^os 9-10-11, été 1964.

Danielle Ouimet et Andrée Flamand en compagnie de Denis Héroux, auteur-réalisateur de *Valérie*. (Collection Cinémathèque québécoise)

*Où êtes-vous donc?* de Gilles Groulx, avec Mouffe. (Photo O.N.F.)

qu'aucune d'entre elles ne parle jamais d'enfant, de contraception, de vie sexuelle. Les psychanalystes trouveront là un champ riche d'investigations! Ce nouveau cinéma québécois n'a-t-il pas remplacé l'image masochiste de la mère castratrice par celle de la jeune femme silencieuse et mystérieuse?

La représentation cinématographique des femmes au cours de ces années fait penser à la découverte de la sexualité chez un enfant élevé par les curés: il n'ose regarder et encore moins toucher, il préfère fabuler, mais son imaginaire demeure empreint de statisme, d'interdit et son expérience du vécu de l'autre est encore entachée de tabous. Certains grands manitous québécois se feront un plaisir et un devoir de défoncer cette pudibonderie et de dévoiler aux Québécois les soubresauts cachés du sexe en folie!

## II. QUAND LE SEXE ET L'ARGENT SE MARIENT AU NATIONALISME POUR FONDER L'INDUSTRIE DE SEXPLOITATION QUÉBÉCOISE

Le bouillonnement des années 60 sur les questions d'éducation morale permettra à de nombreux auteurs de se faire une place au soleil. En effet, à la fin des années 60, un fort courant cinématographique à travers le monde fondera son pouvoir sur la sexualité. Les films japonais, suédois, danois seront annoncés comme des films d'éducation sexuelle, de véritables leçons de sexe. Les Québécoises et les Québécois convaincus qu'ils en ont encore beaucoup à apprendre en matière de positions et d'acrobaties érotiques vont se précipiter au cinéma pour voir et pour apprendre. Ce voyeurisme est étroitement relié, d'une part, au manque toujours actuel d'éducation sexuelle dans les écoles et, d'autre part, à l'absence de véritables débats sur les rôles sexuels, ainsi que d'une conscience plus généralisée de l'oppression des femmes.

Il s'explique peut-être aussi par un réflexe de colonisé qui, en période de réveil nationaliste, veut tout connaître, persuadé qu'il a manqué l'essence de l'existence. Quitte à s'en remettre aux schémas les plus dominateurs il court après les mythes de puissance.

Au Québec, Denis Héroux, Claude Fournier et quelques autres vont rapidement comprendre l'intérêt de ces nouvelles découvertes. À partir de 1967, jusqu'aux environs de 1975, toute une série de films inondera les écrans québécois. En vrac, on peut rappeler: *Valérie, L'Initiation, Tout feu, tout femme, Deux femmes en or, Après-ski, 7 fois... par jour, Les Chats bottés, La Pomme, la queue et les pépins, Pile ou face*, etc.

Le nationalisme québécois se jumellera au sexe pour donner un tandem publicitaire bien de chez nous: il sera question de s'immiscer dans la vie de nos étudiants à l'aide de *Seul ou avec d'autres*, l'ancêtre des films du genre; de déshabiller la petite Québécoise, dans *Valérie*; de nous introduire dans la vie trépidante de notre banlieue montréalaise (*Deux femmes en or*); dans les milieux *jet set* de *Pile ou face* et d'*Après-ski*. Les films accorderont beaucoup d'importance aux paysages québécois: aux Laurentides, aux grands hôtels, aux appartements sophistiqués des cadres québécois. Nous allons nager littéralement dans la *middle class* québécoise. Eh! oui, ma chère, nous avons aussi nos *playgirls*, nos super-mâles (sept fois par jour, faut le faire!), nos «partys» débridés. Enfin le Québec est sur la carte!...

L'important, dit la publicité, c'est que les filles sont maintenant de chez nous: ce sont nos voisines, nos copines de palier. D'ailleurs, nous avons connu certains de leurs sosies à la télévision depuis quelque temps. Des filles de chez nous qui ont réussi: ce sont Lise Watier, Élaine Bédard, Anita Barrière. Le familier s'unira à l'exotisme. Le nationalisme voisinera avec l'étranger.

> Il est de mise de trouver non loin du centre de l'intrigue un étranger ou, du moins, un Québécois qui a énormément voyagé... Dans *Valérie* c'est un petit monsieur qui, du haut de l'hôtel Bonaventure, nous assure que «rien ne vaut la baie de Rio». Dans *L'Initiation*, le super-baiseur est évidemment un Français... Mariette Lévesque dans *Après-ski* est un mannequin de New York... Quant à *Pile ou face*, c'est le sommet du genre: Jean Coutu est un Allemand qui s'appelle Gunther, les autres comparses viennent de Rome, de New York, de Paris; ils s'appellent Mercédes, Xavier, Francesco, etc. Et lorsqu'ils ne sont pas au Québec, ils passent leurs vacances dans le Périgord[9].

9. Louis B. Nelson, «La fesse ne remplace pas le talent», *Maintenant*, n° 117, juin-juillet 1972, p. 31.

Bon voisinage et voyeurisme feront donc bon ménage. L'œil de la caméra se substitue souvent dans ces longs métrages à l'œil brillant de notre protagoniste masculin. Ce regard devrait parler de jouissance, mais l'image cinématographique n'en rend que les désirs de possession et de compétition. La caméra aura une prédilection certaine pour les seins et les croupes de femmes. (Nous nous rappelons bien d'ailleurs, à ce sujet, le «poster» connu affiché chez bon nombre de bouchers québécois d'une femme taillée en quartiers de bœuf!) La caméra découpe le corps des femmes, s'attarde aux seins volumineux comme si de là allait jaillir une autre fontaine de Jouvence, autre mythe millénaire!

La Québécoise est perçue comme désirant la conquête, désirée mais pas nécessairement désirante. Le désir chez elle fonctionnerait plutôt avec le désœuvrement, l'ennui. Comme ses sœurs en littérature, elle devient «la femme morcelée».

> Ce que permet le dispositif de la représentation, avec ses éclairages, ses costumes et déguisements en tous genres, les dévoilements qu'ils supposent, ses jeux de miroirs et leurs reflets ambigus, c'est l'approche symbolique des femmes — ou plus exactement leur expropriation... Car il s'agit bien de les déposséder de leur corps et de leur identité. Cette expropriation/appropriation n'est possible pour le démiurge masculin qu'à condition d'une déconstruction radicale du sujet féminin, jusqu'à ce qu'il n'existe plus par lui-même[10].

Le sujet féminin des films québécois n'échappera donc pas à ce morcellement: morcellement de la démarche des femmes, morcellement de leurs corps, disparition de leurs émotions. Les femmes sont entrevues par le trou d'une serrure, elles se contemplent dans leur miroir, elles paradent pour ces messieurs. La pauvreté et l'aliénation des fantasmes de ce cinéma érotique se révèlent éloquemment dans un classique du genre, *Après-ski*, de Roger Cardinal.

L'intrigue du film sera assez simple. Nous sommes invités, dès les premières images, à partager la vie de Daniel Pilon, moniteur de ski dans un centre très huppé des Laurentides. Pen-

---

10. Anne-Marie Dardigna, *Les Châteaux d'Éros, ou les infortunes du sexe des femmes,* Paris, Maspero, «Petite collection Maspero», 1981, p. 254.

dant le voyage dans sa Corvette noire jusqu'à l'arrivée dans sa chambre d'hôtel, nous avons le droit de partager avec lui les joies de la vitesse automobile. Déjà, la caméra insiste sur la «souplesse» des changements de vitesse, la «griserie» de l'ascension vers la nature, et l'arrivée décontractée dans ce beau coin de pays. À l'hôtel — oh! merveille — nous aurons à différentes reprises la «vision paradisiaque» d'une femme flambant nue dans l'ascenseur, comme quoi nos fantasmes ont des retombées dans la vie réelle! Un début de film époustouflant, me direz-vous, et ce n'est pas fini...

Notre moniteur s'installe paisiblement dans sa chambre, mais il est rapidement dérangé par ses comparses. Ceux-ci le contraignent à relever le défi digne d'un maître: faire l'éducation sportive de cinq jeunes femmes alternativement sur les pentes de ski et dans le lit. Réussira-t-il? Voilà la question et le nœud du suspense. Le film évoluera alors dans ce contexte trépidant de sports d'hiver, feux de foyer, fourrures et *drinks*, femmes seules et avides. On aura ainsi droit aux approches sexuelles à action rapide, Daniel Pilon voulant baiser subito presto Céline Lomez dans la neige à -40° Fareinheit, jusqu'aux grandes circonvolutions de Mariette Lévesque et du même Daniel dans la fourrure et la neige québécoises. Tout cela est entrecoupé des «exploits» des autres moniteurs dont le slogan à répétition nous rappellera les délices du sexe: «Nous, on ne s'amuse pas: ON JOUIT!» Qu'ajouter de plus pour faire fantasmer le peuple québécois si «pogné»?

Nous aurons au menu ces fameuses scènes dites érotiques: le barman de service à une chambre voit par le trou de la serrure les fesses d'une skieuse; Daniel entre dans la chambre de son confrère au moment où ce dernier embrassait un sein de sa compagne et l'invite à faire de même; un moniteur poursuit dans la neige une prostituée noire «louée» par la «gang» pour la nuit: il la «crémera» avec une mousse en bonbonne. La caméra troque en vitesse accélérée le couple au lit jouant à saute-moutons, jouant à qui crémera l'autre. La séquence se termine par deux ou trois sons gutturaux du mâle en train de jouir.

L'ensemble des autres séquences reproduira des clichés assez usés: un homme sur une femme cachés sous les couvertures, succédant à l'image de cette femme présentée nue jusqu'à la taille ou de dos. Pendant l'absence des femmes, on lance deux ou trois farces sur le sexe, histoire de prouver sa virilité et de préparer le terrain. Voilà!

Autour des années 70, la sortie de films semblables sur les écrans québécois amorcera de nombreux débats. On s'interroge sur la moralité de ces films, sur le rôle de la censure dans un pays démocratique, sur le rôle de l'État face aux libertés individuelles.

Les passions seront très vives et les cinéastes de la «sexploitation» auront beau jeu. En effet, ils se feront les porte-parole de la liberté d'expression et se présenteront comme des libres-penseurs. Ne sont-ils pas ceux qui osent maintenant parler de sujets anciennement tabous?

De Mgr Lavoie au père Desmarais, en passant par Jérôme Choquette, ministre québécois de la Justice, on s'entend pour condamner ces films en s'appuyant sur des critères moraux. La présentation du sexe à l'écran est chose déplacée. C'est à cette même époque que la censure montréalaise sévissait contre deux films à l'affiche: *I, a Woman* et *Quiet Days in Clichy*. Le public s'était dirigé massivement vers ces lieux de perdition pour voir ce qu'on voulait lui cacher.

Or, dans tous ces débats, on ne discute ni de la représentation des femmes à l'écran, ni des conditions de la liberté sexuelle. Personne ne critique le traitement aliénant des femmes. Jean-Pierre Lefebvre a essayé d'y remédier dans la parodie *Q-Bec my love*, mais ce film, par son traitement difficile, ne pourra faire contrepoids à l'influence de la pornographie. Le cinéma québécois de «sexploitation» aura en plus le bon réflexe de cacher sa pornographie derrière un masque bon enfant et des arguments efficaces: «Que voulez-vous, dira Claude Fournier, cinéaste et auteur de *Deux femmes en or*, on doit bien gagner notre vie!» «Si on veut pouvoir un jour faire et encourager des films novateurs québécois, des compromis sont dès maintenant nécessaires.»

Comme plusieurs autres cinéastes, il entonne un air bien connu qui sera souvent repris par la suite: «S'il n'y a plus qu'un marché dans deux ans, pour du film porno, et si c'est ça que je peux vendre, je vais faire du film porno. Ce qui m'intéresse, c'est de faire du film. Je n'ai pas de message à apporter au monde[11].»

Certes nos nouveaux gourous québécois ne manquent pas d'envergure, même s'ils manquent un peu d'ambition et de pensée philosophique. Heureusement, ils auraient le sens de l'humour facile et la réplique heureuse, disent-ils. Fournier dira à propos de *Deux femmes en or*:

> Je sais qu'il y a là des scènes pour voyeurs, mais nous avons eu du plaisir à les faire, tout le monde s'est follement amusé. J'ai décidé de faire un film drôle, et à mon sens, il n'y a rien de plus drôle que le cul au cinéma. Des gens qui font l'amour à l'écran, ça ne peut être que drôle, ridicule. C'est un truc trop personnel pour que ça soit sérieux[12].

Ce sont ces arguments qui ont longtemps tenu lieu de discours dans le débat qui opposait nos cinéastes sans prétention aux moralistes vertueux.

On ressent aujourd'hui tout ce que ces écrits avaient de limitatif. Force nous est de déplorer que nos Claude Fournier québécois n'aient pas eu l'humour débridé mais libérateur qu'on retrouve dans *Tout ce que vous avez toujours voulu savoir sur le sexe sans jamais oser le demander*, de Woody Allen, dans *Chronique d'un rapport*, de Luc Moullet, dans *Plus qu'imparfait*, de Liliane Patry, ou dans ce jugement d'André Bertrand concernant justement la démarche du même Claude Fournier:

> Lorsqu'il a réalisé *Deux femmes en or*, Claude Fournier s'est dit qu'il sortirait enfin de l'ombre, après avoir participé à la fabrication d'un nombre incalculable de documentaires méconnus, en suivant Denis Héroux pas à pas: le succès de *Valérie* avait été proportionnel à la quantité de peau qu'avait montrée Danielle Ouimet, enfantée par la «Poule aux œufs d'or»; de la même façon *Deux femmes en or* allait exhiber Louise Turcot, la championne du tour de poitrine, et dépeindre ses ébats sur le tapis du salon en compagnie des livreurs de lait de banlieue.
> Claude Fournier de *Deux femmes en or* est impardonnable non seulement de s'être mis le téton de Louise Turcot dans l'œil, mais aussi

---

11. Claude Fournier, dans *Cinéma d'ici*, d'André Lafrance et Gilles Marsolais, Montréal, Leméac, et Droits dérivés de Radio-Canada, 1973, p. 192.

12. *Ibid.*, p. 33.

d'avoir ravalé Monique Mercure à son pesant de chair, elle dont Fernand Dansereau et Claude Jutra ont su tirer un tout autre parti bien meilleur dans *Ça n'est pas le temps des romans* et *Mon oncle Antoine*[13].

Roger Fournier, Denis Héroux, Roger Cardinal, Claude Fournier, Gilles Richer ont bien tiré parti de cet amalgame très rentable que sont le sexe, la farce, le nationalisme et la narration américaine au cinéma. On pourrait dire qu'ils ont, les premiers, eu le mérite de dire tout haut ce que plusieurs pensaient tout bas: «Le sexe, c'est l'fun!»

Leur vision par contre n'a souvent porté à l'écran que de vieux clichés: l'intensité du plaisir érotique est en proportion directe avec la grosseur des seins de la femme ou la longueur du pénis de l'«adversaire», la sexualité procède avant tout de la conquête des femmes, sa jouissance à elle varie avec la rapidité de la pénétration masculine — étape finale et sublime de plaisir réciproque. Le sexe serait un jeu à deux mené par un homme, un jeu qu'on fait en silence dans un climat plutôt exotique, la fourrure étant bienvenue. La sexualité, c'est simple, c'est une question d'épiderme, il s'agit de se toucher. On s'embrasse sur la bouche en plans rapprochés, on se colle un peu pour les besoins de l'équipe technique, on grimpe sur la partenaire et puis on laisse aller ce qui doit. C'est fini et tout le monde est content.

Certains films, comme *Les Beaux Dimanches, L'Initiation*, veulent nous présenter avec moralisme la «décadence» des milieux bourgeois du Québec. Pour ce, ils affichent un air de nouveau curé dans la finale des films, les bonnes mœurs triomphant des mauvais penchants des personnages! Dans *L'Amour humain*, dans *Valérie*, le spectateur comprend très vite que certains écarts sexuels sont des fautes qu'il faut pardonner. La fidélité passionnelle de la femme à l'homme rachète les fantaisies de ces femmes célibataires. Valérie réintégrera le bercail à la fin du film; Chantal, dans *L'Initiation,* tombera enfin amoureuse, et les religieux de *L'Amour humain* se convertissent, malgré tous les interdits au bon sens de la chair et du «péché». Sous des dehors apparemment

---

13. André Bertrand, «Le sexe dans le cinéma québécois», *Cul-Q* numéro spécial sur *le Cul dans la culture québécoise,* n° 2-3, hiver-printemps 1974, p. 21-22.

libérateurs, les films de «sexploitation» québécois trahissent un mépris certain des femmes et une sexualité encore axée sur le pénis comme centre de gravité. La violence, sous un dehors de farce, remplace plus élégamment le viol: les décors d'appartements luxueux nous font oublier la pauvreté des scénarios et des perspectives sociales. Dreide English rappelle à cet effet les écueils nombreux que représentent ces tentatives de «libération des femmes».

> Combattre la violence envers les femmes se justifie aisément, il n'est pas aussi aisé de justifier le combat contre la pornographie parce qu'elle n'est pas du domaine de l'action mais du fantasme et parce qu'il n'existe pas de définition satisfaisante[14].
>
> Même la sexualité, que l'on qualifie d'un des plus grands acquis de la «libération» des femmes des années 60 à 70 est, à bien y penser, source de plus d'angoisse que de libération. Miséricordieusement détachée de la reproduction, la sexualité est rapidement en voie de fausser compagnie aux engagements interpersonnels et même à l'affection la plus minime. La culture des années 50 enveloppait la sexualité de romantisme et la sublimait dans l'achat de voitures, de cigarettes et même de meubles «sexy». Mais lorsque la «tolérance» des années 60 permit à la sexualité d'être consommée directement (plutôt que déplacée ou sublimée), le voile se déchira. La sexualité devint un autre bien de consommation «avec son propre marché»: bars, centres de villégiature, bureaux et jardins de banlieue[15].

Ce marché s'étend jusqu'aux films bien sûr, qui deviennent, dans le cas des films québécois de «sexploitation» des années 1968-1976, un curieux mélange de photos de *Playboy* assaisonnées de commentaires du *Reader's Digest*, parfumé avec une goutte de sentimentalisme des courriers du cœur. Nous ne sommes pas si loin des «commerciaux» de bière que les mêmes cinéastes fabriquent pour les mêmes spectateurs à la recherche du «petit goût de chez nous» dans leurs loisirs culturels.

---

14. Dreide English, «La politique de la pornographie», *Le Temps fou,* juin-juillet-août 1980, p. 25.

15. Dreide English, *Des experts et des femmes,* p. 230.

## III. EN MARGE DE L'HISTOIRE (1970-1982)

Dès le début des années 70, le cinéma québécois connaît un accroissement quantitatif et qualitatif important. Si l'on pouvait dénombrer deux longs métrages en 1960, neuf en 1963 et dix en 1968, il y en eut vingt-trois en 1970, trente en 1971 et quarante-six en 1972. Multiplication des films, multiplication des images de femmes, mais pour nous, un seul et même miroir dans la fiction et le documentaire masculins: nous demeurerons des femmes en marge de l'histoire du Québec. Faut-il encore attendre notre réintégration?

Traiter ici en deux temps du cinéma documentaire et du cinéma de fiction est une nécessité pour l'analyse, mais cela pose un problème: en effet, une des caractéristiques formelles du cinéma québécois est le mélange constant de ces deux genres dans la trame des films. Comment, par exemple, situer *L'Affaire Coffin,* de Jean-Claude Labrecque, *Les Ordres,* de Michel Brault, ou même *Gina*, de Denys Arcand, films de transposition qui s'appuient fermement sur des faits réels et emploient les techniques documentaires?

Ce parti pris formel de notre cinéma repose sur des choix politiques et notamment sur une volonté de s'éloigner du cinéma hollywoodien, de ses mécanismes d'évasion et de son *star system.* Mais il demeure cependant encore tributaire de la nostalgie des femmes fatales et des stéréotypes. Cela est surtout manifeste dans les films de fiction même si on peut en retrouver certains signes dans la description des femmes-victimes du cinéma documentaire.

### Le documentaire

Le documentaire québécois est sans doute celui qui tranche le plus clairement avec les modèles dominants du cinéma d'évasion. D'ailleurs, c'est surtout par ses films-témoignages, sou-

vent tournés en direct, qu'il s'est fait le plus connaître et apprécier.

Les films les mieux réussis seront sans contredit ceux qui
combinent enquête minutieuse, écoute attentive et complicité à
une caméra très vivante (*Golden Gloves, Hockey, un jeu si simple,
L'Acadie, l'Acadie?!?, Dans nos forêts*).

C'est sans doute grâce à cette attitude de disponibilité et
d'écoute que les portraits de femmes québécoises dans ces films
sont plus plausibles qu'ils ne le sont dans les films de fiction.
Ainsi, le documentaire nous introduit auprès de femmes plus
âgées, qui n'ont rien des Carole Laure, Céline Lomez ou Louise
Portal. Ces femmes ne ressemblent pas aux stéréotypes de jeunes célibataires dans le vent. Elles n'apparaissent pas simplement en fonction du couple ni du personnage central masculin,
elles sont actives dans la vie sociale et politique.

Par ailleurs, les documentaires ne porteront pas directement
sur elles mais sur diverses questions sociales: situation des vieil-
lards, crise d'Octobre, conditions de vie des personnes handicapées et des étudiants. On pense à plusieurs documents sociaux
comme *Chez nous, c'est chez nous*, sur la fermeture de villages; à
*Rose et M. Charbonneau*, sur la vie quotidienne d'un aveugle et
d'une femme indienne sourde dans un taudis de la rue Hôtel-de-
ville, à Montréal; au *Règne du jour*, sur le retour aux sources en
Bretagne d'Alexis et de Marie Tremblay, ancêtres de l'île aux
Coudres; et aussi à plusieurs autres longs métrages comme *Au
bout de mon âge, La Noce est pas finie, Survivre, Un royaume vous attend,
Raison d'être.*

Au début, la caméra semble faire peu de cas des femmes,
puis petit à petit les femmes s'imposent, au milieu et à la fin du
film, par leurs interventions judicieuses.

Ce sont souvent des femmes du peuple, plutôt ménagères
que salariées, des femmes plus âgées qui, étant aux prises avec
différents problèmes, se voient obligées d'agir. Elles nous parlent de la pénurie de logements, de la relocalisation des villages,
des conditions de vie difficiles.

Dans ces situations de tension et de difficultés, ces femmes
combatives oublient leur gêne devant la caméra et nous disent
leur anxiété, leur révolte ou racontent simplement leur expérience. Face aux tracasseries administratives, aux changements

imposés à leur famille, face à l'exploitation qu'elles ressentent, elles prennent la parole. Nous avons pu le remarquer dans différents documents comme *Les Femmes dans la grève de l'amiante, Une histoire de femmes, On est au coton, 24 heures ou plus.*

D'autres œuvres, les films-documents, contrairement aux films précédents tournés en direct, s'appuient sur des faits et des personnages réels, mais les transposent et utilisent des acteurs professionnels, ou semi-professionnels. Ces films permettent de rendre compte d'événements passés ou actuels impossibles à filmer : *Johanne et ses vieux, Thetford au milieu de notre vie, L'Hiver bleu, Les Ordres, Gina,* opèrent de cette façon. Leurs portraits de femmes s'appuient sur des personnages réels mais condensent souvent plusieurs lignes de force en un seul personnage. Johanne incarne toutes ces jeunes femmes devant assumer la responsabilité de soutenir leurs parents; la mère, dans *Thetford...,* connaît à la fois les problèmes de la conjointe en quête d'autonomie, de la ménagère de quarante-cinq ans voulant retourner sur la marché du travail, de la mère aux prises avec des adolescents en révolte, et enfin les difficultés d'une épouse de mineur dans une ville où la compagnie minière est roi et maître.

Ces films présentent donc indirectement certains problèmes sociaux vécus par les femmes, mais la plupart délaissent presque entièrement une importante partie de leur réalité: leur conception de la vie, leurs émotions, leurs combats quotidiens en dehors des grands moments de tension.

## Le cas Perrault

Pierre Perrault est sans doute le cinéaste québécois le plus apprécié internationalement. Ses films des années 60 ont aussi suscité un intérêt marqué au Québec. Son attention soutenue pour la tradition qui se perd, pour la poésie de la langue québécoise, lui a valu de nombreuses sympathies. Ses premiers films dans la série *Au pays de Neufve-France, Pour la suite du monde, Les Voitures d'eau,* s'inscrivaient nettement dans la construction d'un projet social, d'un pays à bâtir. En disant, avec éloquence, la perte d'identité culturelle, Perrault alimentait le désir nationaliste. Il s'est intéressé de façon particulière aux patriarches, aux rituels masculins. Le cinéma de Pierre Perrault est un exemple élo-

Scène de tournage entre hommes de *Un royaume vous attend* de Pierre Perrault. (Photo Office national du film)

*Les Corps célestes* de Gilles Carle. (Collection Cinémathèque québécoise)

quent d'un cinéma de l'absence des femmes. Sa démarche face aux femmes est aussi révélatrice des limites d'un cinéma documentaire marqué par l'empirisme.

Après avoir vécu presque vingt-cinq ans à observer certaines réalités au Québec, le cinéma de Perrault demeure presque entièrement rivé sur les rituels masculins et, sans doute malgré lui, sur une histoire du Québec faite pour et par les hommes. Parmi une cinquantaine de portraits, seulement quatre ou cinq portraits de femmes : Marie Tremblay dans *Le Règne du jour*, Irène dans *L'Acadie, l'Acadie?!?*, Josée, l'anthropologue, dans les derniers films de Perrault sur les Indiens. Ici et là, pendant quelques secondes, certains films rappellent les interventions d'autres femmes : *Un royaume vous attend, Le Goût de la farine*. Dans *Le Pays de la terre sans arbre ou le Machouânipi*, deux femmes autochtones prennent la parole pour témoigner du passé. D'ailleurs le discours des femmes dans les films de Perrault est souvent un discours qui fait tache d'huile. Elles sont celles qui rappellent brièvement les faits ; elles ne participent pas du tout à la mythologie de la reconstruction du noble et beau passé québécois.

La tradition orale des femmes n'a sans doute pas conservé les images pittoresques des paysages d'hiver, ni le charme des vieilles traditions. Pour elles le passé est souvent synonyme d'isolement, d'inconfort et de grande misère. D'ailleurs c'est ce que Marie Tremblay rappelle dans *Le Règne du jour*, contredisant abruptement les dires de son mari Alexis et se démarquant aussi de la vision de Pierre Perrault.

Malgré son respect pour Marie en tant qu'ancêtre, l'ensemble de l'œuvre de Perrault abonde moins dans le sens des propos de Marie, que dans celui des propos des patriarches (pour la première partie de son œuvre) et des propos de l'anthropologue masculin (pour la dernière partie de sa production).

En dehors de Marie Tremblay, les trois femmes qui parviennent un peu à s'exprimer sont comme par hasard des femmes très scolarisées par rapport au milieu où elles interviennent: c'est Irène, l'Acadienne universitaire, qui nous dit son désarroi de femme face au pays, face à l'avenir, face à l'avortement nécessaire. C'est Josée, l'anthropologue, qui défend les Indiens en argumentant contre les pourvoyeurs de chasse et de pêche.

Enfin, c'est Marie-Andrée, l'institutrice autochtone des films d'Arthur Lamothe, qui parle brièvement du passé de son peuple, étant elle aussi à la recherche des traces perdues.

Pour expliquer le très grand effacement des femmes dans ses films, Pierre Perrault donne l'explication suivante: «La femme québécoise est peut-être plus aliénée (traditionnellement) que l'homme parce qu'elle a assumé une plus large part de l'enracinement et du destin collectif... La femme a peur de parler... comme si la parole attirait les calamités[16].»

Le dernier Perrault (1982) suscite d'ailleurs chez beaucoup de confrères une admiration sans bornes. Ce film, sans femme encore une fois, nous parle du rituel de la chasse, de l'aliénation des Québécois, de leur complicité, de leur tendresse. Bref *La Bête lumineuse* décrirait la dynamique éclatée des rituels masculins. Au moment où le projet social québécois s'effrite peu à peu, les hommes revivent ensemble les gestes millénaires de la chasse, des longues soirées mythiques et de la parlure.

Leurs nombreuses associations d'idées et leurs jeux de mots reliant la copulation et la chasse, leurs envolées oratoires sur les femmes, cachent une imagination sclérosée et un constat d'impuissance: impuissance à vivre des rapports francs et non compétitifs, impuissance à vivre avec passion et tendresse des rapports homosexuels, impuissance à faire ce pays. L'envers de l'impuissance, c'est le discours sublimant sur la rondeur des femmes et leur totale absence de cet univers. Bref, *La Bête lumineuse* serait un sublime combat, poétique, merveilleux!

> Le cinéma est un combat, nous le savons tous... Le dernier long métrage de Perrault, lui, nous met tous K.O., sans exception. L'on a beau utiliser nos prises les plus sophistiquées, rien à faire, il tourne tellement vite, il s'esquive tellement bien... L'idée vient de nous effleurer qu'il s'agit peut-être d'une œuvre sur la chasse, que déjà notre ballon se dégonfle: ça ne peut être ça. L'on se reprend aussitôt pour le condamner à devenir un film sur le mâle québécois, mais même ceci ne semble pas efficace à l'essouffler. L'on risque alors: un film sur le langage? Mais là encore... le dernier Perrault ne se laisse plus abattre au deuxième visionnement. Il ne

---

16. Pierre Perrault, «La femme dans le cinéma québécois», interview de Guy Gauthier, *Image et Son*, n° 267, janvier 1983, p. 12.

nous reste qu'une chose à faire: courir, mine basse, au cinéma voisin, en espérant y affronter un adversaire à notre taille: poids plume[17].

Cet envoûtement pour la démarche de Perrault ne nous émeut pas outre mesure. Plusieurs cinéphiles sont heureux de partager avec lui la même vision sur le Québec et sur les femmes. Il serait un jour intéressant de faire une étude détaillée du vocabulaire machiste qu'emploient Perrault et ses personnages; la chasse, l'abattage, la lutte, l'invincibilité, n'appartiennent pas aux rituels féminins. Dans ce sens, la démarche de Perrault est tout à fait honnête et éclairante. Le dynamisme du Québec est avant tout le dynamisme des hommes et c'est entre hommes qu'en période de récession économique et politique on trouve encore le courage de faire éclater ses contradictions.

Les explications de Perrault sur le silence des femmes, leur absence et leur gêne dans ses films sont peu pertinentes. Elles seraient inintéressantes selon lui parce qu'elles appartiennent au présent et n'ont pas ce sens de la poésie et de la fabulation qu'il recherche. Elles ne partagent pas non plus le rituel du pouvoir décrit par Perrault dans plusieurs de ses films. Les femmes sont ainsi rejetées de l'histoire, avec les autres mouvements sociaux les plus marquants: jeunesse, nouvelle culture, écologie... *Des experts et des femmes* revient sur cette situation:

> Nous vivons les conséquences d'une transformation économique et sociale. Ce n'est pas un bouleversement aussi cataclysmique que celui qui souleva, au départ, la Question des femmes, mais une transformation assez profonde pour avoir ébranlé les hypothèses les plus solides sur la nature et la place des femmes. C'est la fin de la période romantique, la fin de l'idéologie qui avait «résolu» et scellé la Question des femmes pendant plus d'un siècle et demi[18].

Ce n'est donc pas en se réfugiant, comme le fait Perrault, dans l'univers des rituels et de la pseudo-complicité masculine souvent la plus éculée, qu'on fait face à l'histoire et qu'on témoigne de l'évolution d'une société et de ses luttes.

\* \* \*

17. Richard Martineau, «Raging Moose», *Format cinéma*, 20 décembre 1982, p. 3.
18. Barbara Ehrenreich et Dreide English, *Des experts et des femmes*, p. 315.

Depuis peu, certains cinéastes masculins, auteurs de documentaires, dessinent des portraits de femmes bien vivantes: Michel Moreau (*Une naissance apprivoisée*), Georges Dufaux (*Quelques Chinoises nous ont dit*) et Guy Simoneau (*Plusieurs tombent en amour, On n'est pas des anges*) ouvrent ainsi de nouvelles perspectives.

Dans *Plusieurs tombent en amour*, Simoneau s'intéresse à la prostitution féminine, mais aussi aux travestis, aux adolescents, aux clients et aux «pimps» reliés au «milieu». Le film aborde un sujet difficile sans tomber dans le piège du sensationnalisme. Il nous fait connaître les réactions quotidiennes de plusieurs protagonistes face au «plus vieux métier du monde»: la gêne des premiers contacts, les accords financiers, les lieux publics de racolage.

Simoneau, à l'aide des interviews, montre comment la prostitution obéit à un double standard: d'un côté, les prostituées, harcelées et pénalisées; de l'autre, les clients et les souteneurs, tout aussi «coupables» au sens de la loi, mais rarement importunés.

Par contre, on se demande pourquoi prétendre démystifier une situation en négligeant autant l'analyse de ses conditions d'exercice et ses lourdes conséquences pour les prostituées? Chaque groupe de prostitués présentera un discours justificateur de sa pratique sexuelle. Tous s'entendent pour dire qu'ils ne sont pas touchés par les effets de leur métier car ils n'y prennent pas plaisir et n'y sont pas consentants.

Simoneau en reste à ces affirmations sans approfondir les effets de l'exploitation sur les personnes qui l'exercent. Plutôt que d'amorcer une critique en profondeur de la prostitution, il se livre à une sorte d'apologie du métier, considéré banalement comme un travail parmi les autres. Enfin par sa technique d'enquête sympathique — attitude familière dans le milieu —, pourquoi le cinéaste choisit-il de s'épancher sur le «pimp» exploiteur-exploité? Pourquoi, dans les dernières scènes du film, insiste-t-il sur le repentir du pimp qui devient ainsi objecteur de conscience? Bref, Simoneau aiguillera son film sur la complicité auteur-spectateur-pimp. Cette ambiguïté atténue grandement la force et le dynamisme des personnages féminins.

## Les films de dénonciation sociale

Si les films descriptifs même les plus récents témoignent d'une méconnaissance, voire d'un total inintérêt, pour le mouvement féministe, ses revendications et ses changements, peut-on dire la même chose des documentaires de gauche au Québec? Leur volonté de dénoncer les conditions actuelles d'exploitation les a-t-elle rendus plus sensibles à l'oppression des femmes?

Les films de Gilles Groulx, Denys Arcand, Maurice Bulbulian, Robert Favreau constituent une bonne partie des films de gauche au Québec à partir des années 1968 jusqu'à nos jours. Il serait intéressant de saisir comment ils ont témoigné de la question des femmes.

Dans un premier temps, nous aborderons, comme cas limite, un film acclamé par plusieurs comme un film de changement social, alors que nous avons surtout été frappée par ses idées rétrogrades sur la question des femmes. Peut-on être de gauche en général et de droite sur la question des femmes?

*Le Bonhomme*, de Pierre Maheu, tourné dans le cadre du projet *Société nouvelle,* se veut un instrument de changement des modes de vie. L'histoire est celle de Claude, un chauffeur d'autobus de Pointe-Saint-Charles, quarante ans, marié et père de dix enfants, qui décide un jour de tout lâcher — femme, travail, quartier, enfants, habitudes quotidiennes — pour aller vivre dans une commune à la campagne. Le propos de l'auteur, Pierre Maheu, sera de montrer que:

> Claude... rejette l'instance-morale-sociale-culturelle et accède du coup à l'homme universel en lui, à la conscience des choses dans l'instant, à l'évidence de *ce qui est*: il se baigne avec ravissement dans le lac de Dieu, «fly» parmi les planètes et les étoiles, s'absorbe dans le soleil couchant[19].

---

19. Pierre Maheu, *La Nef des fous, un film exorciste,* texte de présentation du projet, Office national du film, mai 1973.

Les séquences euphoriques alterneront avec des altercations orageuses avec Yolande, sa femme, qu'il quittera pour une autre, plus jeune. Claude reviendra périodiquement à la maison pour donner signe de vie, mais le film insistera beaucoup plus sur la volupté de ses échappées hors de la maison, les «échappées libératrices».

Ce long métrage de 1972, largement diffusé à travers plusieurs réseaux québécois, se situe en pleine mode contre-culturelle. Certains penseurs, intellectuels, étudiants de l'époque, prônaient le retour à la terre pour contrer le système; il fallait refuser le conformisme des parents et rejeter les valeurs traditionnelles. La force de ces remises en question pénétrera différents milieux avec les années et c'est à cette interrogation plus large que le film *Le Bonhomme* veut participer. Il posera dans ce sens une série de questions aux spectateurs. Est-il normal que les parents se querellent devant les enfants? Que les gens pratiquent l'amour libre? Que l'homme cesse de travailler quand il considère son travail comme abrutissant? Qu'un père n'assure pas la sécurité financière de sa famille? Qu'une mère consomme exagérément de l'alcool en présence des enfants?

On peut donc reconnaître au film la pertinence de questionner les mœurs, la «normalité» de la soumission des individus face à l'abrutissement du travail, ou les rapports d'oppression interpersonnels. Pourtant cette réflexion est nettement orientée. Pour Maheu, la démarche valable est celle de Claude; la personne à libérer, c'est Claude. Cette libération dans ce cas-ci est aussi celle d'un homme contre une femme.

Les questions soulevées par Claude, ou à son propos, de même que la présentation visuelle et sonore, sont toutes à l'honneur de Claude. On y parle de sa liberté retrouvée à la campagne, nu dans le lac; on revient constamment avec le soleil, la nature et ses tours de moto d'homme heureux et triomphant... Bref, l'évolution c'est Claude, l'aliénation c'est Yolande: c'est un fait! Voilà la vie! Yolande s'en aperçoit d'ailleurs lorsqu'elle crie devant la caméra: «C'est moé qu'on fait passer pour folle, icitte.» Pour le cinéaste, Yolande ne comprend pas et refuse le changement. C'est pourquoi les seules images qu'on garde d'elle sont celles de ses ripostes rageuses à Claude et celles de ses larmes de dépit.

Yolande n'est-elle pas une femme étroite d'esprit, une aliénée inconditionnelle? Elle ne parle pas de culture, ni de liberté, mais n'a en tête que la pension versée par Claude et les comptes à payer. Trop terre-à-terre, Yolande rappelle désespérément à Claude, son insouciance et son irresponsabilité. Mais cette voix n'est pas entendue. Plusieurs critiques ont déclaré sans ambages à peu près ceci: «Face à Claude, le mutant, Yolande incarne ce qui ne change pas, la partie sclérosée du Québec[20].» La femme est de nouveau le frein au développement profitable de l'homme. Et pourtant!

Pourtant, Yolande reste, c'est elle qui assure la continuité, qui assume la responsabilité familiale, économique et morale des enfants, de dix enfants... Elle continue à vivre à Pointe-Saint-Charles dans ce logement sordide, avec ses problèmes de santé, ses difficultés financières et affectives. Or de cela, pas un mot, rien: Yolande est associée à la répression et Claude, à la révolution. Il devient le symbole du chauffeur d'autobus libéré... «dépogné»... sans contrainte. Il aurait enfin commencé à vivre la vraie vie... à la campagne... comme les petits bourgeois... avec leurs aventures sexuelles et un bon compte en banque alimenté régulièrement avec leur chèque de paye... Était-ce bien cela la solution.?

Le propos de Pierre Maheu s'appuie sur la solution contre-culturelle dont les apports et les limites sont plus clairs aujourd'hui. Il prétend dénoncer l'aliénation du couple alors que c'est en écrasant les femmes qu'il compte libérer les hommes. Le coup de pouce qu'il donne à tous les Claude du monde produit l'effet d'un boomerang et montre à quel point un projet de changement qui opprime davantage encore les femmes est hypocrite, superficiel, voire carrément réactionnaire...

Les documentaires québécois des années 70 s'inscrivent profondément dans une perspective de changement social. Ainsi le film de Michel Brault, *Les Ordres,* portant sur la crise d'Octo-

---

20. *Dossier de presse* pour *Le Bonhomme,* Société nouvelle, Office national du film, 1973.

bre, montre l'arbitraire de la justice et le caractère injustifié de la répression. Il le fait à travers cinq personnages, dont deux femmes.

Arthur Lamothe, quant à lui, dénonce les conditions de travail, de santé et de sécurité dans l'industrie de la construction avec son film *Le Mépris n'aura qu'un temps.* Les cinquante-six films produits par Société nouvelle s'attaquent aux inégalités sociales et notamment aux conditions de travail. Ils rendent compte à quel point la technologie, la concurrence internationale et la recherche maximale des profits accroissent l'exploitation des travailleurs. Denys Arcand filme les ouvriers du coton (*On est au coton*), Maurice Bulbulian, les travailleurs de la forêt (*Dans nos forêts*) et des mines (*Richesse des autres*). D'autres cinéastes s'intéressent à une situation particulière au mouvement ouvrier et populaire (le front commun en 1972, les grèves, la violence dans *24 heures ou plus*, de Gilles Groulx), ou encore aux conditions révoltantes des Amérindiens (la série *Carcajou ou le Péril blanc*, la série *La Terre de l'homme*, d'Arthur Lamothe), ou enfin à l'organisation politique naissante dans le mouvement ouvrier (*On a raison de se révolter*, réalisation collective).

Ces films donnent la parole à des ouvriers conscients et permettent de mieux comprendre les rouages de notre système économique et politique, source d'injustices flagrantes. Ils demeurent certes des documents courageux dans leur volonté de témoigner et d'appuyer les changements sociaux. Et pourtant, pourtant!...

En donnant la parole essentiellement aux camarades masculins, aux ouvriers, aux Indiens, aux leaders syndicaux, ces films relèguent de nouveau les femmes dans l'ombre de l'histoire des luttes sociales. Comment comprendre que ces cinéastes conscients n'ont jamais pressenti un tant soit peu à quel point le rôle des femmes a été déterminant durant ces années-là, à quel point leur participation a été importante. Les cinéastes ont manifesté peu d'intérêt pour les épouses de grévistes et les comités de femmes. Ils ont été encore moins soucieux de témoigner des revendications des femmes sur l'avortement et pour l'égalité au travail. Évidemment, aucune référence non plus concernant les contradictions hommes-femmes dans le couple, l'éducation des enfants, etc. Les hommes font les luttes. Au mieux, les femmes les appuient...

Dans *24 heures ou plus*, une seule femme retient l'attention, M^me Meloche. Elle raconte pourquoi elle est solidaire de son mari Vincent condamné à la prison pour avoir tué son patron. Dans *On a raison de se révolter* et dans *On est au coton*, Madeleine Parent, militante, communiste, syndicaliste très active au Québec dans les années 40 et 50, nous explique le rôle joué par les femmes. Dans ce dernier film, Arcand conclut par les déclarations d'une jeune ouvrière, seule et aliénée par le monde de la consommation. Cette attitude de sympathie et de désolation devant les femmes sera reprise dans ses longs métrages de fiction (*Gina, Réjeanne Padovani, La Maudite Galette*). Elle devient manifeste à nouveau dans *Le Confort et l'indifférence*. Si la question du pouvoir, de la tactique face à la question nationale est importante, force nous est de constater que les femmes n'y sont que des freins et des empêcheuses de progrès social. Il est frappant de constater dans ce dernier film que les intervenants sont presque exclusivement masculins. Arcand, dans un hommage manifeste à Pierre Perrault, donne la parole à deux protagonistes masculins (Maurice Chaillot et Hauris Lalencette) que nous avons déjà retrouvés précédemment (*Le Goût de la farine, Un royaume vous attend, La Bête lumineuse*). Les interventions rarissimes de femmes sur la question nationale sont reliées à la peur du changement, à l'aplaventrisme devant les politiciens. La thèse sous-jacente au film n'en ressort que mieux: les Québécois ont de nouveau opté pour le confort et on pourrait ajouter: la politique est une chose trop sérieuse pour intéresser les femmes et quand elles s'y adonnent, on pourrait se passer volontiers de leurs interventions à contre-courant.

Les films québécois dits «progressistes» ont peu témoigné de la place des femmes dans les luttes des années 70 et n'ont porté aucune attention à l'influence marquante du mouvement féministe. Même *24 heures ou plus*, de Gilles Groulx, qui peut être considéré comme un manifeste des principaux enjeux sociaux de ces années-là, ne souffle mot du rapport particulier des femmes au travail, ou du manifeste *Québécoises debouttes*. Il a réussi à parler de la question nationale, des revendications du front commun, du phénomène de la jeunesse et il passe complètement à côté de la question des femmes, même dans son commentaire modifié datant pourtant de 1977!

Quelles hypothèses pouvons-nous avancer pour expliquer cette évidente déconnexion de la réalité de la part de cinéastes militants?

On ne s'attendait pas, bien sûr, que les cinéastes masculins soient ceux qui fassent les luttes à notre place, mais on aurait pu s'attendre, pour le moins, que leur vision de la société témoigne des changements dans les rapports hommes-femmes. Se sentaient-ils menacés?

Il est vrai qu'il est impossible de parler des changements hommes-femmes sans s'impliquer personnellement... On ne peut rester en marge de ces problèmes pour les transcrire à l'écran. Or, les cinéastes masculins de documentaire social ont beaucoup de peine à s'impliquer directement dans leurs films. Ils donnent la parole aux autres, aux ouvriers, aux opprimés, sans qu'on sente toujours quels sont leurs propres intérêts face à ces problèmes. Les émotions, les aspects contradictoires des luttes et de la vie quotidienne sont souvent évacués par une analyse assez schématique, voire parfois simpliste, des conflits sociaux. Or, pour analyser les rapports hommes-femmes, les rapports avec la famille, les enfants, le pouvoir, pour saisir avec finesse les interrelations entre l'intériorisation de certaines valeurs ou attitudes et les institutions sociales, il faut y voir un intérêt immédiat. Les cinéastes masculins avaient-ils intérêt à remettre profondément en question leur pouvoir face aux femmes? Peut-être était-il plus facile de dire: «Eh bien! ces questions-là, ça regarde avant tout les femmes, c'est à elles de faire les films! Nous, on s'occupe des questions qu'on connaît le mieux...»

Leur silence s'explique peut-être aussi par cette vision marxiste réductrice faisant de l'usine le lieu central de l'exploitation capitaliste. Or, en situant l'exploitation de la classe ouvrière essentiellement sur le terrain de l'usine, les réalisateurs risquent fort peu d'y retrouver des femmes, sauf dans les secteurs du textile et de l'alimentation. Quant au secteur tertiaire, où elles sont majoritaires, il ne s'agirait nullement d'un terrain de lutte prioritaire...

Avec une vision aussi étroite, on n'accorde aucune attention au travail domestique, ce travail caché et non payé qui représente pourtant plus de 40% du produit national brut au Canada, et on néglige complètement les autres terrains de lutte allant de l'habitation, de la consommation, des garderies, jusqu'à l'école, secteurs où les femmes ont joué un rôle majeur au cours des années 70. En outre, dans la mesure où les femmes sont davantage isolées et où leurs luttes sont souvent aussi invisibles que leur travail domestique — luttes individuelles, patientes et quotidiennes —, elles ne correspondent guère aux manifestations publiques, tapageuses et souvent violentes du monde ouvrier. Il faut donc une attention soutenue et une certaine finesse d'écoute pour témoigner de la profondeur des changements amorcés par les femmes et saisir le caractère particulier de leur lutte. Or la plupart du temps, comme leur engagement ne ressemble pas à celui des hommes, on en conclut qu'elles n'ont aucune combativité; alors qu'en fait briser un contrat de mariage pour une meilleure qualité de vie est souvent plus engageant et significatif que d'interrompre un contrat de travail la durée d'une grève afin d'augmenter son salaire...

Mais comprenant fort mal comment les rapports de sexes et de classes sont profondément imbriqués dans l'organisation capitaliste du travail domestique et salarié, les cinéastes masculins jettent un regard superficiel et souvent un peu hautain sur cette vie privée. Ainsi, la vie ouvrière filmée sous l'angle de la combativité et de la détermination sur le terrain de l'usine apparaît comme pure aliénation culturelle en dehors du monde du travail (*Gina, On est au coton*). La famille, les séquences de cuisine, les rapports de couple, les loisirs, le choix des émissions de télévision sont souvent décrits comme tristes, aliénants, voire de mauvais goût. On a parfois l'impression que cela tient de la caricature: héros à l'usine et abruti à la maison...

Comment prétendre être cinéaste de gauche en ayant souvent un regard aussi moralisateur sur la culture ouvrière, en réduisant cette vie quotidienne à une analyse de l'aliénation et en occultant les autres formes de luttes sociales. Tant que, dans ces films, les femmes seront réduites à des ombres chinoises ou à des rôles négligeables, tant que leurs luttes seront considérées avec condescendance comme luttes secondaires ou comme simple appui aux «vraies» luttes, tant qu'on restera muets sur l'oppression des rapports hommes-femmes, ces films dits de gauche marcheront sur des béquilles...

En 1974, France Capistran et Robert Favreau se sont attaqués directement au thème de l'exploitation des femmes à travers un événement fort connu : le Carnaval d'hiver de Québec et le couronnement de la Reine du Carnaval. Sous son impulsion et soutenu à la réalisation par France Capistran, mais réalisé par Robert Favreau, ce film-suspense se dénoue par la victoire de la gagnante du fameux concours. Les nombreuses interviews de jeunes filles lors des rencontres éliminatoires intercalées avec celles des juges nous permettent de saisir à quel point l'aspect humain de ce concours — être considérée comme une «fille formidable» — a peu à voir avec les intérêts financiers des marchands. Les familles ont entretenu longtemps ce rêve de voir un jour leur fille reine d'un carnaval ou d'un concours quelconque. L'espoir a été cultivé et entretenu par les mille et un conseils sur les qualités féminines développées par les cours de maintien ou de chant. Lors des épreuves finales, on sent très bien le stress des concurrentes, les concessions et, finalement, la déception profonde qui les touche. Les cinéastes ont réussi à démystifier cet événement si populaire au Québec. Ils ont démonté certains ressorts du *show business* et alerté les spectateurs et spectatrices sur les dessous mercantiles des concours de beauté. Nous serons aussi plus conscients des différentes formes de chauvinisme qui s'attaquent aux femmes: certains hommes affichent un mépris ouvert face aux candidates, ridiculisant leur maintien et leurs attitudes; d'autres se font plus cajoleurs avec de suaves discours sur le charme, la grâce et la bonne tenue, alors que d'autres affichent un paternalisme d'entraîneur sportif du style: «Allez-y, les petites filles, foncez dans le tas!»

Toutefois, la critique du chauvinisme de ces marchands de Québec n'échappe pas à certaines ambiguïtés. Ainsi, la multiplication des scènes caricaturales provoque des rires qui égratignent peu la misogynie ambiante et trop souvent se retournent contre les duchesses, présentées comme femmes-victimes. Par ailleurs, le regard de classe posé sur les duchesses occulte un fait important: même si certains critères de féminité (cheveux longs, maquillage, rêves de mannequin) sont plus marqués dans les classes populaires qu'ils ne le sont dans d'autres milieux où ils semblent dépassés, ces modèles féminins inculqués depuis l'enfance et constamment présents dans le regard masculin touchent en réalité toutes les femmes. Or, les tableaux accablants du film *Le Soleil a pas d'chance,* s'ils ont le mérite de l'évidence, n'en cachent pas moins, derrière la caricature, les formes plus subtiles du sexisme quotidien. Autrement dit, cette charge contre le jury — et indirectement contre l'aliénation des duchesses — n'a-t-elle pas pour effet de masquer la misogynie de ceux qui ne peuvent s'identifier à des propos aussi phallocrates, leur donnant même bonne conscience pour avoir condamné les rituels douteux et le chauvinisme grossier provenant d'autres classes sociales? Ne rit-on pas facilement de ce qui nous fait le moins mal? Ne critique-t-on pas élégamment ce qui nous remet le moins en question?

### «Waitress» au cœur d'or et célibataires délurées

Une première catégorie de films semble échapper à un schématisme certain dans la représentation des femmes. Il s'agit des films des jeunes cinéastes des années 70.

Autour de 1969, l'Office national du film offre à de nouveaux réalisateurs la possibilité d'exprimer leur vision personnelle, à travers son programme «Premières œuvres». Les scénarios de ces films — *Jean-François-Xavier de…*, *Mon enfance à Montréal, Ty-Peupe, Ainsi soient-ils, Question de vie,* — sont des œuvres d'introspection sur les déchirements des intellectuels. Tous ces films s'appuient sur des histoires fictives, mais les éléments autobiographiques sont nombreux. Ils disent de façon très malaisée l'incapacité des jeunes à faire des choix sociaux, l'importance des mythologies masculines dans la vie de chacun et, plus que tout, leur déconnexion avec les luttes politiques au Québec. Ces films manifestent un retranchement certain dans le monde de l'onirisme et de la fabulation. Les femmes n'échappent pas à ces rêves. Elles déambulent elles aussi avec leur mal de vivre.

Ces films sont traversés par une misogynie certaine et une incompréhension marquée à l'égard des femmes. L'ambiguïté sexuelle de certains héros, la retenue importante des autres, consacrent la peur face aux femmes et face aux responsabilités. Dans d'autres œuvres plus récentes, comme *Bar salon*, *Ti-cul Tougas*, la priorité va de nouveau aux protagonistes masculins qui refusent de vieillir et partagent leur vie avec des femmes plus décidées, plus âgées qu'eux.

Ici, les femmes ne jouent plus le rôle de mère, mais il s'établit curieusement, à un premier niveau, une relative inégalité au profit des femmes quant à leur force de caractère et à leur pouvoir d'organisation. Mais, dans le cinéma québécois, ces «femmes fortes» sont presque toujours représentées sous les traits stéréotypés des «waitress», «go-go girls» ou semi-prostituées.

Cette fixation sur un seul type de femme va de pair avec l'absence des classes moyennes et des milieux ouvriers dans le cinéma québécois de fiction. Centrée sur les couches sociales les plus pourries du système où la description de la névrose, de la violence de la pègre et des *shylocks* fait figure d'analyse, cette surreprésentation du «milieu» marque profondément les portraits de femmes qui y évoluent. La force de celles-ci est réduite à une certaine autonomie sexuelle quoiqu'il faille y regarder de près. *Réjeanne Padovani*, *Gina*, laissent entrevoir des personnages féminins décidés, mais le viol collectif et la mort en font encore une fois des victimes.

La complaisance avec laquelle on dépeint ces nouvelles «femmes fortes québécoises» et le chauvinisme au ton paternaliste et protecteur devant ces grandes, belles et vulnérables femmes d'ici, contribuent à masquer leur oppression grâce à des images pittoresques et populistes. Le personnage qu'incarne Luce Guilbault dans plusieurs films illustre bien cette attitude.

Le nouveau cinéma québécois des années 70 a eu énormément de mal à cerner les nouveaux rapports qui s'établissent entre hommes et femmes. On en arrive même, dans certains cas, à *inverser complètement* les problématiques, les femmes, les immigrés, les homosexuels, étant présentés comme les causes des problèmes et les déclencheurs de violence, bref, les opprimés devenant les oppresseurs. N'est-ce pas là un signe de désarroi ou de résistance devant les changements exigés[21]?

Certains cinéastes québécois dépeignent maintenant les hommes non plus comme des héros, mais comme des faibles. Mankiewicz, Arcand, Carrière, Noël, Brassard, Tremblay, Tana, proposent des portraits d'hommes indécis, aigris; certains refusent de vieillir et de partager. Ces images d'hommes reflètent l'envers de celles de films comme *Les Smattes*, de Jean-Claude Labrecque, *Panique,* de Jean-Claude Lord, ou *La Gammick*, de Jacques Godbout où les hommes, semblables à John Wayne, vont seuls face à leur destin, assoiffés de justice... ou de pouvoir.

Malgré leur anti-héroïsme, les nouveaux personnages masculins diminués ne risquent-ils pas de fausser les rapports hommes-femmes actuels? «Femmes fortes», «femmes oppressives» ou «femmes victimes», c'est la même dichotomie, la même caricature où on inverse bêtement les rôles, sans comprendre ni les origines, ni l'évolution de l'asymétrie sexuelle.

Même faibles, les personnages masculins continuent d'occuper le devant de la scène, les femmes demeurant très secondaires. Récemment, quelques réalisateurs ont réussi à cerner fort intelligemment certains comportements féminins, comme dans *On est loin du soleil,* de Jacques Leduc, *Les Dernières Fiançailles,* de Jean-Pierre Lefebvre, ou *Les Ordres,* de Michel Brault. Mais ces passages demeureront essentiellement allusifs sur la situation des femmes, leurs émotions, leur vécu. Dommage!

Quelques productions comme *Kamouraska, J.A. Martin, photographe, Cordélia, Les Bons Débarras* proposent des portraits de femmes plus autonomes. Elles ne sont ni du monde du spectacle, ni de la pègre. On les découvre dans leur quotidien, auprès de leur famille. Ce sont des femmes d'exception, par la violence ou l'entêtement de leur opposition sociale. Beaucoup de ces descriptions se déroulent dans un passé plus ou moins lointain et dans des milieux souvent clos. Il est d'autant plus facile aujourd'hui de sympathiser avec ces femmes que la plupart de leurs revendi-

---

21. Voir l'article de Thomas Waugh, «Nègres blancs, tapettes et butch dans le cinéma québécois», *Copie zéro,* n° 11, Montréal, Cinémathèque québécoise, octobre 1981.

cations sont maintenant acquises et leurs griefs en partie accep-
tés. La vigueur de ces portraits féminins gagnerait à être actuali-
sée et sortie de milieux étouffants pour prendre vraiment de l'envol.

À la fin des années 60, la jeunesse prend les devants de la scène dans plusieurs champs sociaux. En Europe et en Amérique, les
cinéastes s'intéressent aux 15-25 ans. Déjà en 1964, Louis Por-
tugais, avec *Jeunesse, année zéro*, constatait la volonté de changement des jeunes et leur angoisse face à l'avenir. Comment
témoigner des aspirations des jeunes québécois et des nouveaux
rapports de sexes qui se dessinent?

Dans *Kid sentiment*, Jacques Godbout les suivra caméra au
poing, en scooter, en décapotable, à pied. Deux gars du groupe
de chanteurs  rock, les Sinners — se prenant pour les Beatles
dans *A Hard Day's Night* —, font la fête avec leurs deux amies
Andrée (Cousineau) et Michelle (Mercure). Le scénario est de
Godbout: sur la terrasse Dufferin, à Québec, deux gars flirtent
deux filles, les emmènent à la maison et leur demandent de cou-
cher avec eux. Tout cela devait se passer dans un climat amical
et décontracté où ces jeunes devaient vivre devant la caméra
comme dans la vraie vie afin de nous apprendre leur conception
du couple, de la vie, de la tendresse, etc. Mais le film nous présente plutôt le jeu malhabile de quatre adolescents jouant aux
jeunes pour un cinéaste de trente-cinq ans, curieux de les connaître.

Malgré sa musique rock, ses séquences accélérées comme
dans le «splastick» américain, ses scènes de «photos légères», ses
moments relax — les filles se coiffent, les gars jouent de la musique, on se fait des sandwiches —, le film s'arrête sur la réaction
de Godbout, choqué du peu de véracité cinématographique des
jeunes.

Il leur reproche leurs systèmes de défense; il leur fait dire que
la tendresse a été tuée par l'individualisme. Et les jeunes de
répondre «oui, c'est vrai», «c'est sans doute vrai ce que tu dis;
mais il y a le cinéma qui nous a influencés et maintenant il y a
aussi ta caméra, ton scénario».

Le film *Kid sentiment* nous en apprend donc moins sur une nouvelle jeunesse petite-bourgeoise sans problème que sur les réactions qu'elle suscite chez ses aînés. Il faudrait voir ces jeunes plus émancipés, mais Jacques Godbout, voyeur, est déçu. Les filles prennent la pilule mais ne couchent pas; les jeunes seraient supposément plus libres mais ils ne le montrent pas. Les aînés se seraient saignés à blanc pour eux et ils déçoivent leurs espoirs.

Ce sentiment d'insatisfaction devant la jeunesse et les nouvelles femmes est encore mieux articulé dans *La Fleur aux dents,* de Thomas Vamos. Le personnage principal, Georges (joué par le cinéaste Claude Jutra), a quarante-cinq ans. Technicien dans un poste de radio, il cherche à rendre compte de toute la substance de la Révolution tranquille dans une série d'émissions. Pendant qu'il est enfermé dans son sous-sol à faire ressurgir l'histoire passée, sa femme, qui se mourait d'ennui, décide de suivre des cours et sa fille célibataire décide de garder l'enfant qu'elle porte. Elle annonce à son père qu'elle va épouser un autre de ses amis qui l'aime et qu'ils vont élever l'enfant ensemble. Le père est complètement décontenancé par les nouvelles valeurs de ces femmes qui deviennent autonomes, différentes. Son univers à lui était plus simple: «J'ai vécu pendant cette révolution tranquille... qui a une signification multiple: c'était le syndicalisme pour les travailleurs, l'oxygène pour les intellectuels, la réforme de l'éducation pour les enfants. Pour moi, Georges Lamontagne, ça été tout cela à la fois...» Et plus tard, il dira par dépit: «Notre génération, on a voulu réussir par le nationalisme, montrer qu'on était meilleur que les Anglais. À c't'heure que c'est fait, tout le monde s'en sacre.» Le film déplore le fait que toutes les valeurs soient bouleversées et traduit les difficultés d'adaptation devant un Québec nouveau qui nous échappe.

Cette nostalgie pour le Québec des années 60 apparaît dans plusieurs films; leur désarroi nous renseigne sur les contradictions qu'ont alors vécues de nombreux Québécois, contradictions notamment dans les rapports hommes-femmes.

Une autre réaction, celle de Claude Jutra — comme cinéaste cette fois-ci —, jaillira dans le film *Wow* sorti en 1969. Ce film est un exercice de cinéma au service du rêve d'une dizaine de jeunes. La caméra de Jutra transposera à l'écran, avec une fidélité presque fanatique, les désirs de ces jeunes. Pour l'un d'eux, son rêve sera d'être chanteur vedette rock; pour une autre, ce sera d'être une religieuse au service de la paix à la campagne; pour un troisième, ce sera de se promener nu sur la rue Sainte-Catherine à Montréal.

Le film de Jutra manifeste une très forte sympathie pour l'imagerie et les rêves de ces gars et de ces filles de quartiers huppés, même s'ils sont souvent très conservateurs: leurs relations sont traversées par le sexisme, le sentimentalisme et la dépendance des femmes, la camaraderie «virile» des gars, la solitude des filles.

À un autre niveau, *Wow* constitue un hommage à la jeunesse contre-culturelle, à sa soif de liberté, à sa haine de la violence. Ce film, peut-être malgré lui et malgré le cinéaste, pose les limites nombreuses de ces fameux changements: nous dénonçons la violence mais nos fantasmes demeurent très violents, nous voulons la paix mais nous sommes intolérants, nous désirons l'amour mais nous sommes profondément sexistes et repliés sur l'imagerie la plus traditionnelle du couple. Nous haïssons le système, mais comme il nous sert bien!

À mi-chemin entre la fascination d'un Jutra, le désarroi d'un Vamos et la déception d'un Godbout, Gilles Carle va se frayer un chemin. Sa démarche, bien connue depuis maintenant une quinzaine d'années, sera caractérisée par un dosage savamment calculé d'éléments anciens et nouveaux sur la Québécoise moderne, la jeunesse contre-culturelle et la génération des 25-40 ans.

Carle est le chimiste par excellence des «nouvelles modes» à l'écran. Dans *Le Viol d'une jeune fille douce,* il nous présentera cette nouvelle dichotomie entre un Québec «société close de type catholique et traditionaliste où la sexualité demeure le lieu de toutes sortes de tabous, et une société plus ouverte, laïque et émancipée qui la supplante peu à peu». C'est par rapport au scandale du viol, «que se cristallise dans le film toute la série des oppositions... catholicité/laïcité; sexualité culpabilisée/sexualité libre; famille/individualisme; province/ville[22]». Avec les frères

---

22. Dominique Noguez, *Essais sur le cinéma québécois,* Montréal, Éd. du Jour, 1970, p. 117-118.

Pilon déguisés en «westerners», il sera moins question de viol que de conquête. Comme dans plusieurs films de Carle les thèmes sont intéressants, mais ils sont peu approfondis et traités avec désinvolture et paresse.

Avec *Red*, Gilles Carle dit illustrer à l'écran ce qu'il appelle le métissage du peuple québécois. Pourtant ce qu'on retient du film c'est plutôt la présentation sympathique de Daniel Pilon parti encore une fois à la conquête des belles filles de chez nous.

Avec *Les Mâles, La Vraie Nature de Bernadette, La Mort d'un bûcheron*, le voici illustrant la polyvalence sexuelle pour les femmes, le charme de la nature, les contradictions de la contre-culture au moment où son pouvoir subversif s'est largement érodé.

Avec les années 70 et la libération de la femme, Gilles Carle ne dérougit pas. Il veut nous faire connaître les prétendues nouvelles femmes libérées du Québec: chanteuses, danseuses, demi-prostituées sympathiques. Il est sans doute le cinéaste qui moussera le plus la nouvelle idéologie de la femme célibataire des publicistes et des «experts». Ses femmes sont toujours très jeunes, sans amies, disponibles aux hommes. Leur principale liberté sera celle de choisir: quel homme, quels hommes? Elles jouissent de la vie. La chanson du film *Les Mâles* suffit à elle seule à résumer leurs aspirations: «Le temps est bon, le ciel est bleu, j'ai deux amis qui sont aussi mes amoureux.»

Cette manie chez Carle de saisir les sous-idéologies à la mode au Québec remonte donc au début des années 60. Il continuera ainsi, sous une allure novatrice, à suivre essentiellement les nouvelles lois du marché de la consommation.

> En plus d'ouvrir un marché aux produits d'usage courant comme les téléviseurs, les mélangeurs et les aspirateurs, le mode de vie des célibataires représentait un nouveau type de marché centré sur les voyages, les boissons alcooliques, les chaînes-stéréo, l'équipement de sport, les vêtements et les produits de beauté... Les médias reflétaient et encourageaient le nouveau mode de vie des célibataires, susurrant à l'oreille d'une génération de jeunes femmes: «Pourquoi attendre? Pourquoi faire des sacrifices? Vous n'avez pas à justifier vos désirs. Il est normal que vous profitiez de la vie.» [...] Tout capitaliste ne pouvait que se réjouir du nouvel état d'esprit égotiste des jeunes femmes... Il devenait évident qu'un ou une

*La Mort d'un bûcheron* de Gilles Carle, avec Denyse Filiatrault. (Collection Cinémathèque québécoise)

célibataire «bon vivant» pouvait consommer plus qu'une famille de quatre personnes[23].

Les analyses de Gilles Carle sur le Québec et sur les femmes nous font penser à des décors en trompe-l'œil au théâtre. À première vue tout a l'air réel, mais on constate rapidement que la charpente est truquée et que le carton-pâte dégouline. Cette illusion nous déçoit. Ainsi, plusieurs questions des *Mâles* sont pertinentes: comment vivre sans être dupe des amitiés passagères, des nouvelles idéologies de retour à la terre, de non-possessivité des êtres et des choses? Elles sont laissées en plan et vite remplacées par des images idylliques de couples femme-nature, homme-nature.

Gilles Carle veut plaire et correspondre à tout coup aux goûts dominants de l'année de certains milieux québécois: il flirte alors avec la mode. C'est sans doute l'image de Carole Laure qui va le mieux servir son propos. C'est *Fantastica, La Tête de Normande Saint-Onge, Les Corps célestes*. Dernièrement avec *Les Plouffe*, Gilles Carle va nous présenter, sous des dehors réalistes, un dosage étudié des stéréotypes féminins. Chez lui, les femmes deviennent simplistes à force d'être simples, stupides à vouloir faire les savantes, superficielles à vouloir être fragiles et mystérieuses.

On retrouve une même simplification des caractères féminins de jeunes célibataires chez un cinéaste comme André Forcier. Chez lui, la femme est réduite à un symbolisme évident. Femme et découverte du sexe, femme et impuissance, femme et masochisme, femme et castration deviennent autant de modulations des films *L'Eau chaude, l'eau frette* et du récent *Au clair de la lune*.

Terminons cette brève présentation des stéréotypes féminins dans les films québécois de fiction des années 70, par trois films particulièrement révélateurs: *Vie d'ange, Le Temps d'une chasse* et *Il était une fois dans l'est*.

Le film de Pierre Harel, *Vie d'ange*, nous propose comme sujet la liaison de deux vedettes: Elvus et Star, véritables caricatures de l'idéal féminin et masculin. Ces deux vedettes évoluent

---

23. Barbara Ehrenreich et Dreide English, *Des experts et des femmes*, p. 291.

dans un monde impressionnant, envoûtant, bizarre et factice à la fois, celui des grandes réceptions du *Montreal-by-night,* des bals masqués et des couples dépareillés. Elvus et Star sont de la même étoffe. Elvus veut séduire Star l'inaccessible, si convoitée par tous les fans. Star, sans le dire, est conquise par Elvus: Elvus-le-sexe, le rocker, Elvus tout gainé dans son pantalon noir léopardé, ses yeux de fauve et ses biceps invitants. Ouf! Bon, il s'avère qu'Elvus impressionnera Star-la-snob en l'emmenant sur la «Main» manger des «hot-dogs» et des «patates», en dansant un «plain» avec elle et finalement en l'entraînant chez lui en taxi. Nous nageons, de toute évidence, en pleine mythologie et nous le savons: le propos du film veut montrer comment la tendresse se fraye un chemin au-delà des apparences et des conventions sociales. Pourtant, dans un premier temps, c'est avec tous ses vernis qu'Elvus séduira la belle Star: il lui joue sa musique (Offenbach) avec sa bande de «chums», en ayant bien soin de se présenter comme le rocker-musicien-vedette. Dans un second temps du film, Elvus, après l'avoir violée, se reprend et baise Star; mais c'est le drame: ils ne peuvent se dégager. Les voilà soudés l'un à l'autre, obligés de se confronter et finalement de s'aimer. C'est donc un sujet on ne peut plus propice pour s'étendre sur la sexualité et les rapports hommes-femmes.

Au premier niveau de lecture, le film *Vie d'ange* réussira, me semble-t-il, à questionner les rapports entre hommes et femmes. On remet en question ce contexte social factice qui les a réduits à des *sex machines.* Le film réussit aussi le tour de force de nous imposer la nudité à l'écran sans voyeurisme, ni malaise, ni pseudo-romantisme. La censure ontarienne, nous rappelant malheureusement l'époque épique du Bureau de la censure du Québec d'avant 1964, a réussi à interdire récemment ce film, classé selon elle comme pornographique!

Bref, jusqu'ici, le film ne manque pas de qualités, mais son aspect plus douteux porte sur la deuxième partie. La démarche en effet qui mène de la facticité à la tendresse est celle qu'empruntera Elvus, le meneur. Elvus-Harel, puisqu'il faut bien l'appeler par son nom, dirige les opérations. Il violera Star, lui imposera avec coups, gifles, sacres et humiliations, le chemin qui mène en haut de l'escalier, le dur chemin, pour le film, qui mène à l'ouverture sur la tendresse.

Elvus-Harel veut-il réellement en finir avec les stéréotypes sociaux agressants? C'est loin d'être sûr, lorsque la finale entérine ces vieux mythes voulant qu'une femme battue et conquise soit une meilleure amante. Pourquoi faut-il, encore une fois, que le chemin nécessaire à l'émergence de la tendresse et de l'amour soit celui de la violence d'un sexe sur un autre? Cela est pour le moins lourd comme analyse. De plus, quand on observe avec quel narcissisme Harel-Elvus se dépeint dans le lit, l'escalier et la douche, devant une Star gémissante et démunie, certaines idées nous viennent en tête. Un petit cours de «wen do» aurait au moins permis à Star de rendre les coups et de créer un certain équilibre dans la sorte de tendresse qu'affectionne Elvus-Harel.

Parlant de son film précédent, *Bulldozer*, l'auteur disait l'avoir réalisé avant tout pour séduire une femme[24]. On ne sait pas si c'est à la même femme qu'il voulait s'adresser avec *Vie d'ange*, mais chose certaine, Elvus-Harel a su se mettre en évidence: plans nombreux de ses larges épaules, de ses cuisses musclées, de ses yeux de fauve aux abois — autant d'hommages à sa corpulence et à sa force «virile». *Vie d'ange* consacre ainsi un Harel-cinéaste séducteur incapable d'être conséquent avec le premier propos de son film. Il ouvre une porte pour ensuite nous l'envoyer en pleine figure.

Avec *Le Temps d'une chasse*, Francis Mankiewicz s'attaque à son tour aux stéréotypes sexuels. Il nous raconte l'histoire banale de trois Montréalais partis pour une fin de semaine à la chasse au caribou. C'est la transposition québécoise de thèmes à succès du cinéma d'action américain, style *Deliverance*, où la confrontation de l'homme avec la nature agit comme détonateur émotif et social.

*Le Temps d'une chasse* met en scène trois figures de l'homme québécois: Richard, bon père de famille, contraint par sa femme d'emmener à la chasse son garçon Michel; Lionel, le parvenu et le frondeur, qui s'oppose constamment au timide Richard; et enfin, le débonnaire Willie, vieux travailleur alcoolique. Centré

---

24. Pierre Harel, *in* «Comment réaliser un film-maudit», interview de Jean-Pierre Tadros, *Cinéma Québec,* février-mars 1974, p. 23.

*Le Temps d'une chasse* de Francis Mankiewicz, avec Luce Guilbault et Guy L'Écuyer. (Photo O.N.F.)

sur le rituel de ces hommes cherchant à s'échapper du quotidien par la nature sauvage, la camaraderie et le pouvoir sur les femmes, le film témoigne de leur échec. Ces personnages sont coincés toute la fin de semaine dans des rapports de compétition où ils rivalisent à propos de leurs connaissances, de leur habileté et de leur pouvoir de séduction.

Le dimanche, vers la fin de l'après-midi, Willie complètement saoul vise Richard et le tue, le prenant pour le gibier. Le film finit ainsi, ponctué par la mort.

Auparavant nous aurons assisté aux échecs répétés de leurs liaisons avec les femmes (Monique et son amie, deux serveuses au restaurant-bar): véritables constats d'impuissance proche de la lâcheté. Leurs approches avec les femmes sont autoritaires, inconséquentes et complètement stéréotypées, ils n'arrivent pas à avoir des rapports simples et francs avec elles. Ils «payent la traite» aux femmes, leur laissent miroiter des rapports chaleureux et les plaquent là. Lionel cherchera à se venger de ses échecs en invitant Monique à se déshabiller gentiment devant les trois chasseurs en échange d'un peu d'argent dont elle a besoin.

Francis Mankiewicz nous fait profondément sentir l'aliénation des personnages masculins et c'est ce qui donne au film sa cohérence du début à la fin. Ce qui nous met mal à l'aise, c'est l'ambiguïté et le caractère schématique de son approche sur les femmes. Alors que, pour les personnages masculins, le regard du cinéaste est celui d'un observateur externe, et que sa caméra émaille le récit de mille et un détails en conservant une certaine distanciation pour critiquer leur aliénation, l'attitude s'inverse lorsqu'on arrive aux personnages féminins. C'est alors un curieux mélange de regards subjectifs, des hommes sur les femmes, soutenus par une caméra située à la place des hommes, de leur côté.

Arcand, pour sa part, dans son film *Gina*, avait eu soin de se dégager des oppresseurs dans la séquence du viol collectif et de bien mettre sa caméra derrière Gina, montrant à la fois le viol et comment il est acte d'agression. Dans *Les Beaux Dimanches,* de Richard Martin, on retrouve cette même séquence fétiche du cinéma québécois avec le strip-tease de Denyse Filiatrault. Là encore, la caméra est à la place des hommes et délaisse momentanément son rôle d'observateur en retrait. Nous retrouvons le même voyeurisme en action dans le film de Jean-Claude Lord, *Parlez-nous d'amour*.

Pour les cinéastes, il semble très difficile de dénoncer à la fois les agressions sur les femmes et l'aliénation masculine. *Le Temps d'une chasse* est symptomatique de ces difficultés. Ainsi la longue séquence de strip-tease, qui n'est pas nécessaire à la compréhension du récit, montre comment l'aliénation masculine se développerait à la limite à cause même de la naïveté des femmes... D'accord, les hommes «sont des cochons», ils abusent des femmes trop naïves, crédules, et tout cela n'est pas très gentil... L'abus du pouvoir des hommes se fait curieusement sur des femmes présentées d'abord comme débrouillardes, faciles, sur-maquillées et ultra-sexy en situation perpétuelle de strip-tease. Toutes situations tendant à démontrer, n'est-ce pas, que la «tentation» était par ailleurs si forte!?!

Dans plusieurs films québécois de fiction des années 70, les femmes sont réduites de nouveau à de simples «images» d'elles mêmes, ou plutôt réduites à de simples transpositions féminines des valeurs masculines et des fantasmes mâles. Les gars sont «cheaps» et «machos», les femmes sont naïves et exploitées, ça s'équivaut. Tout le monde n'est-il pas également malheureux? On peut ainsi se référer à cette douteuse présentation en équilibre de l'aliénation masculine et féminine dans *Ti-Mine, Bernie pis la gang* et *Parlez-nous d'amour*. Où est le problème alors?

Bref, il faudrait éviter, il me semble, d'abonder dans le sens de la simple équivalence des rôles sexuels ou, au contraire, de la simple inversion des rôles, dans le style de films américains récents comme *The Champ* et *Kramer vs Kramer*. Les cinéastes masculins se font maintenant les défenseurs de la lutte contre certains stéréotypes masculins, ce qui est fort heureux. Dans ces deux derniers films, les cinéastes présentent des hommes prenant en main leurs responsabilités familiales, s'occupant fort bien de leur enfant après que la mère, en quête d'autonomie et d'une «égoïste» liberté, a abandonné le foyer.

Sur l'oppression des femmes, évidemment, pas un mot; leur geste est présenté comme individuel, capricieux et mystifié, alors que les films s'apitoient avec bienveillance sur ces pauvres hommes qui devraient avoir des chances égales d'accéder à la paternité... Avec quelles contorsions élégantes ne réussit-on pas à trahir les faits et à occulter les enjeux réels des rapports hommes-femmes?

Alors qu'au Québec, plus de 40 000 femmes chefs de famille vivent du Bien-Être social et que bon nombre font face à des jugements très partiaux sur les questions de garde d'enfant, de tels films nous présentent comme équivalents les cas isolés de «pères modèles» aux prises avec de supposées «mères indignes». Prétendre ainsi qu'hommes et femmes sont également victimes et responsables de leur situation sociale, et que leur aliénation est équivalente, évacue complètement les rapports de domination patriarcale sur les femmes et constitue une analyse individualiste psychologisante, et finalement mystificatrice.

Cette ambiguïté dans la présentation des personnages féminins sera autrement plus complexe dans le film d'André Brassard, *Il était une fois dans l'est*, d'après le scénario de Michel Tremblay. L'intérêt de ce film est multiple. Entre autres choses, le scénario liera étroitement la situation des femmes à celle des homosexuels: deux questions très polémiques.

*Il était une fois dans l'est* est «le premier film québécois de long métrage «gai» de l'intérieur». C'est donc un film très courageux, affichant des positions encore réprimées socialement. Le duo Tremblay-Brassard décrit le milieu homosexuel montréalais avec les mêmes traits qu'il décrit l'univers féminin. Le rapport oppresseur-opprimé y règne durement, la complicité entre femmes existe, mais les coups bas aussi.

Dans *Il était une fois dans l'est*, les personnages sillonnent les quatre récits qui servent de trame au film: celui de la duchesse de Langeais qui revient du Mexique certaine d'être accueillie en reine et qui arrive seule chez sa pauvre sœur, pour terminer ensuite sa soirée au «party» de Sandra; celui de Manda, gagnante de millions de timbres-promotion, découvrant que sa famille la vole littéralement et incapable d'accepter l'aide de Pierrette; celui surtout d'Hosanna, fabuleusement déguisée en Cléopâtre, se préparant à l'ovation publique au «party» de Sandra; et enfin celui de la silencieuse Lise, «waitress», qui se fait avorter et meurt. À ces histoires, se greffent celle d'Hélène, l'ancienne femme de Maurice, qui sort maintenant avec une femme, Bec-de-Lièvre; celle de Carmen, chanteuse western, la blonde

*Vie d'ange* de Pierre Harel, avec Paule Baillargeon et Pierre Harel. (Collection Cinémathèque québécoise)

*Il était une fois dans l'est* de Michel Tremblay et André Brassard, avec Denyse Filiatrault. (Photo: Attila Dory/Collection Cinémathèque québécoise)

actuelle de Maurice, le patron; celle du couple Sandra-Cuirette, qui organise la défaite publique d'Hosanna.

Ces multiples histoires, comme dans les pièces de Tremblay, se juxtaposent, imitant la structure des chœurs grecs, finissant par un crescendo couronné par la défaite, l'humiliation et la mort. Constamment, la lutte entre les sexes reprend de plus belle; les femmes, ensemble, se confient, s'entraident. Ensemble, elles se protègent et prennent des risques.

Pourtant leur subjectivité les porte aussi à la haine et à la cruauté. Les femmes chez Tremblay-Brassard seront émouvantes, présentées souvent comme héroïques, généreuses, mais ce sont celles-là qui seront avalées, défaites et finalement détruites. Il en sera de même dans la présentation des hommes «au pôle féminin», comme Hosanna ou la duchesse, et dans celle des lesbiennes délaissées.

C'est donc avec force que le film dénonce les stéréotypes masculins et féminins, l'oppression d'un sexe sur l'autre, les rapports de domination dans le couple, la bestialité de certains avortements clandestins et la situation sociale qui y conduit. C'est avec une égale force que les auteurs posent dans un long métrage la question de l'existence des homosexuels en tant que groupe et le danger de leur «ghettorisation».

Tremblay-Brassard vont revenir souvent sur les liens entre femmes, homosexuels et lesbiennes. Les femmes sont victimes de violence, le couple homosexuel reproduit aussi les rapports dominants entre homme et femme. Mais, à trop vouloir faire les rapprochements entre ces deux oppressions, on en vient à les confondre.

Si les femmes peuvent dire que leur oppression est le fait du système patriarcal, les homosexuels, ces «hommes» de la société patriarcale — dont ils profitent largement —, doivent-ils aussi considérer le patriarcat comme source de leur oppression et doivent-ils donc s'y attaquer?

Chez Tremblay-Brassard, la présentation d'un seul et même milieu social va aussi de pair avec la représentation multipliée de deux prototypes humains : l'oppresseur répugnant, la sympathique victime. À la limite, l'oppresseur peut aussi en victimiser d'autres; ces descriptions d'assistés sociaux, de bas salariés et de «petits-pègreux» prêtent flanc au populisme. Tous parents, tous semblables, marqués par la Mort et le Destin, sans confrontation avec l'extérieur, les personnages déclenchent, chez le spectateur, pitié, compassion et fatalisme.

Pourtant, Tremblay et Brassard réussissent mieux que bon nombre d'auteurs à émouvoir et provoquer. Pourquoi alors nous aiguiller sur cette inutile compassion?

Dans *Il était une fois dans l'est*, il faut aussi déplorer la complaisance de certains moyens cinématographiques qui nuisent à la dénonciation des rôles sexuels. Les éclairages tape-à-l'œil, l'utilisation abusive de flous, de surexpositions, de maquillages de théâtre, loin d'amener cet effet de distanciation sans doute recherché, mystifient les situations (la sortie à la campagne, le bal final, etc.). Le goût marqué pour certains numéros d'acteurs et la surenchère d'effets spectaculaires font aussi oublier les enjeux des drames qui s'y déroulent.

Finalement, on se demande constamment, devant la charge sociale de Tremblay-Brassard, si elle ne risque pas de sublimer l'aliénation en la sacralisant. Dans *Il était une fois dans l'est*, les personnages n'en finissent pas de tomber avec passion et grandeur d'âme du haut de leurs mythologies. Souhaitons enfin que l'épopée québécoise éloquente et chargée d'émotions des romans de Tremblay voie bientôt le jour au cinéma. La justesse de plusieurs portraits d'hommes, de femmes et d'enfants pourrait être un véritable contrepoids au caractère statique et mythique de films et romans connus sur le passé québécois.

*       *       *

Les nombreuses représentations féminines du cinéma québécois de fiction de 1968 à nos jours indiquent une volonté assez générale d'éviter les pièges connus du *star system*. Dans ces films d'auteurs, les femmes ne sont jamais des déesses à adorer et rarement des modèles à imiter. À l'exception de Carole Laure, consacrée comme «jeune vedette sex-appeal», les prototypes féminins n'appellent ni au mimétisme amoureux, ni au mimétisme vestimentaire.

Par ailleurs, comme nous l'avons déjà remarqué, les personnages de femmes obéissent à certains stéréotypes. Ces stéréotypes opèrent des changements très nets avec la représentation des femmes du cinéma québécois des années 40-50 et du début des années 60, et ils brisent aussi avec l'absence de personnages féminins dans les films documentaires des années 60 et 70.

Heureusement aussi, le cinéma de fiction n'a pas imposé jusqu'à maintenant une seule, unique, représentation féminine. En général, il s'est sorti du bourbier de la «sexploitation». Les cinéastes de la dernière décennie cherchent plutôt à tamiser leurs incertitudes par l'allégorie. Leurs personnages masculins n'affichent plus la suffisance caractéristique du cinéma traditionnel et se transforment en véritables points d'interrogation dans les bras des «nouvelles femmes». Que vont-ils faire? Affronter le présent, ou se réfugier dans le passé?

Si les cinéastes en restent à leur analyse actuelle des rapports hommes-femmes, on risque de retrouver de nouvelles représentations fantasmatiques des femmes. Leur analyse superficielle et impressionniste, bien qu'elle soit empreinte de bonne volonté et de maladresse, nous conduira immanquablement de la thématique de l'aliénation masculine à celle de la naïveté féminine.

À quand la tendresse des cinéastes pour les femmes, sans condescendance et sans pudibonderie? À quand une véritable critique de la mâlitude par les cinéastes masculins eux-mêmes, sans le contrepoids de «femmes victimes», «femmes fortes» et «célibataires délurées»?


Qu'y a-t-il finalement de commun entre toutes ces images de femmes issues de nos écrans depuis vingt ans? Qu'y a-t-il de commun entre la Monique Mercure de *Deux femmes en or*, celle de *J.A. Martin, photographe* ou celle de *La Tête de Normande Saint-Onge?* Qu'y a-t-il de commun entre Frédérique Collin, la femme timide et effacée (*Question de vie, Gina, Le Temps d'une chasse*), Carole Laure, la femme-enfant européannisée, et la Denyse Filiatrault nationale, femme campée des *Beaux Dimanches*, d'*Il était une fois dans l'est* ou des *Plouffe?*

Qu'y a-t-il de commun enfin entre le populisme des personnages joués par Luce Guilbault (*Le Temps d'une chasse, Françoise Durocher, waitress, OK... Laliberté*) ou Dominique Michel (*Tiens-toi bien après les oreilles à papa*) et le caractère précieux et élitiste des

*Jusqu'au cœur* de Jean-Pierre Lefebvre, avec Mouffe (Claudine Monfette). (Photo: Attila Dory/Collection Cinémathèque québécoise)

personnages joués par Monique Miller (*Les Beaux Dimanches*) ou Andrée Lachapelle (*YUL 871*)?

Tout d'abord, aucun personnage de femmes à l'écran n'a eu la vie très longue. Peu d'actrices ont développé au cinéma un éventail de sentiments et ont incarné différents types de femmes. Leur présence discontinue, ajoutée au recul critique de plusieurs cinéastes québécois face au *star system* américain, fait qu'il y a eu peu de vedettes stables dans les films québécois et, conséquemment, peu de modèles féminins attachés à la personnalité de telle ou telle actrice.

De plus, avec un cinéma axé sur le documentaire (sans femme), il est difficile de repérer des personnages féminins qui ont vieilli avec notre cinéma.

De manière générale, l'intérêt majeur des cinéastes pour les femmes a été surtout orienté vers des personnages jeunes, aux métiers marginaux — sauf pour les «waitress» de petits bars et restaurants miteux — , femmes surtout présentées à l'extérieur de leur milieu de travail et dans leurs moments de repos; femmes souvent assises autour d'une table, dans un salon ou près d'un lit. Elles sont comme des ombres chinoises, travaillent peu et rencontrent peu de gens.

Les femmes des films de fiction sont en outre marquées par une propension aux excès. Silencieuses à souhait, ou extraverties à outrance, elles ne parlent pas d'elles-mêmes, ni de ce qu'elles ressentent, ni de ce qu'elles connaissent. Fortement maquillées, les seins moulés, il ne leur manque souvent que des faux cils et une séquence pour les faire pleurer rejoignant ainsi d'ancestraux mélodrames.

> [...] dans les films québécois [...] la sexualité semble jouer soit un rôle violemment perturbateur, ou alors un rôle mystique et éthéré. Les relations entre hommes et femmes sont souvent associées à l'alcool, aux bars, à l'ivrognerie, et les représentations sexuelles confondues avec le viol lui-même, comme dans *Contrecœur* (de Jean-Guy Noël, 1981), ou avec des actes violents qui s'y apparentent, comme dans *Les Bons Débarras* (de Francis Mankiewicz, 1981), même si la violence dans ce dernier film est autant le fait de la femme que celui de l'homme. Dans d'autres films, particulièrement ceux de Gilles Carle (*La Vraie Nature de Bernadette*, *La Tête de Normande Saint-Onge*), la femme et le sexe sont présentés dans un monde imaginaire mystificateur, falsifié par la fantaisie et la théâ-

tralité. Les femmes sont représentées tout simplement comme les objets d'une fantaisie masculine vagabonde[25].

Femme en bigoudis, femme-serveuse, femme-danseuse, elle n'a pas la ferveur des dialoguistes. Où a-t-elle grandi, sur quels bancs d'école s'est-elle assise, pourquoi est-elle avec ce type-là, pourquoi au juste veut-elle vivre? Est-ce qu'elle a connu la solitude, le chômage, l'amour, l'amitié? Pourquoi l'associe-t-on à la névrose, à la folie ou à l'hystérie? Bref, ce ne sont pas les films masculins passés qui vont y répondre!

Dans les années 60, il était sans doute nécessaire pour les cinéastes de témoigner de différentes questions sociales; ils exposaient le pays à bâtir, les rituels à consolider, la question nationale à redéfinir. Dans cet effort de répertorier le Québec, femmes, oppression des femmes et changements dans les rôles sexuels leur échappent en grande partie.

Dans les années 70, plusieurs cinéastes constatent avec amertume l'écart entre leur rêve social nationaliste et la réalité politique québécoise. Est-ce cette désillusion qui les rapprochera un peu des femmes? Chose certaine, dans la période de crise actuelle, plusieurs artistes sont malheureusement tentés par le repli sur soi. Au même moment, les polémiques prennent de l'ampleur, on parle de politique nataliste et d'avortement, de contraception, de pornographie et de censure, de travail à temps partiel, du nucléaire et de la vie future, de la guerre et du chômage. Les modèles de toutes sortes sont pris à partie.

Plusieurs cinéastes proclament faire œuvre de décolonisation culturelle par le cinéma depuis le début des années 60. Or le cinéma québécois, comme beaucoup d'autres cinémas nationaux, a gardé le silence sur l'essentiel des réalités vécues par les femmes: leurs contradictions entre les modèles de supposées ménagères aliénées et de salariées libérées, la remise en question des valeurs traditionnelles et leur volonté de changer le quotidien au travail, auprès de leurs enfants, dans leurs amours et leurs amitiés, et cela, quel que soit leur âge, qu'elles soient de Montréal, de Chicoutimi, du Niger ou d'Italie.

---

25. Susan Barrowclough, *Jean-Pierre Lefebvre: the Quebec Connection,* dossier n° 13, Londres, British Film Institute, 1981, p. 23. (*Traduction de l'auteur.*)

À l'extérieur du cinéma, des hommes ont récemment commencé une réflexion différente de celle que véhicule l'écran:

> Commencer à dire publiquement ou collectivement: on est des hommes en dehors des normes et on se revendique comme tels: on ne veut plus assumer le pouvoir phallocratique, on veut des rapports égalitaires avec les femmes et entre nous, cela me paraît essentiel au niveau du déblocage des attitudes masculines. La prise de parole des hommes sera d'autant plus difficile et violente, qu'ils auront à s'attaquer aux bases mêmes de la domination et de leurs privilèges. Les hommes refusent de réfléchir depuis longtemps sur leur rapport avec les femmes, à la sexualité, aux enfants, à la vie quotidienne, parce que la société nous a enfermés dans une situation de privilégiés, qui à vrai dire, ne l'est pas vraiment [...] nous sommes aux prises avec des privilèges et des faux privilèges qui se retournent contre nous[26].

Nous souhaitons vivement qu'un tel point de vue se développe parmi les cinéastes masculins. On ne peut bâtir un cinéma québécois dynamique et critique sans une totale remise en question des représentations féminines à l'écran.

---

26. Clément Guèvremont, texte de travail, repris en partie dans *Offensives culturelles et communautaires*, vol. 1, n° 3, mai-juin-juillet-août 1981, p. 27-28.

# Images récentes
# dans les films à succès

## Josée Boileau

Quelles images de femmes les récentes productions québécoises véhiculent-elles? Les stéréotypes ont-ils suivi les scénarios des années 80? Les cinéastes, hommes et femmes, se montrent-ils sinon plus audacieux, du moins plus ouverts? Les films accessibles au public des grandes salles climatisées ont-ils su éviter le piège des clichés les plus éculés?

Au cours des dernières années, le cinéma québécois a connu un regain d'énergie et l'émergence de nouvelles réalisatrices et de nouveaux réalisateurs bien d'ici, quoique peu nombreux, a réussi, malgré tout, à susciter un certain intérêt. Un survol rapide des longs métrages présentés depuis 1980 nous rappelle des films tels *L'Affaire Coffin,* de Jean-Claude Labrecque, *Cordélia,* de Jean Beaudin, *Fantastica,* de Gilles Carle, *Ça peut pas être l'hiver, on n'a même pas eu d'été,* de Louise Carré, *Les Beaux Souvenirs,* de Francis Mankiewicz, *La Quarantaine,* d'Anne-Claire Poirier…

De toute cette production, nous avons retenu trois films. Trois films à la fois vantés par les critiques et appréciés par le grand public. Par conséquent, trois films dont on a beaucoup entendu parler et que bon nombre de spectateurs ont vus. Il s'agit de *L'Homme à tout faire,* de Micheline Lanctôt, *des Bons*

*Débarras*, de Francis Mankiewicz, et des *Plouffe*, de Gilles Carle, «l'homme de cinq millions».

Bien qu'ils soient fort différents, ces films se veulent quand même le reflet de leur époque ou de celle qui l'a précédée. Ce ne sont pas des «films d'hommes»: les femmes y sont présentes, ou devant les caméras, ou derrière. Mais les autres femmes, celles de la vie quotidienne, sauront-elles se reconnaître dans cette nouvelle génération de longs métrages québécois? Les personnages féminins du cinéma des années 80 sont-ils enfin parvenus à une entité dont on ne néglige ni le côté professionnel, ni l'aspect social, ni la situation affective et sexuelle, pourvue de valeurs et d'un certain niveau de conscience; bref, une personne normale, et non l'un de ces êtres intouchables ou vaporeux, la «mère» ou la «pute» pour reprendre le vocabulaire des clichés?

Le défi était là, n'attendant qu'à être relevé. Il reste à voir si les attentes ont été remplies.


## Les Plouffe


Quel beau film! Tous l'ont dit et nul ne peut le contester. La minutieuse reconstitution d'époque à laquelle s'est livré notre Gilles Carle national, le travail étoffé des comédiens et des comédiennes, le scénario, ont fait l'unanimité et, les souvenirs d'un temps passé mais encore si près aidant, transformèrent *Les Plouffe* en succès.

À l'heure où l'Occident vire à droite, où l'économie fait des siennes et où le chaos s'infiltre en cadence, tous les spécialistes, du plus grand au plus petit, vous certifient qu'il n'y a rien d'étonnant à ce que l'on dépoussière les vieux mélos et films à succès des années d'autrefois, que l'on joue de l'historique, ou que l'on remette en mémoire un roman et une série télévisée qui ont fait les beaux jours d'antan. Oh! des jours que l'on ne regrette pas vraiment… mais «le pain coûtait toujours ben moins cher dans c'temps-là».

Comme l'a fait Denis Héroux dans une entrevue[1] intitulée (à juste titre?) «*Les Plouffe*, une occasion de réévaluer la famille québécoise», on pourrait même se permettre d'avancer qu'on revient aux notions de couple, de fidélité, de famille traditionnelle telles qu'elles sont véhiculées dans ce film et qu'au sortir de la projection, une réflexion s'amorce sur ces valeurs chez les spectateurs et les spectatrices.

En cela, Denis Héroux rejoint l'opinion de Roger Lemelin, affirmant que le Québec retrouve les valeurs d'avant-guerre et que le temps des familles nombreuses n'est pas encore révolu pour nous. Gilles Carle, quant à lui, considère au contraire que *Les Plouffe* «témoignent d'une chose disparue[2].»

Et c'est bien la grâce que l'on se souhaite puisque, toujours selon Carle: «Il y a trois personnages de femmes intéressants. Il y a Rita, la mère Plouffe, Cécile[3].» Autant traduire: «la pute, la mère, la vieille fille frustrée», à moins que vous ne préfériez les expressions de Roger Lemelin qui qualifie Rita Toulouse de «poupée du quartier» et Cécile de «Jeanne d'Arc sacrifiée[4]». D'ailleurs, Gilles Carle comparera le roman de Roger Lemelin et son film en ces termes: «Les archétypes de la mère, du père, de l'athlète sont restés, mais d'une manière beaucoup plus inscrite dans la vie, beaucoup plus raffinée[5].»

Comme le veut l'époque, tout autant que le roman, c'est autour des hommes que s'élabore le scénario. Les trois fils Plouffe forment ainsi le trio de mousquetaires, comme les désigne Carle, et Ovide en est le personnage central. Les femmes ne sont donc pas les protagonistes du film, même si elles occupent beaucoup l'écran.

Bien sûr, plusieurs s'empresseront de rétorquer que c'était comme ça dans le temps, entre 1938 et 1945, et aussi avant, et

1. Interview, Denis Héroux, *Journal de Montréal,* 26 mars 1981.
2. Interview, «Gilles Carle: 1940, même combat», *L'Actualité,* avril 1981.
3. *Ibid.*
4. *Perspectives*, supplément de *La Presse*, printemps 1981.
5. Interview, «Gilles Carle: 1940, 1981, même combat», *L'Actualité,* avril 1981.

encore après. Mais nul ne peut nier que ce film marque une belle continuité dans la lignée des stéréotypes féminins qui servent toujours les calibres de bon nombre de productions et que l'on ne s'est guère efforcé de creuser davantage.

Pourtant, les personnages masculins font montre d'une belle profondeur, Ovide en particulier. On les voit rire, pleurer, devenir tendres ou moqueurs, maladroits et touchants, forts et faibles à la fois. Ils prennent de la place et s'activent dans un monde, le leur, qu'ils espèrent changer.

Inévitablement, on a droit aux héros : Denis Boucher, Guillaume l'athlète, «l'enfant gâté de la famille», comme le décrit Roger Lemelin[6], mais des héros qui n'en sont pas, ou plutôt qui sont à la mesure d'un peuple.

Hélas! les femmes ne jouissent pas d'un tel traitement et se catégorisent rapidement. On l'a déjà dit, la trame féminine du film se tisse sur les visages de maman Plouffe, de sa fille Cécile et de l'«affriolante» Rita Toulouse, auxquelles se greffent quelques autres noms : Jeanne Duplessis, la fiancée de Napoléon; Fernande, la maîtresse du bon papa Plouffe; Susan, future épouse de Tom Brown, ministre protestant; et les autres mères du quartier, dont celle de Denis Boucher. Le tour d'horizon est ainsi complet et forme des portraits qui ressemblent drôlement à du déjà vu.

*Maman Plouffe, la mère mythique.* Maman Plouffe, c'est tout à fait, mais alors tout à fait, non pas la «super-maman traditionnelle» mais bien la «maman super-traditionnelle», portée à l'écran plus vraie que nature.

Femme au foyer d'un milieu ouvrier, cette bonne grosse maman de soixante ans voit au bon ordre de son petit monde qu'elle dirige avec tout le pouvoir du matriarcat. Chantage affectif parfaitement efficace sur ses enfants maintenant adultes, tentatives de culpabilisation, semblant d'autorité qui se heurte aux situations qui lui échappent, voilà les seules armes dont on a pourvu maman Plouffe.

---

6. *Perspectives*, supplément de *La Presse*, printemps 1981.

On retrouve l'histoire d'une femme qui ne vit que par et pour ses quatre enfants et que déroute complètement la moindre influence extérieure s'insinuant dans la famille. Elle se sent vite menacée, la maman Plouffe, et, comme l'on pouvait s'y attendre, monsieur le curé jouera à merveille le rôle du protecteur-confident qui lui évitera de se poser seule trop de questions.

Évidemment, pourrait-on envisager autre chose pour une mère? Elle a un sens moral très élevé et les questions sexuelles se limitent au devoir très chrétien de la procréation, dont il ne faut parler que du bout des lèvres. Et il y a tant d'autres sujets qu'il ne faut pas aborder chez maman Plouffe, auxquels il ne faut pas même penser. Car cette mère omniprésente au foyer, qui sait tout, voit tout, surveille tous et chacun, n'a absolument aucune conscience sociale, au sens le plus large qui soit. Les syndicats, la guerre, les prises de positions sont l'affaire de son mari. L'étranger l'apeure et sa naïveté effarante réussira même à nous arracher un sourire lorsque Guillaume lui décrit à sa façon ses expériences de guerre. Ses relations avec le monde extérieur tiennent en une petite phrase: «L'important c'est de prier.»

Le mythe est sans faille, et c'est ce qui frappe, ce qui choque: Joséphine Plouffe s'éclipse devant sa famille et le scénario l'efface tout autant. Des mères travaillantes menant leur famille à la baguette, il y en a eu. Mais encore? Même si maman Plouffe devait se contenter de son rôle de personnage central de la maisonnée, pourquoi ne pas nous la faire connaître davantage? Peut-on vraiment se limiter à lui faire dresser le bilan de sa vie par quelques mots: «Je suis fatiguée; je pensais qu'à soixante ans, on était seulement vieux.» L'intouchable, l'aimée, l'oubliée, la Mère laisse encore des traces. Et ce n'est pas Joséphine Plouffe qui nous laissera entrevoir une autre dimension à ce mythe qui a déjà trop servi.

*Cécile Plouffe, l'amertume faite femme.* La vieille fille amère et frustrée qui alimente les préjugés depuis tant de générations, telle est Cécile, seule fille des quatre enfants Plouffe. Expliquer son statut social est à peine nécessaire, on devine déjà: les pressions familiales l'obligeront à renoncer au mariage de ses dix-neuf ans afin de pouvoir aider sa mère à s'occuper des hommes de la maison. C'est le bâton de vieillesse de ses parents, celle dont chacun néglige la vie et qui n'a pas le courage de se reprendre en main. En dehors de ce cercle, elle n'existe pas, la Cécile, et ses opinions en témoignent. Ainsi, elle se pose comme une antisyndicaliste avouée, mais qui a besoin de savoir pourquoi?

Teinturière dans la même fabrique de chaussures que son frère Ovide, elle entasse soigneusement les sous gagnés. Cécile, c'est l'aînée, la deuxième mère, la grande sœur pointilleuse parce qu'elle n'a pas d'homme; évidemment, les garçons Plouffe, tout aussi célibataires, ne font pas montre d'un tel caractère, mais chacun sait que le célibat réussit tellement mieux aux hommes!

Pourtant, la vie de Cécile n'est pas tout à fait vide car un homme y est présent: Onésime, celui qu'elle n'a pu épouser, qu'elle aime encore, qui l'aime encore, mais qui est maintenant marié. Cette situation la mènera d'ailleurs à un affrontement avec sa mère (pour respecter jusqu'au bout tous les clichés!).

Malgré tout, Cécile nous intéresse par l'amorce de sa tentative de libération qu'elle confie un soir à Ovide et qui constitue l'un des meilleurs moments du film. On a enfin l'impression de comprendre un peu plus cette Cécile Plouffe et de l'apprécier davantage quand elle jette tout ce qu'elle a sur le cœur, reprochant aux autres leur désintéressement à son égard depuis ce mariage raté avec Onésime.

Faut-il spécifier que le rêve de liberté avorte et que les propos de Cécile retomberont dans l'oubli? La séquence ne restera qu'une série d'images car son départ de la maison paternelle sera marqué par un drame: le refus d'Onésime de la suivre et la mort accidentelle de celui-ci.

Point final sur Cécile. Onésime mort, elle-même n'existe plus pour les spectateurs et les spectatrices. Elle n'a plus d'autre choix que de rentrer chez ses parents et de se raccrocher à un des enfants de son bien-aimé. De retour dans le giron familial, elle doit maintenant s'accommoder de son sort. Plouffe elle est, Plouffe elle restera. Comment se sent-on quand la vie prend fin à quarante ans et que le quotidien continue quand même? Ne peut-on être qu'amère et frustrée? Cécile ne nous en dira rien.

*Les Plouffe* de Gilles Carle, avec Anne Létourneau et Gabriel Arcand. (Collection Cinémathèque québécoise)

*L'Homme à tout faire* de Micheline Lanctôt, avec Camille Bélanger et Jocelyn Bérubé. (Collection Cinémathèque québécoise)

Elle n'en aura d'ailleurs pas l'occasion. Car déjà, on n'en parle plus.

*Rita Toulouse, l'éternel féminin, volage et séductrice.* **Vingt ans, le bel** âge et les sourires pour plaire. Stéréotype de la «garce émancipée» de l'époque, Rita a tout de l'allumeuse aux décolletés plongeants et aux lèvres trop rouges qui ne se sent bien qu'entourée d'hommes. Ses relations avec les femmes ne sont que superficielles car Rita n'existe que par les hommes qu'elle séduit : Stan Labrie, Guillaume, Ovide ou les spectateurs du championnat d'anneaux.

Le portrait ne saurait être complet sans ajouter qu'elle est d'une naïveté charmante et désarmante, et que tout lui échappe, grands événements mondiaux ou simples drames du quartier.

Bien plus, elle fait partie de ce lot de femmes-enfants innocentes, sans morale, inconscientes, auxquelles le cinéma américain nous a habitués. De ces femmes qui vivent pour les vêtements qu'elles portent, et de parfum, de danse, d'alcool et d'aventures. Ce sera d'ailleurs Ovide qui lui fera retrouver les principes du bien et du mal, et ceux de la raison.

Même lorsqu'elle avoue à Ovide sa mésaventure avec Stan Labrie, les larmes aux yeux et la moue boudeuse, Rita donne à ses confessions un aspect superficiel et sans importance. Il suffira qu'Ovide l'invite à danser pour qu'elle passe sans transition du drame à l'insouciance.

Les transitions seront absentes à nouveau lorsque la belle enfant se verra catapulter, plutôt mal que bien, un bébé dans les bras. L'aventure est terminée et Rita n'a plus qu'à se soumettre à l'unique destin que l'auteur a pu lui imaginer. Elle nous a séduits, Rita, et c'est maintenant l'heure du retour au bercail. N'a-t-elle donc aucune autre consistance?

*Et les autres.* À ces trois portraits féminins de nos mœurs occidentales, pour ne pas dire patriarcales, s'ajoutent de petites touches qui complètent bien le décor féminin traditionnel du film.

Qui d'autre retrouve-t-on? Jeanne Duplessis d'abord. Simple servante, elle incarne la jeune fille douce, effacée, maladive, qui guérit de la tuberculose grâce à l'amour de Napoléon. Et l'on sent bien que Jeanne, contrairement à Rita Toulouse, est une véritable épouse et mère en puissance qui force presque l'admiration.

Et puis vient Fernande, «Ramona» pour les intimes et pour Théophile Plouffe dont elle est la maîtresse. Comment imagine-t-on la maîtresse d'un homme marié? Allure élégante et peignoirs de satin incarnent le mythe, et Ramona s'y moule parfaitement. Si elle est la seule femme à oser se rendre à la manifestation des grévistes, c'est uniquement pour voir «son homme». Ramona n'est qu'un personnage secondaire, mais sa présence suffit à grossir le rang des images toutes faites.

Il y a aussi Susan, la fiancée du ministre protestant Tom Brown, que ce dernier exhibe dans le monde où il est introduit. Susan est une jolie compagne dont il peut être fier: jeune étudiante de milieu aisé, aussi douce et effacée qu'admirative et pas plus éveillée qu'il ne le faut. La dose parfaite, quoi!

Et finalement, on retrouve ces autres mères du voisinage, tenues à l'écart de tout, si ce n'est de leur famille et de la religion. À un seul moment nous verrons se manifester une certaine solidarité féminine, quand toutes ces femmes iront encourager la mère de Denis Boucher en apprenant la capitulation de la France. Mais pour le reste, pour tout le reste, elles demeureront anonymes et sans éclat.

Bien sûr, l'on ne peut refaire le roman de Roger Lemelin — que le film cherche à respecter le plus fidèlement possible — pour en modifier ou renouveler des images de femmes archiconnues et aujourd'hui défraîchies.

On pourra dire aussi, comme l'ont fait plusieurs critiques de magazines et de journaux, que les stéréotypes dont le film regorge ont au moins l'avantage d'avoir une âme et de l'étoffe. Mais il est néanmoins décevant de constater que les arguments «historiques» justifient si facilement la stagnation des femmes dans les carcans qui les enferment depuis si longtemps. En particulier lorsque l'on compare avec les personnages masculins du film qui apparaissent beaucoup plus riches. Faut-il croire que les stéréotypes ont un sexe?

Le bilan féminin du film se dresse rapidement: des femmes qu'on ne remarque ni pour ce qu'elles font, ni pour ce qu'elles sont, et qui se définissent uniquement par rapport aux hommes de la vie. Sans pensées, sans actions, leur «moi» négligé pour une famille et une religion, une sexualité morte ou sublimée, elles seront ce que les mentalités en auront décidé.

Le pourquoi, le comment de ces femmes s'estompent et disparaissent car l'âme se perd quand on se retrouve affublée de qualités et de défauts que la tradition semble rendre immuables, même quand l'Histoire est traduite à l'aube du XXI$^e$ siècle.

## *L'Homme à tout faire*

*L'Homme à tout faire* est le premier long métrage de Micheline Lanctôt, cette femme aux mille facettes. Elle-même l'a maintes fois précisé: le film, comme son titre l'indique, se base sur les aventures d'un personnage masculin parce que, dit-elle, «les hommes m'intéressent autant que les femmes. Ce qui ressort de mon film, c'est que la vie est dure pour tout le monde[7].» Elle a voulu en quelque sorte éviter le piège du ghetto féminin voulant qu'une femme ne peut parler que des femmes... même si les hommes se mêlent eux aussi de la question.

Voilà pour la précision indispensable. Mais Armand Dorion, l'homme à tout faire, possède la jolie faculté de tomber facilement amoureux, avec toute la tendresse, le romantisme et les déboires qu'entraîne cette particularité. Il est donc entouré de femmes. Peu, en fait, mais suffisamment pour que la caméra, à notre intention, puisse s'arrêter sur ces personnages et les décortiquer.

Les premiers moments du film sont à peine passés que l'on constate bientôt que TOUT le scénario tourne autour d'Armand Dorion. Les femmes qu'il rencontre ne sont que prétexte pour mieux découvrir le caractère du personnage principal. Par

7. Interview, Micheline Lanctôt, *L'Actualité,* mars 1980, p. 70-71.

ricochet, les rôles féminins ne sont guère fouillés et, il faut bien l'admettre, apparaissent comme des copies conformes des modèles les plus typiquement et les plus péjorativement féminins.

Décevant certes, mais surprenant aussi. Après tout, avec une femme réalisatrice, n'est-ce pas, on aurait pu s'attendre que... Mais qu'on en juge.

Quatre femmes occupent une certaine place dans cette production, et l'une d'entre elles joue en quelque sorte le rôle-pivot du film. Qui sont-elles?

*Premier acte: il faut bien plaire au client.* Le tout débute par une brève apparition d'une serveuse, qu'Armand trouve de son goût. De cette courte scène, on esquisse déjà les grandes lignes du caractère de la jeune femme: le modèle usé à la corde de la serveuse qui se laisse aisément flirter par les clients pour ensuite accepter de sortir avec celui qui s'impose le plus virilement.

*Deuxième acte: l'innocence de la jeunesse.* Le temps arrange tout et Armand est à nouveau séduit par un sourire, celui de Manon Lachapelle. Étudiante de Cégep, c'est le modèle grossi et amplifié de l'adolescente ricaneuse au charme enfantin dont l'unique intérêt dans la vie se limite à faire ses griffes de séductrice en puissance. Faut-il le préciser, on en est encore au stade des retrouvailles de la femme-enfant, allumeuse et naïve tout à la fois, dont les caractéristiques ne varient guère d'un film à l'autre.

*Troisième acte: confort au foyer, modèle féminin.* Armand Dorion, travaillant pour son propre compte, nous fait alors rencontrer l'une de ses clientes: une dame de la classe moyenne qui tient à son confort et qui demeure au foyer. Bien vêtue, une coupe à la main et circulant avec aisance, elle se marie à merveille au décor impeccable de sa maison. L'oisiveté à son meilleur. Mais nous ne sommes pas là pour la deviner davantage car, par son entremise, Armand est introduit chez sa fille Thérèse et il nous entraîne dans son sillage.

*Scène finale: «une vraie femme»... ah oui?* Thérèse, c'est le bijou, le grand classique du XXᵉ siècle: la banlieusarde au foyer qui s'ennuie à mourir parce que son mari la néglige. Des images toutes faites, des lieux communs ne nous laissent même pas croire qu'il s'agit là d'une époque révolue ni d'une race en voie d'extinction. Au contraire! Thérèse n'a pas cinquante ans, elle porte allègrement la vingtaine. Elle fait donc partie des «nouvelles femmes», édition des années 80. Combien d'entre nous vont s'identifier à elle?

Toute la vie de Thérèse tourne autour d'un seul point: son homme, son mari, qu'Armand Dorion remplacera pendant quelque temps. Malgré son âge, la jeune femme est dépourvue de toute identité, s'effaçant devant un mari qui la domine et la méprise. Dès la première rencontre avec Armand, on en a conscience: Thérèse déverse un flot de paroles, parlant de rénovations, de changements à apporter à sa maison, de bon ordre, non pour faciliter sa vie de femme au foyer, mais pour le seul bonheur de son mari.

Au-delà de l'excuse «...l'amour parfois!», on s'aperçoit rapidement que Thérèse est une autre de ces faibles créatures que le mari peut se permettre d'engueuler et de soumettre à ses quatre volontés. Un exemple? Il est cinq heures, et le mari rentre, pressé, annonçant à sa femme qu'ils recevront à souper ce soir-là. Protestation bien justifiée de Thérèse: il est tard, elle n'était pas prévenue, il n'y a rien de prêt. Réponse du mari: «T'as le temps de faire l'épicerie, je les ai juste invités pour huit heures.» Et que fait Thérèse? Un mouvement d'impatience puis elle part sans mot dire. La vraie docilité!

Évidemment, Thérèse, en dépit de son silence, est parfois exaspérée devant tant d'incompréhension de la part de cet époux à la carrière montante. Mais comment réagit-elle? Jamais par des répliques ni des affrontements directs; elle se tait, jusqu'à ce que son mari soit sorti. Alors, elle ose se laisser aller à la spécialité des femmes: la crise d'hystérie. Efficacité garantie pour régler tous les problèmes!

Entre le café du matin et les chansons douces de la radio, l'ennui finit par gagner du terrain. Et Thérèse cédera à l'envie de se payer une petite aventure avec Armand. Ça ne change rien à la situation, mais c'est une autre manière de se consoler et de s'occuper, et ça fait sourire autant le spectateur que la mère de Thérèse.

Armand, lui, devient très amoureux de cette jolie femme si solitaire et si incomprise. Et on peut croire qu'il en est vaguement de même pour Thérèse, mais quels tiraillements de conscience s'impose-t-elle! N'a-t-elle pas besoin de s'enivrer pour manifester à Armand son désir de faire l'amour?

Thérèse transposera sa vie non plus sur celle de son mari mais sur Armand. C'est pourquoi, pour un rendez-vous raté, elle recourra tout de suite à l'extrême: le suicide. Tentative manquée naturellement.

D'ailleurs, cette parenthèse de l'amant est sur le point de se refermer. Le mari s'interpose et, le remords aidant, il ne tarde guère à faire revenir sa femme dans le «droit chemin», signifiant à Armand qu'il sait tout depuis le début et qu'une autre des fantaisies de sa femme vient de se terminer. Et l'on comprend qu'au fond Thérèse n'a pas envie de quitter son mari et la vie à l'aise qu'elle mène. Pour les femmes, serait-ce là la morale de cette histoire?

Bien sûr, si l'on excepte le personnage principal, tous les autres hommes du film répondent eux aussi à des stéréotypes masculins: le copain macho, le mari dominateur... Toutefois, la présence d'Armand Dorion vient contrebalancer l'effet négatif de ces personnages et les fait paraître carrément ridicules. Quant aux faiblesses d'Armand Dorion, elles nous le rendent rapidement sympathique, selon le souhait de Micheline Lanctôt.

Cependant, aucun des personnages féminins ne se démarque des modèles préfabriqués, comme si l'on voulait nous dire qu'aucune autre possibilité ne s'offre aux femmes que ces rôles secondaires auxquels elles sont confinées. On en reste alors avec ce que l'on voudrait bien n'être qu'une caricature, mais qui se donne au contraire des airs navrants de réalité.

## *Les Bons Débarras*

«Pour une femme, la liberté commence parfois aux limites de ses émotions», peut-on lire sur l'affiche publicitaire du film. On se doit d'admettre, outre la qualité du film de Francis Mankiewicz, que le scénario de Réjean Ducharme a su créer deux personnages féminins merveilleusement riches et complets, et qui offrent (enfin!) des modèles contemporains plausibles.

Michelle, trente ans, vit pauvrement, au cœur des Laurentides, avec Manon, sa fille de douze ans, et Ti-Guy, son frère handicapé. Mère célibataire, Michelle se débrouille dans des conditions particulièrement difficiles qui la voient lutter fort pour arriver à survivre.

Mais si la femme assume seule, de nouveau, les responsabilités familiales, elle n'est pas limitée à cet unique aspect. Michelle a également une vie professionnelle, affective et sexuelle, des opinions et un franc-parler. Et en dépit de son optimisme qui semble à toute épreuve, elle ne joue pas pour autant à la super-femme venant infailliblement à bout de tout. Toute sa richesse intérieure ne dissimule pas complètement certaines faiblesses qui ajoutent à la profondeur du personnage.

Sa quête de liberté et d'indépendance se heurtera à l'amour sans partage de sa fille et tout le film se concentre sur cette relation, à la fois une et multiple, intégrée à la vie quotidienne faite de travail et de repos, d'école et de loisirs. Jamais les hommes qui les entourent ne viennent prendre la vedette par des attitudes plus fortes ou plus marquées. Ils sont là pour supporter les rôles de Michelle et de Manon, et ils s'en tiennent à cette limite.

*Michelle : vivre toute sa vie.* Michelle est donc très pauvre et elle gît avec sa petite famille dans une baraque isolée. Elle gagne sa vie en vendant du bois de chauffage. On la voit couper du bois, conduire le camion, transiger et fustiger au besoin. Caractérisée par son humour, son énergie et un sens solide de la repartie, elle ne s'en laisse pas imposer. Elle tranche encore avec les normes traditionnelles en s'enivrant devant sa fille : à moins d'être alcooliques, les mères qui boivent au cinéma ne sont pas légion!

La jeune femme a pour amant Maurice, un policier. Elle assume sa sexualité et, comme elle le dit elle-même: «J'ai pas juste le goût, j'ai le choix.» La mère traditionnelle est décidément descendue de son socle! De plus, comme toutes les femmes un jour ou l'autre, elle doit affronter des agressions sexuelles face

*Les Bons Débarras* de Francis Mankiewicz, avec Marie Tifo et Charlotte Laurier. (Collection Cinémathèque québécoise)

auxquelles elle se défend bien: qu'on pense à la scène où elle se mesure avec succès au mécanicien du garage du village.

Par contre, Michelle tient plus que tout à sa famille et à l'enfant qu'elle attend. Et même si on ne peut la taxer de mère surprotectrice, elle n'hésitera pas à chasser Maurice sur un mensonge de Manon, et l'on découvre alors toute l'importance que revêt pour elle sa fille, cette fille qui la bouleverse.

Honnête au point de compter les cigarettes qu'elle doit à son amant, Michelle a aussi conscience de sa situation sociale. Pourtant, elle ne s'en plaint pas, même quand Ti-Guy lui vole de l'argent pour boire. Elle travaille, c'est l'important. Et c'est dans ce contexte de relations de travail que Michelle se soumet à plus puissante qu'elle, soit sa cliente, la riche M$^{me}$ Viau-Vachon. Ainsi, une conversation téléphonique amorcée par des propos acides se transforme rapidement en de respectueux «Oui, M$^{me}$ Viau-Vachon».

*M$^{me}$ Viau-Vachon : un relent de mythe.* Cette M$^{me}$ Viau-Vachon, c'est l'idéal féminin du film. (Il en fallait bien un quelque part : on ne peut pas trop en demander!) Jeune, belle, bourgeoise, très riche, elle vit seule et on ne sait d'où elle tire ses revenus. Qui elle est et ce qu'elle pense comptent peu en fait. Elle représente la beauté inaccessible, celle à qui un Ti-Guy peut seulement se permettre de rêver.

Elle cherche son confort et entretient de bonnes relations avec ses fournisseurs, sauf lorsqu'ils viennent déranger la tranquillité parfaite de sa vie, comme lorsque Ti-Guy se rend le soir à sa maison pour l'admirer, ou lorsque Manon vole un collier pour chien...

*Manon : l'amour sans limites.* Manon, du haut de ses douze ans, n'a du vol aucun remords. Elle se sait pauvre alors que d'autres ne le sont pas, et elle ne voit pas le mal qu'un tel geste pourrait causer à une personne aussi riche que M$^{me}$ Viau-Vachon.

Pour de nombreux critiques, Manon se pose en enfant précoce. Pourtant, elle ne jette sur la vie que le regard implacable et critique que bien d'autres jeunes de son âge possèdent et que Réjean Ducharme a su reconnaître.

C'est l'enfant grave et gamine, secrète et éveillée, cruelle et excusable, possessive à l'excès, que tous et toutes nous avons été. Elle apparaît aussi très moderne, fumant un joint, se débrouillant en tout, ayant conscience de la vie sexuelle de sa mère. Mais cela la dérange car elle adore sa mère d'un amour total et profond.

Solitaire, sans amis ni amies, romanesque, Manon se distingue néanmoins des autres enfants. Elle use de son caractère décidé et autoritaire surtout à l'égard de sa mère qu'elle réussit, ouvertement ou par ruse, à manœuvrer. Elle déteste l'école, Ti-Guy, Maurice, tout ce qui l'éloigne de cette mère tant aimée. On constate ici une nouvelle approche des relations mère-fille, où tiraillements et amour trouvent leur juste place, et qui nous change des affrontements ou des paroles doucereuses habituelles.

Et c'est d'une véritable relation amoureuse qu'il s'agit, dotée d'une connotation sexuelle où Manon veut se rapprocher aussi bien physiquement qu'affectivement de sa mère, tout en ne supportant pas le partage. Manon cherche à avoir sa mère pour elle seule et si Gaétan, le nouvel ami de sa mère, trouve grâce à ses yeux, c'est parce qu'elle sait bien qu'au fond Michelle ne l'aime pas. Et du combat, Manon sortira gagnante.

Si des sentiments émotifs aussi forts que l'amour, la jalousie, la possession peuvent, à prime abord, sembler typiquement féminins-traditionnels au cinéma, il faut noter qu'il s'agit ici beaucoup plus des réactions d'une fillette adolescente, donc d'une enfant, que de celles d'une femme accomplie.

*Les Bons Débarras* témoigne donc d'un effort réel et réussi pour donner une nouvelle image de la femme, une image autre que celle de la mère parfaite ou de la séductrice professionnelle.

Michelle est-elle une marginale? Peut-être, si cette marginalité doit se mesurer aux canons traditionnels des personnages cinématographiques féminins. Sûrement pas, si la mesure provient des femmes bien réelles de la vie quotidienne.

On peut oser croire que d'autres cinéastes suivront cette démarche qui consiste à présenter au grand public les êtres de chair, de tête et de sang que sont les femmes d'aujourd'hui. Quant aux autres, puissent-ils un jour pleurer sur les vestiges d'une époque disparue... et sur les salles vides!

# PRENDRE LA PAROLE

*Lors du récent colloque* Les femmes refondent le cinéma *(1982), une affirmation avait particulièrement retenu mon attention : «Le cinéma féministe a évolué comme l'expression culturelle du mouvement des femmes et depuis il a explicitement défini ses objectifs comme faisant partie du changement social et politique.» Cette affirmation, déjà entendue mais maintenant formulée comme allant de soi, prend ici une nouvelle dimension. Elle est la question clef de la deuxième partie de cet ouvrage.*

*Depuis 1970, les réalisatrices québécoises ont-elles suivi et été partie prenante du mouvement des femmes et des changements sociaux? Leurs films nous permettent-ils de comprendre les aspirations des Québécoises? Leurs liens avec le mouvement féministe ont-ils des conséquences sur la nature des sujets choisis, sur leur manière de prendre et de donner la parole aux femmes? Les femmes ont-elles un regard différent lorsqu'elles observent la réalité?*

*Une deuxième préoccupation a orienté le choix des textes qui suivent : nous souhaitions témoigner du cinéma en tant que «métier» et des conditions de travail, à partir du point de vue des femmes d'ici. Nous abordons ces aspects avec des données «objectives» sur la situation des femmes à l'Office national du film et avec les témoignages «subjectifs» de plusieurs femmes sur leur propre réalité. Enfin nous nous arrêtons aux pratiques féministes en vidéo, dans le documentaire et dans le documentaire-fiction.*

*Pour illustrer ces multiples aspects, nous avons choisi, comme au cinéma, des plans et des angles de vue variés.* Nul doute, les femmes posent un regard différent *sur la réalité québécoise. «Réflexions en vrac», de Monique Caverni, en témoigne. Ce texte saisit en gros plans les images anti-femmes à l'écran et les images pro-femmes. Il nous parle de pornographie, de viol, et enchaîne en fondu sur deux films de femmes,* Mourir à tue-tête *et* C'est surtout pas de l'amour. *Nous poursuivons avec un travelling panoramique sur «Les politiques et les thématiques des femmes cinéastes (1960-1983)» qui met au jour les préoccupations principales des réalisatrices au Québec et les situe au préalable en un bref historique.*

*Le deuxième volet aborde les* métiers et pratiques de femmes *par un premier plan d'ensemble sur «La situation des femmes à l'Office national du film». Plan traditionnel, nous dit Danielle Blais, pour une situation «trop traditionnelle» et qui perdure. Nous poursuivons en plans rapprochés et successifs sur les multiples facettes du métier, avec les textes de Marquise Lepage (réalisation), Louise Beaudet (conservation-animation) et Pascale Laverrière (Montage). Pour sa part, Jacqueline Levitin présente les démarches de quelques réalisatrices, anglophones pour la plupart.*

*En dernier lieu nous effectuons un travelling avant sur le Groupe d'intervention vidéo: réfléchissant aux particularités de leur groupe, Albanie Morin, Diane Poitras et Nicole Hubert questionnent aussi l'attitude des femmes face à la technique. Avec Sophie Bissonnette, nous interrogeons «Le pouvoir des images et l'exploration féministe du documentaire». Le dernier plan donne la parole à Marilú Mallet.* Journal inachevé *revient sur son expérience d'écriture féministe dans le domaine cinématographique et nous parle d'un tout récent film de femmes.*

*Ces trois derniers textes se lisent en surimpression de ce que nous voulons dégager en conclusion: existe-t-il une écriture propre aux femmes? Comment témoigner au cinéma des contradictions des femmes et de l'ensemble de la vie sociale sans s'isoler dans un ghetto?*

# Réflexions en vrac d'une spectatrice

## Monique Caverni

On m'a demandé d'écrire mes réactions comme simple spectatrice face à des films qui projettent une image des femmes. Mais
les mots «simple spectatrice» me semblent inappropriés puisque
c'est à me dédoubler que m'appellent ces films. En tant que
femme, je vis à la fois sur l'écran et dans la salle; cette histoire
devant moi, c'est un peu la mienne, c'est de moi qu'on parle,
c'est moi qu'on interpelle. C'est moi qui suis vue et qui me vois,
en même temps que toutes les femmes et, du même coup, mes
émotions sont multiples.

Pour illustrer mon propos, j'ai retenu deux films qui m'ont
particulièrement marquée ces derniers temps: *Mourir à tue-tête*,
d'Anne-Claire Poirier, et *C'est surtout pas de l'amour*, de Bonnie
Sherr Klein. Réalisés par des femmes, ces films, en même temps
qu'ils mettent en scène de façon très claire des luttes de femmes,
apportent une critique globale, sévère et valable de l'organisation idéologique de notre société, qui s'exprime dans un bastion
qui semble inexpugnable: la sexualité. Attaquer ce bastion est
courageux et risqué (et c'est une des raisons qui me fait aimer ces
films): les critiques des structures abstraites (travail, école,
famille, mariage, etc.) sont accueillies de façon moins mena-

çante que celles qui s'attaquent à l'intériorisation des valeurs et stéréotypes sociaux faite par les individus des deux sexes et à leur reproduction au sein du vécu sexuel. Ces critiques nous forcent à prendre conscience de nos propres attitudes et à les modifier. Ces films dérangent car ils lèvent le voile sur des phénomènes occultés.

Le viol et la pornographie existent: théoriquement, tout le monde le sait! Plusieurs études ont dévoilé la dynamique interne de ces phénomènes. On se souvient notamment du livre de Susan Brownmiller sur le viol, de la série d'articles de Micheline Carrier (dans une revue populaire) sur la pornographie, de colloques régionaux sur la violence, etc. Chiffres, causes, effets, moyens d'intervention ont été alignés et ce fut profitable. Pourtant, cette dénonciation verbale et écrite touche un public limité et elle le touche à un niveau beaucoup plus abstrait que ne le fait une image projetée sur l'écran. Puissant transmetteur d'émotions, l'image rejoint le plus grand nombre au cœur de sa subjectivité. Je crois, par exemple, pour l'avoir vérifié avec mes étudiants, que même les analyses les plus poussées n'avaient pas réussi à transmettre toute la violence d'un viol. Ainsi, plusieurs individus se faisaient une image personnelle du viol: sorte de scène d'amour où les oui et les non se confondent en une espèce de jeu érotique où les amants s'amuseraient à s'offrir et se refuser dans une montée de leur réciproque érotisme. La scène de viol de *Mourir à tue-tête*, intolérable de mépris, de colère et de haine, vient, d'un coup, démasquer ce fantasme de viol et démontrer la réalité où la femme est niée comme individu; où cette femme, du même coup, représente toutes les femmes, violées par les frustrations d'un homme qui représente tous les hommes. La femme «maudite putain de vierge» est objet de peur et objet pour se libérer de cette peur. Voir la peur dans les yeux d'une femme! Négation de sa propre peur. Avoir enfin assez de *guts* pour en violer une! La belle affaire... de pouvoir! Pisser debout, ça fait toute la différence! Du coup, je sens la colère me monter au cœur: cette scène est intolérable de même que celle du procès de toutes ces femmes violées par père, mari, patron, producteur, etc. Faut-il que la femme, chaque fois qu'elle met les pieds dans une structure d'hommes, risque de se faire mettre à sa place, c'est-à-dire à l'horizontale? Car c'est à la verticale

*Mourir à tue-tête* d'Anne-Claire Poirier, scène du témoignage des enfants. (Photo O.N.F.)

*Not a love story. (C'est surtout pas de l'amour).* Bonnie Sherr Klein et Kate Millet (Photo O.N.F.)

qu'on cherche à monter l'échelle sociale: c'est une revendication féministe que soit reconnu le statut social des femmes comme équivalant à celui des hommes. Est-ce si difficile à accepter pour certains hommes qu'ils cherchent toujours à réaffirmer leur domination sur les femmes?

Cette question trouve en partie sa réponse dans la bouche de David Wells, producteur de revues pornographiques, qui prend la parole dans le film *C'est surtout pas de l'amour*. À Bonnie Sherr Klein lui demandant de commenter ces revues, il répondait à peu près ceci: depuis deux ans, le contenu des magazines est plus explicite, plus «raide» qu'auparavant. Ce changement de direction est imputable à la libération de la femme devant laquelle les hommes se sentent émasculés (je me demande plutôt à quelle image de virilité ils se mesurent dans une compétition qui finit par les écraser et dont les femmes paient la note en retour). Wells poursuit en disant que les hommes aiment voir les femmes humiliées, qu'ils veulent dominer et que leur fantasme (le plus rassurant peut-être?) est de les voir agenouillées à leurs pieds en train de faire une fellation (culte du pénis, cérémonie sacrée!). Et il conclut: les hommes veulent dominer, c'est aussi simple que ça, ils ne veulent pas que les femmes soient égales!

Marchand de fantasmes! De pauvres fantasmes mégalomanes où le rêveur écrase pour ne pas risquer d'être écrasé à son tour par l'idole phallique dont pourtant (certains s'en rendent compte!) il est la relative victime. *Mourir à tue-tête* dévoile ce fantasme et l'ampleur de ses effets sur le vécu des femmes. C'est un des aspects les plus importants du film, pour lequel j'ai, par ailleurs, certaines réticences.

Les premières images du film, où l'on voit le même comédien incarner des personnages différents, de même que les accusations du procès s'adressant à des individus multiples, veulent démontrer que dans une société phallocratique tous les hommes sont des violeurs en puissance. Car tous sont confrontés à une image de puissance: la socialisation qui est la leur depuis l'enfance, les attentes de force que la société place sur leurs épaules se doublent d'un cortège de frustrations au travail à cause de la compétition inhérente à nos structures de production, à cause du chômage qui atteint les hommes dans leur rôle traditionnel de pourvoyeur. Ces contradictions modifient l'image de soi, l'abîment, et tous les hommes peuvent *à la limite* exercer ce pouvoir qu'on attend d'eux sur tout individu en situation de dépendance réelle ou présumée. Et c'est le cas de bien des femmes, et de toutes à différents degrés. Je me demande alors pourquoi Anne-Claire Poirier a fait jouer la scène de viol par un «trucker», buvant de la bière, sacrant et transpirant de peur, de frustration, de haine. Celui à qui la mère disait: «t'es beau, t'es fort» et pour qui ça n'a pas marché. Les images sont d'une crudité poignante, démasquant ainsi le fantasme érotique d'une scène de viol-d'amour. Pourtant ce choix du violeur a généralement pour effet de donner bonne conscience à tous les autres qui ne se reconnaissent pas dans cet homme, car eux sont patrons, producteurs, pères, maris, etc. Le violeur est encore un détraqué! Monsieur Tout-le-Monde pousse un soupir de soulagement: c'est encore quelqu'un d'autre ou un phénomène abstrait qui est dénoncé, mais pas lui, pas son système de valeurs, pas ses attitudes profondes.

Mais ce qui me dérange le plus dans ce film, c'est la finale. Bien sûr, il était important de montrer jusqu'où le viol peut nier la femme, la tuer (c'est aussi la réalité). Mais que c'est écrasant! Toujours cette victimisation qui nous mutile, elle aussi, qui nous renferme toutes sur notre peur et notre impuissance. Encore une fois, une femme est victime de l'incompréhension de son «chum», de son entourage, de sa propre incapacité à s'assumer. J'ai hâte que des films montrent comment la femme se donne des moyens, seule ou avec d'autres femmes, pour s'en sortir. Notre force est sans cesse occultée, notre désir de vivre aussi. Comment faire un film qui dépasse la dénonciation et appelle à l'action? Il est temps qu'hommes et femmes s'interrogent sur leurs comportements, comprennent les structures qui les aliènent et les dénoncent. Il est grand temps que des hommes prennent la critique du viol comme une affaire qui les concerne. C'est à une critique de la société que ce film nous appelle!

*C'est surtout pas de l'amour* s'attaque quant à lui à la pornographie, phénomène qui prend les devants de la scène au Québec depuis peu. J'ose croire que ce film n'est pas indifférent aux réactions des groupes de la population qui se sont élevés récemment contre l'ouverture d'un Cinéma X à Montréal qui s'est transformé en Autre Cinéma...

Ce n'est pas que les gens ne soient pas en contact avec la réalité de la pornographie. On n'a qu'à aller chez le dépanneur du coin ou à la station de métro la plus proche pour voir s'étaler une quantité incroyable de revues et savoir déjà que le sexe, surtout celui des femmes, est affiché partout. Affublées de porte-jarretelles, de peaux de bêtes, de cœurs en place de sexes, les femmes font largement les couvertures de ces magazines depuis des années. C'est le genre d'images qui ne choquent même plus car l'esprit critique s'estompe avec la consommation. C'est vrai pour les hommes et pour les femmes aussi. J'ai souvent vu des femmes tolérer ces revues, comme s'il s'agissait d'une fatalité due à une sexualité masculine différente... visuelle. Elles en parlaient d'un air entendu comme on fait d'une bévue d'enfant gâté. D'autres se déclaraient contre... mais impuissantes. D'autres en ressentaient de l'insécurité, se sachant moins bien roulées que les *bunnies*! Dévalorisées, espérant que leur «chum» les trouverait désirables quand même... Massages, crèmes, régimes, poudings amaigrissants... crève-faim, crève-cœur. On tolère, on a peur de passer pour frustrées ou jalouses. On ne dit rien, on n'a pas vraiment d'arguments contre *Playboy* et compagnie. Et puis, on a le sens de l'humour tout de même!

Mais, après *C'est surtout pas de l'amour*, on ne peut plus se taire ainsi. Car, en nous montrant la pornographie dure, violente, poussée au bout de la dégradation, ce film nous a appris qu'il n'y a pas de pornographie douce. Celle qui paraît inoffensive n'est que l'embryon d'un monstre effrayant. Il suffit de le nourrir pour qu'il le devienne. Ce film nous le fait bien comprendre en révélant l'étendue de la pornographie et sa rentabilité. Vidéos, *sex-shops*, clubs, partout le sexe est montré, exhibé, rentabilisé. Le corps est devenu une marchandise et le corps des femmes, la marchandise la plus couramment consommée. L'inverse serait aussi intolérable: que le corps des hommes serve les intérêts d'un système mercantile.

On comprend facilement que la dénonciation ne soit pas venue plus tôt. D'abord parce que la violence réelle de la pornographie est peu connue du grand public et que la rentabilité de l'entreprise appelle une large complaisance. Ensuite parce que les femmes craignent tellement de se faire étiqueter comme féministes, comme mal baisées, qu'elles se sont laissé bâillonner. Et surtout parce que tout ce fatras a été auréolé de la gloire de cette prétendue révolution sexuelle.

Notre société s'est pendant si longtemps érigée sur la négation du sexe que tout ce qui a contribué à le montrer, l'exprimer, a d'abord été pris pour une libération. Or, la pornographie n'est pas l'indice d'une sexualité libérée, elle est au contraire l'évidence d'une forme de répression sexuelle. Car la pornographie est l'exercice d'un modèle unique de sexualité où tout s'ordonne autour du dieu-phallus, le porteur du phallus étant chaque fois l'officiant dans une cérémonie sacrée où on sacrifie la subjectivité de la femme. La pornographie nourrit les fantasmes de viol. Elle réussit ce tour de force de montrer la sacrifiée cœur et sexe ouverts, heureuse de l'holocauste. A-t-on besoin de répéter à quel point cela est faux? A-t-on besoin de dire encore que les femmes n'aiment pas être violentées, qu'elles ne jouissent pas quand on les bat, qu'elles ne raffolent pas des hachoirs à viande et des yeux au beurre noir? Qu'elles en ont assez de cette sexualité culinaire qui n'alimente que les fantasmes de domination des hommes? Ce n'est pas à mon sens une libération sexuelle. Pas celle des femmes en tout cas, puisqu'elles sont toujours exhibées en tant qu'amantes soumises, dépendantes, objets de désir et de défoulement pour l'homme. Pas celle des hommes non plus, car ils sont toujours montrés comme sacrifiant à un rituel qui révèle leur aliénation au modèle «viril» où performance et rendement sont présentés en filigrane comme la normalité du comportement masculin (on connaît pourtant les effets anxiogènes de ces modèles pour les individus qui s'y mesurent). On se rend compte facilement que cette sexualité n'est plus que la mise en scène du jeu social. La seule libération que j'y vois, c'est celle du *modèle* dominant/dominé. Qu'avons-nous à y gagner en tant qu'êtres humains? Nous serons libérés sexuellement le jour où il n'y aura plus de modèle, où les individus oseront vivre, sans se sentir menacés, une sexualité qui sera la rencontre de deux individualités dans leur réciprocité érotique.

La pornographie, ce n'est pas du jeu, c'est la mise en images du modèle sexuel le plus largement véhiculé dans notre société, celui où une individualité est niée, castrée au profit d'une autre, qui, elle, est castrée au profit d'un système. La pornographie n'est que l'extension hypertrophiée de ce modèle qui circule partout, dans les propos des gens, dans leurs comportements, dans la publicité, dans le sexisme ordinaire. Et c'est justement ce modèle qui est remis en question dans les revendications des groupes de femmes (et de certains groupes d'hommes).

En tant que femme, je ne peux être d'accord avec la pornographie; pour moi et pour ma fille, pour la conscience de son être-femme qu'elle est en train de développer, pour ce nouvel être-femme que nous sommes toutes à construire, je dois prendre la pornographie comme une affaire sérieuse, dont le viol n'est peut-être qu'un des effets possibles.

*Mourir à tue-tête* et *C'est surtout pas de l'amour* sont de beaux et grands films qui me renforcent dans mes convictions et me servent dans mon action. Et comme le cinéma est un puissant médium, c'est un lieu que les femmes devraient investir de plus en plus pour transmettre leurs revendications.

# Les thématiques des femmes cinéastes depuis 1960

## Louise Carrière

Les réalisatrices francophones font des films depuis plus de quinze ans au Québec. Afin de comprendre leurs préoccupations principales concernant les femmes, nous avons orienté notre étude sur deux voies : la première veut faire ressortir les différents moments de la prise de parole des femmes cinéastes, surtout à partir des années 70 , la deuxième s'attarde à la thématique qu'elles ont choisie.

Dans les deux cas nous voulons témoigner de la diversité des points de vue exprimés mais aussi de leur unité. Certains films partent ainsi d'un même sujet mais diffèrent dans leur traitement, d'autres, au contraire, tout en s'intéressant à des problématiques différentes se recoupent par leur même orientation féministe. Le regard des réalisatrices sur la réalité québécoise diffère-t-il de celui de leurs confrères masculins? Tous les films faits par des femmes prônent-ils l'égalité des sexes? Qu'est-ce que ces films rendent visible? Voilà autant de questions qui ont alimenté notre recherche. En effet, si les féministes tentent dans tous les domaines de l'activité sociale et culturelle de mettre au jour le travail invisible des femmes, leurs efforts, il importe aussi d'analyser les films de femmes en fonction de ce qu'ils rendent maintenant *visible*.

## I. LES POLITIQUES FÉMINISTES
## DES RÉALISATRICES

C'est dans l'effervescence sociale et politique des années 1970-1980 que se réalisent ces films de femmes. Cette période est traversée par des changements importants tant au niveau de la politique qu'à celui des préoccupations sociales et culturelles progressivement marquées par la crise économique.

Déjà à la fin des années 60 les femmes font leur apparition dans la réalisation de films de manière plus organisée. Certains facteurs sociaux ont favorisé cette montée des réalisatrices.

L'émergence du mouvement féministe tant en Europe qu'en Amérique est sûrement l'un des facteurs majeurs. À l'époque, de jeunes femmes, issues majoritairement du mouvement étudiant et de la nouvelle gauche dont elles contestent le profond sexisme et l'incapacité de considérer sérieusement l'oppression des femmes, amorcent un large travail d'autoconscience. Par petits groupes, elles entreprennent une réflexion collective partant de leur vie dite privée, de leurs amours, de leur travail, et dévoilent progressivement le caractère économique, social et politique des rapports de sexes. Bref, elles constatent à quel point «le privé est politique».

Elles s'engagent en même temps dans une série de luttes pour se «réapproprier» leur corps à travers la pratique autogérée de l'avortement et les manifestations monstres pour en exiger la légalisation. Elles contestent aussi les profondes discriminations dans les législations du travail et de la famille, et revendiquent l'égalité des droits dans tous les secteurs.

Elles entreprennent aussi un vaste travail idéologique contre les stéréotypes sexistes dans la publicité comme dans l'éducation et elles commencent à créer un nouvel espace culturel féminin s'imposant dans la littérature, la peinture, la musique... et le cinéma.

Progressivement, c'est aussi toute la culture patriarcale qui est passée au crible et une analyse critique est entreprise dans tous les champs de la recherche : de l'anthropologie à la biologie, de l'architecture à l'économie, etc. En fait, elles ne se battent plus uniquement pour des réformes visant à élargir leur espace de liberté, mais elles dévoilent comment les rapports de sexage[1] traversent tout le champ économique, culturel et idéologique. Bref, elles veulent «changer complètement la vie».

Au Québec, cette montée du mouvement féministe se fait plus lente, l'attention étant surtout retenue au début de la décennie par les luttes sur la question nationale et les répercussions de la Révolution tranquille. La province se modernise et les femmes sont mises à contribution. Plus scolarisées, elles ont lentement accès à certaines professions, traditionnellement réservées aux hommes.

> L'époque où les femmes étaient définies uniquement par leurs maternités et devaient normalement trouver le plein épanouissement dans le raccommodage, les couches et les confitures est révolue. Il est maintenant présenté comme souhaitable que la femme sorte du foyer pour s'impliquer dans la vie communautaire et même socio-politique, même si certains milieux véhiculent encore une conception rétrécie du rôle de la femme[2].

Les réalisatrices québécoises du début des années 70 appartiennent à cette nouvelle génération de femmes plus scolarisées et davantage autonomes financièrement. Profondément touchées par l'idéologie de rattrapage, elles veulent accéder aux postes de décision, aux emplois de création et ne plus être confinées aux tâches d'exécution.

Dans les métiers de cinéma, la réalisation est une fonction convoitée. Les quelques femmes qui s'y introduisent proviennent de milieux relativement aisés; elles ont acquis une importante expérience de travail avant de tourner leurs propres films. C'est de toutes ces distinctions et contradictions qu'elles veulent témoigner dans leurs films:

---

1. Voir Odette Guillaumin, «L'appropriation des femmes et l'idée de nature», *Questions féministes,* Paris, Éd. Tierce, 1978, n°s 2-3.
2. Mona-Josée Gagnon, *les Femmes vues par le Québec des hommes. 30 ans d'histoire des idéologies 1940-1970,* Montréal, Éd. du Jour, 1974, p. 71.

Nous, de l'équipe, on a vu l'aliénation de la femme d'une façon différente de ce qu'ont vécu les femmes des milieux où nous avons fait des interviews. Nous, on n'évolue pas dans les milieux traditionnels... J'ai toujours l'impression que nous sommes un peu privilégiées, nous les femmes qui travaillons dans le milieu de la création... [3]

Avant 1967, au Québec, il n'y a pratiquement aucun film réalisé par des femmes, *à propos des femmes*. Certaines exceptions jalonnent, bien sûr, cette courte histoire. Monique Fortier réalise, en 1964, *La Beauté même*, et quelques cinéastes anglophones réalisent des biographies de femmes. Mais la plupart des femmes sont limitées aux postes d'assistant: assistante à la réalisation, assistante-monteuse, monteuse de négatif, script-assistante. Certaines avaient commencé un travail dans les secteurs de la distribution ou de la production de films. «Assistantes en cinéma», comme on était dans la vie courante la femme de X, la blonde de Y. Le fait de se retrouver comme femmes-images sur les écrans québécois n'avait pas non plus entraîné d'effets sur l'implication des femmes dans les scénarios de films, dans la réalisation, dans le pouvoir de décision cinématographique.

En 1967, Anne-Claire Poirier fut la première Québécoise à réaliser un long métrage de femmes, *De mère en fille*, un film sur la maternité. Que s'est-il passé depuis? À partir de cette date, nous dégageons quatre mouvements importants dans le cinéma de femmes. Nous les présentons brièvement en insistant sur leurs contributions au féminisme et en indiquant certaines de leurs limites.

Le premier mouvement est celui de la série pionnière *En tant que femmes* (1972-1975), réalisée à l'Office national du film, et son apport au changement social. Le deuxième mouvement s'intéresse davantage aux problématiques individuelles des femmes et se développe surtout au cours des années 1972-1978. Le troisième regroupe les films féministes de 1975-1980, plus explicites sur le pourquoi et le comment de l'oppression des femmes. Une place particulière est faite au monde du travail et à la notion du

---

3. Aimée Danis, *Medium-Media*, n° 2, *En tant que femmes*, Montréal, Office national du film, 1973, p. 7.

pouvoir: pouvoir des institutions et des hommes. Enfin, le quatrième mouvement, regroupant les films réalisés au cours des
trois dernières années, est marqué par un éclatement des problématiques et une diversification nouvelle des sujets.

## *La série pionnière* En tant que femmes

Les réalisatrices de la série *En tant que femmes* abordent dans six
longs métrages les changements en cours dans la condition des
Québécoises. Pour la première fois, on nous expose avec rigueur
une mosaïque de problèmes vécus par les femmes: amour, garderies, rapports avec le mari et les institutions sociales, avortement et retour au travail. *Souris, tu m'inquiètes, Les Filles du Roy, À
qui appartient ce gage?, J'me marie, j'me marie pas, Le Temps de l'avant,
Les Filles c'est pas pareil,* sont réalisés dans le cadre d'un projet
expérimental appelé d'ailleurs «Société nouvelle». Déjà, depuis
1971, certaines cinéastes font une recherche intensive dans différents milieux pour connaître le vécu des femmes. Elles parcou-
rent la province et les États-Unis. De ce travail préparatoire ressort un rapport substantiel intitulé *En tant que femmes.*

Quelle est la spécificité de ce travail exploratoire de Société
nouvelle dans la société québécoise et que viennent y faire les
cinéastes féministes avec leur série *En tant que femmes*? Tout
d'abord, soulignons que Société nouvelle est à l'intérieur de
l'Office national du film un projet assez particulier. Plusieurs
intervenants du Québec veulent donner «aux citoyens, groupes
ou classes de citoyens, dont on dit qu'ils véhiculent une culture
minoritaire», la possibilité d'acquérir de nouvelles techniques de
communication leur permettant:

> — d'identifier leurs problèmes, voire d'exprimer leur vision du
> monde;
> — d'identifier leurs besoins et de les communiquer au reste de la
> société, particulièrement à ceux qui gouvernent;
> — d'aller chercher sur l'ensemble de la société les informations
> dont ils ressentent le besoin[4].

---

4. *Ibid.*, p. 3. Voir également ma thèse, *Société nouvelle dans un Québec en changement, 1969-1979,* U.Q.A.M., Département de Sociologie, 1983.

L'expérience de Société nouvelle se concrétisera par la réalisation de cinquante-six films, de plusieurs vidéos et expériences de télévision, ainsi que par la publication de la revue *Medium-Media*. Les femmes réalisatrices ont-elles accepté avec résignation cette «définition» du caractère minoritaire de leur culture? À la lumière de leurs écrits et réalisations, il est évident qu'elles ont contesté dès le départ cette définition de minoritaires et qu'elles ont lutté de plain-pied pour réaliser leurs objectifs spécifiques à l'intérieur de Société nouvelle. «L'Office national du film, c'est comme tout le reste, une affaire d'hommes. Une institution masculine, où les hommes prennent des décisions importantes, occupent des postes de direction, avec ici et là quelques femmes parsemées dans la hiérarchie...[5]»

Maintenant, disent-elles, il nous faut tenter de briser l'isolement des femmes et développer leur solidarité, les revaloriser vis-à-vis d'elles-mêmes et développer leur conscience sociale. Pour ce faire, les cinéastes décident de lier leurs enquêtes auprès des groupes de femmes à la nécessité de créer des œuvres personnelles. En fait, la série préparée avec tant de soin oscillera continuellement entre ces deux orientations: films-témoignages sur les problèmes quotidiens des femmes et films de fiction plus autobiographiques.

Les femmes réalisatrices considèrent aussi qu'elles doivent centrer l'objectif de changement social de Société nouvelle sur la transformation des rapports hommes-femmes. Ainsi, *J'me marie, j'me marie pas,* de Mireille Dansereau, *Le Temps de l'avant* et *Les Filles du Roy,* d'Anne-Claire Poirier, insistent surtout sur le dialogue homme-femme pour régler les problèmes et sur l'autonomie des femmes à l'intérieur du couple. Certains autres films comme *Souris, tu m'inquiètes, Les Filles c'est pas pareil, À qui appartient ce gage?* dégagent de nouvelles conditions d'émancipation : mise sur pied de garderies, indépendance financière, mise au jour du caractère non payé et caché du travail ménager, importance du travail à l'extérieur.

Ces six longs métrages appuient la redéfinition des rôles au sein de la famille entre homme-femme-enfants. Ils soulignent la

---

5. *Ibid.,* p. 2.

*L'Absence* de Brigitte Sauriol, avec Frédérique Collin et Guy Thauvette. (Collection Cinémathèque québécoise)

*Souris, tu m'inquiètes* d'Aimée Danis, avec Micheline Lanctôt et Luce Guilbault. (Photo O.N.F.)

nécessité pour les Québécoises de reprendre en main leur histoire:

> Les femmes d'ici appartiennent à une longue lignée de servantes
> qui nous ont légué, de génération en génération, un poids de servi-
> tudes de plus en plus lourd à porter. Aujourd'hui, nous tentons de
> nous relever à jamais et de sentir la caresse du soleil. Ce que nos
> mères n'ont pas dit, nous le dirons pour elles, avec une telle affec-
> tion, qu'elles ne renieront pas leurs filles[6].

En ce sens, les films nous présenteront souvent des femmes
qui sont en *rupture* avec un aspect de leur vie antérieure. La problématique se situe constamment par rapport au passé vu
comme aliénant et dévalorisant pour les femmes. On constate à
quel point ces portraits, cette présentation de nouveaux prototypes — femmes célibataires, femmes mariées qui disent le poids
des enfants et la contrainte du mariage — ont pu choquer à
l'époque. La plupart des spectateurs se sentent agressés par cette
présentation de nouveaux rapports sociaux tout en se disant concernés par la problématique. Les femmes leur apparaissent ou
bien trop citadines, ou bien trop rurales, pour être réellement
«représentatives».

Chose certaine, la série va profondément déranger. Les discussions qui suivent la plupart des projections sont très animées.
Le débat permet à plusieurs femmes de décrire leurs conditions
de vie et de mettre sur le tapis ce qui était considéré comme
privé. En ce sens, la série a largement rempli ses objectifs.

Avec le recul, on ne peut toutefois s'empêcher d'en constater
les limites. En nous proposant surtout des femmes de milieux
favorisés qui ont déjà certains moyens de s'en sortir et pour qui
l'argent ne semble pas poser de problème, la série se démarque
des préoccupations sociales de Société nouvelle. Elle dissocie
ainsi la problématique des femmes du contexte économique et
social dans lequel évoluent la majorité d'entre elles au cours des
années 70: exclusion du marché du travail, chômage, bas salaires, ghettos d'emplois, sexisme, harcèlement sexuel et violence.

La série *En tant que femmes*, en centrant son propos sur les
femmes de la petite bourgeoisie plutôt que sur celles des milieux

---

6. *Ibid.,* p. 19.

défavorisés et en oscillant constamment entre fiction et documentaire, va marquer par la suite toute la cinématographie des femmes.

### Les films d'auto-analyse et d'autoconscience

Dans la plupart des films de cette époque, on retrouve une volonté commune de traiter de la *vie privée*. Les réalisatrices ont besoin d'affirmer ce qu'elles connaissent le mieux, de décrire leur propre condition et de dénoncer le silence, voire le mépris, tant de la part de l'État que des milieux progressistes face à l'oppression et à l'exploitation des femmes.

Dans l'industrie privée surtout, et secondairement à l'Office national du film, des réalisatrices comme Suzanne Gervais, Viviane Elnécavé, Brigitte Sauriol, Denyse Benoît, Mireille Dansereau et Hélène Girard nous parlent de vie personnelle et d'émotions de femmes.

C'est à cette même époque que plusieurs auteures de cinéma d'animation font des films d'autoconscience. Leur thématique est résolument orientée vers une mise en situation de la femme. On questionne son rapport avec l'autre: un ami, un amant, des hommes; on interroge sa place dans l'univers. Ainsi Suzanne Gervais, avec *Cycle, Climats* et *La Plage*, propose progressivement une étude de la femme dans l'univers, dans le cycle des saisons et de l'amour. Avec *La Plage*, on pénètre dans l'inconscient. Une femme se noie dans la mer tandis que, simultanément et tout proche, un solitaire anticipe la scène pendant qu'un couple joue insoucieusement aux dés. Parabole des solitudes et des destins qui n'arrivent pas à se rencontrer même s'ils se devinent. Avec *Premiers jours*, de Clorinda Warny, un peu comme dans *Cycle* nous assistons à la naissance des formes et de la vie. La femme-pierre se transforme devant nous et se métamorphose constamment. Elle s'emporte dans l'intensité de l'amour et devient aussi source de vie. Dans *Rien qu'une petite chanson d'amour*, Viviane Elnécavé parlera des chocs de la vie à deux. Volontairement ironique, le titre n'a rien à voir avec la ruse, la force de destruction des deux formes qui s'accouplent, basculent et s'aspirent l'une l'autre. La force de destruction de l'amour est traitée à l'opposé, sur un ton intimiste et de confession[7], dans *Le Dernier Envol,* de Francine Desbiens. Apparente histoire d'amitié entre un monsieur et un oiseau, le film raconte comment cette présence a changé toute une vie. Comment le travail, les saisons, les senteurs ne sont plus les mêmes. Et ce, jusqu'au jour où le monsieur retrouve l'oiseau gelé mort sur le sol enneigé. Impossibles amours d'un monsieur et d'un oiseau, cri sourd de détresse face à l'absence et à l'éternelle solitude. Un autre film, *Le Mariage du hibou,* de Caroline Leaf, propose aussi une réflexion sur les difficiles amours de deux natures différentes: une oie supporte avec affection, avec amour, les maladresses d'un hibou. Est-il possible de coexister ensemble? Véritables développements sur la vie, l'amour, la solitude, le cinéma d'animation de femmes n'a pas encore fini de nous étonner. C'est pourquoi il nous faudra y revenir plus longuement un jour.

Dans des films comme *Fuir, La Crue, Le Loup blanc, L'Absence, La Vie rêvée* les cinéastes nous présentent les conflits intériorisés de leur personnage féminin et leurs contradictions : contradictions entre vie professionnelle, vie de couple et de famille; entre le désir d'autonomie des femmes et leur dépendance face aux parents; entre les nouveaux modes de vie et les anciennes valeurs. Les films de fiction comme les documentaires (*Famille et Variations, Fuir*) proposent des images de jeunes femmes aux prises avec des conflits nouveaux dans un monde aux idées anciennes. Certains documents se situent assez directement dans l'influence de la contre-culture. On pense en particulier à *Famille et Variations* et à *La Vie rêvée,* de Mireille Dansereau. Ces femmes cinéastes s'inspirent aussi de la réflexion des sociologues sur la jeunesse et les contradictions de la société québécoise, et elles puisent à même les manifestations de la contre-culture. Revues alternatives, théâtre, poésie, musique leur permettent d'affiner leur réflexion.

> On parlait alors de nouveaux fronts de lutte: les mouvements féministes, écologiques, régionalistes et les mouvements de libération sexuelle en étaient [...] ce qui s'annonçait allait devenir [...] une autre perception des rapports de force qui façonnent les sociétés. À la stratification horizontale en classes, aux rapports de force

---

7. Avec le très beau commentaire signé Marthe Blackburn.

(classes exploiteuses/classes exploitées) qui en résultent, à la détermination en dernière instance par l'économique, les tenants de ce mouvement allaient référer au modelage de l'espace social en termes de centre/périphérie. Le maître-mot de ce système ne sera plus exploitation mais répression. Et on peut dire que l'idéologique y devient déterminant en dernière instance[8].

Or dans ce deuxième mouvement de films, la parenté avec les organisations de femmes disparaît presque. Aussi contradictoire que cela puisse paraître, ces femmes cinéastes, tout en critiquant l'ignorance de leurs confrères masculins face aux luttes de femmes, ne s'associent pas elles-mêmes pour autant au mouvement féministe.

C'est un véritable dialogue de sourds entre certains cinéastes et les réalisatrices. Ceux-là reprochent en effet aux films de celles-ci de ne pas être assez politiques et d'être «déconnectés» de la réalité québécoise. Mais de leur côté eux-mêmes réalisent des films politiques qui ignorent complètement la participation des femmes dans la remise en question de cette société. Comme si le politique et les sujets sérieux se faisaient à l'insu des femmes...

La production vidéo des femmes québécoises sera sans doute l'expression qui conciliera le mieux ces deux pôles de la société québécoise: remise en question des valeurs sociales et culturelles et contestations de toutes les formes d'oppression et d'exploitation sur le terrain politique traditionnel.

### La vidéo : une démarche distincte et engagée

Les vidéos des réalisatrices québécoises se développent à la même époque que ce deuxième mouvement de films de femmes. Produites aussi dans l'industrie privée, les réalisations vidéo se démarquent des films précédents par une approche plus radicale et plus engagée des phénomènes sociaux. Les vidéastes réalisent aussi leurs documents en collaboration avec d'autres femmes, travaillent souvent en collectif et organisent leur propre distribution. Ces productions à petits budgets, avec du matériel plus souple, leur permettent une plus grande liberté d'action face à

8. Michel Houle, «Quelques aspects idéologiques et thématiques du cinéma québécois», *Les Cinémas canadiens,* Montréal, L'Herminier en coédition avec la Cinémathèque québécoise, «Cinéma permanent», 1978, p. 154.

des sujets «contestataires». Les productions cinématographiques nécessitant de plus en plus d'investissement dans les années 70, les producteurs exigent en conséquence de meilleures «garanties». Or les sujets de femmes ne sont pas les premiers au *hit parade* québécois! Il est encore moins question de faire confiance aux femmes lorsqu'elles veulent témoigner de questions comme l'avortement, le travail des secrétaires, les luttes du mouvement féministe. Les vidéastes, regroupées dans certains centres comme le Groupe d'intervention vidéo ou Vidéo-femmes, font l'apprentissage de cette nouvelle forme de communication. En moins de six ans, elles produisent plus de films que n'en produiront toutes les autres femmes cinéastes du Québec durant le même temps. *La Perle rare, Chaperons rouges, Partir pour la famille?, Six femmes à leur place, Histoire des luttes féministes*, demeurent des contributions importantes au cinéma-vidéo québécois. Ces documents sont beaucoup plus près du mouvement des femmes que ne le sont les films déjà cités de Mireille Dansereau, Hélène Girard ou Brigitte Sauriol.

Si, par exemple, on compare l'orientation de la vidéo d'Hélène Doyle et Hélène Bourgault intitulée *Chaperons rouges* (1978) avec *Mourir à tue-tête* (1980), portant tous deux sur le viol, on sent très bien les parentés. Par contre, si on regarde la vidéo *Partir pour la famille?* et le film *Le Temps de l'avant,* toujours respectivement d'Hélène Bourgault et d'Anne-Claire Poirier, les différences sautent aux yeux. Bien avant le cinéma, la vidéo pose avec acuité le problème de la violence faite aux femmes. Elle insiste à la fois sur les conséquences des traumatismes vécus par les femmes tout en resituant le propos dans son cadre social et politique plus global. Ainsi le film d'Anne-Claire Poirier pose la question de l'avortement essentiellement sous l'angle des rapports intimes du couple et de la morale, alors que la vidéo d'Hélène Bourgault porte davantage sur ses aspects éminemment pratiques et politiques: qui peut avorter au Québec, compte tenu de la législation actuelle? Que faire une fois prise la décision d'avorter? Sur qui compter? Où aller?

Les groupes de vidéastes, par leurs préoccupations sociales et leurs liens avec le mouvement féministe, ont plus de parenté avec le troisième mouvement de cinéastes québécoises, mouvement qu'on retrouve surtout après 1975.

Un dernier aspect des particularités des vidéos de femmes a trait à leur méthode d'illustration. Ici aussi, davantage que les films de femmes du deuxième et même du troisième mouvement, les vidéastes s'adressent directement aux femmes. Elles cherchent moins à convaincre les hommes des manifestations d'oppression des femmes (*Les Filles du Roy, Mourir à tue-tête, C'est surtout pas de l'amour*), qu'à rendre les femmes plus conscientes afin qu'elles agissent dès maintenant sur leur situation.

### Le troisième mouvement des femmes cinéastes

Dès le début des années 70, émergent au sein du mouvement féministe différentes pratiques et différentes tendances qui marqueront l'orientation des films de femmes. Trois courants principaux s'en dégagent: le féminisme réformiste, le féminisme radical et le féminisme marxiste.

Le premier lutte avant tout contre les formes de discrimination et privilégie les réformes législatives. Il repose sur la conviction que l'inégalité des rapports hommes-femmes peut se résoudre par l'accès des femmes à l'éducation et par l'égalité des droits, idées héritées de Mary Woolstone en 1789... Par conséquent, on privilégiera souvent le «lobbying» auprès des politiciens connus, la représentation des femmes dans les postes de direction et de décision. Ce courant est relativement fort dans le mouvement féministe. Cela s'explique notamment par le fait que, même si elles sont souvent considérées comme largement insuffisantes, ces réformes n'en sont pas moins indispensables, ainsi que les manifestations de masse.

Le deuxième courant du mouvement féministe axe davantage son discours sur le pouvoir des femmes face à leur autonomie politique et sociale plutôt que sur les réformes législatives. Ces militantes voient le «patriarcat» comme la source de l'oppression des femmes. Pour elles les luttes des femmes seront inscrites avec des changements radicaux. Autour de 1975-1976 au Québec, certaines cinéastes seront plus perméables aux idées du féminisme radical. En 1971, les responsables du projet *En tant que femmes* revendiquaient:

> Non pas faire un film ou des films sur les femmes mais faire des films avec des femmes, ou faire des films qui soient un mouvement

de libération. Non pas l'approche sociologique et réformiste (à travail égal, salaire égal, etc.), mais dans la veine de Kate Millet, la volonté arrêtée d'aller au cœur du problème, soit à l'origine de la domination de l'adulte mâle dans nos sociétés[9].

On ne pourra trouver dans les films québécois d'appuis fermes aux politiques du féminisme radical, mais çà et là des référents allusifs se glissent dans les films. *Some American Feminists* nous présente avec sympathie les leaders du féminisme radical. *D'abord ménagères, La Cuisine rouge, Le Grand Remue-ménage, Une histoire de femmes*, débordent du discours connu: la lutte des femmes est une simple lutte pour acquérir les mêmes droits que les hommes.

Ainsi, *Une histoire de femmes* illustre le point de vue des femmes dans la lutte syndicale impliquant surtout leur mari, mais concernant aussi toute la ville. Dans ces derniers films, comme dans d'autres tels *Les Voleurs de job, Le soleil a pas d'chance, Thetford au milieu de notre vie, Marie coquette qui n'a ni chaud ni frette*, les femmes ne sont plus seulement *victimes* du système social, elles sont agissantes et mettent au jour les rapports de *pouvoir*. Cela se fait de façon assez inégale et parfois maladroitement. Ces interventions, rarement aussi structurées que celles du discours féministe radical, en portent toutefois les germes.

> Le féminisme radical est une théorie et un mouvement très important... Il est né de l'oppression vécue et ressentie par toute une catégorie de femmes «émancipées» sur le plan économique et professionnel et dont l'expérience de l'oppression se situe particulièrement sur le plan des rapports professionnels: sexuels, amicaux, conjugaux et familiaux et des rapports de la femme au savoir, à la culture, à la politique et tout spécialement, à la politique révolutionnaire[10].

Les films de ce troisième mouvement de femmes mettent en scène des protagonistes de différents milieux sociaux. Bien que le point de vue des cinéastes soit très présent, à la fois dans le

---

9. Jeanne Morazain et Anne-Claire Poirier, *En tant que femmes, rapport de recherches,* Montréal, Office national du film, 1971, annexes.

10. Nicole Laurin-Frenette, «La libération des femmes», Marie Lavigne et Yolande Pinard, *Travailleuses et féministes — Les femmes dans la société québécoise,* Montréal, Boréal Express, 1983, p. 359.

commentaire, la structure narrative et les exemples choisis, ces films constituent de véritables documents sur la condition des femmes. Ils délaissent les problématiques plus émotives et individuelles pour s'attaquer davantage aux causes et aux effets de l'oppression des femmes. Ils donnent le goût et l'impulsion de s'organiser.

Si nous n'avons pas parlé du féminisme marxiste comme dernière tendance des mouvements de femmes, c'est que nous n'avons vu aucun film de réalisatrices québécoises s'en réclamant de près ou de loin. Peut-être faut-il y voir, non le fruit du hasard, mais bien celui d'une conjoncture très précise. Dans les années 1974-1978, plusieurs groupes de femmes se développent parmi les groupes populaires, dans les quartiers. Certains d'entre eux sont reliés à de nouveaux groupes marxistes qui se constituent et se consolident à l'échelle canadienne. Or plusieurs de ces derniers requestionnent lentement les présupposés théoriques du marxisme et ses articulations à la lutte des femmes. S'agit-il d'une contradiction principale face au capitalisme ou d'une contradiction secondaire? La fin de l'oppression des femmes correspond-elle à la fin du système capitaliste lui-même? Peut-on être opprimée dans un groupe visant l'abolition de toutes les formes d'exploitation?

Dans ce climat fébrile de consolidation, de débats théoriques et d'éclatement, le travail culturel cinématographique s'est peu développé et moins encore sur la question des femmes, de la sexualité, du quotidien et des enfants.

### Le quatrième mouvement des femmes

Les films québécois ont connu d'importantes difficultés au cours des dernières années: difficultés de production et de distribution, accueil souvent mitigé du public. En fait, l'image de la réalité que projette le cinéma québécois est encore assez mal acceptée. On a répété en boutade que les gens n'aimaient pas le cinéma québécois, mais qu'ils aiment les films québécois...

Les films de femmes éprouvent-ils ces mêmes difficultés? Chose certaine, il y a beaucoup moins de films réalisés par les femmes depuis trois ans; beaucoup moins, proportionnellement, que de films tournés par les cinéastes masculins. Dans le cinéma comme ailleurs, les femmes sont les premières touchées par le chômage, et bon nombre doivent se recycler ou abandonner leur métier pour survivre. La crise économique a aussi pour effet d'accroître la compétition et d'élargir le fossé entre certaines cinéastes de renom et les autres. Ainsi les films d'Anne-Claire Poirier rejoignent un large public (*La Quarantaine, Mourir à tue-tête*). *L'Homme à tout faire,* de Micheline Lanctôt, remporte aussi un certain succès, alors que la majorité des films de femmes connaissent de sérieuses difficultés de diffusion.

Un deuxième aspect qui réduit aussi la portée des films de femmes provient de l'éparpillement provoqué par la situation actuelle. On peut le constater par les voies très différentes que les femmes choisissent au niveau stylistique et thématique, par l'éclatement de l'unité d'action. Pour certaines, le féminisme passe avant tout par l'analyse de l'imaginaire des femmes, pour d'autres, par leur insertion sociale et politique. Certaines cinéastes se préoccupent avant tout d'exorciser leur passé, leurs fantasmes, tandis que d'autres privilégient leur rôle au service du mouvement féministe et de ses revendications immédiates. Certaines s'inscrivent avant tout dans le cinéma de fiction, d'autres défendent ardemment le rôle du cinéma documentaire.

De plus, on voit mieux actuellement combien fiction féministe québécoise n'a pas donné le meilleur d'elle-même. Elle s'est en effet souvent cantonnée dans d'intéressants portraits de femmes, mais ces héroïnes, seules et solitaires, semblaient absentes des réalités sociales du Québec réduites à un simple décor en arrière-plan. Ces portraits correspondraient-ils à ce que plusieurs femmes ressentent et reconnaissent de leur propre réalité, à force d'être marginalisées et exclues de la réalité sociale? Le cinéma de femmes est donc en pleine période exploratoire durant ces trois dernières années: explorations esthétiques, thématiques, individuelles et collectives.

Les films actuels semblent laisser place aussi à des productions plus ancrées dans une réalité polyvalente. Comme si après avoir centré son propos sur le vécu quotidien des femmes — autant dans la fiction que dans le documentaire — il s'agissait maintenant de développer un point de vue féministe sur l'ensemble des questions. Aussi, des femmes cinéastes s'intéressent actuellement aux changements technologiques, à la télématique, à la guerre, au chômage, aux femmes battues, à l'éducation, à la folie, etc. Bref, elles commencent à analyser l'ensemble des sujets sous l'angle des rapports de sexe. En effet, il n'y a plus de «problèmes de femmes», dans le sens où les femmes «seraient un problème» ou «auraient des problèmes»: il y a des problèmes de rapports hommes-femmes dans tous les secteurs. Le cinéma féministe est donc actuellement à une croisée des chemins. Il repense ses choix, ses sujets, apprend à rendre la complexité des problèmes des femmes; il repense aussi ses formes de distribution pour rejoindre un plus large public.

À cela s'ajoutent toutes les difficultés des femmes cinéastes: affronter les préjugés — ceux des hommes et des femmes —, apprendre de nouveaux métiers, de nouvelles techniques et s'imposer sur un plateau. S'ajoutent aussi les problèmes financiers et la difficulté pour les jeunes cinéastes à se tailler une place dans le monde étroit des subventions.

Si, comme le disait récemment Pierre Bourdieu, «un dominant c'est quelqu'un qui a les moyens d'imposer à l'autre qu'il le perçoive comme il demande d'être perçu», les cinéastes québécoises ont beaucoup à faire pour contester l'hégémonie du discours masculin au cinéma et pour imposer enfin une vision du monde qui tienne compte des points de vue des femmes. Bref, il n'y a pas uniquement une crise économique, doublée d'une crise idéologique, mais bien aussi une crise profonde des rapports de sexe.

> Sortir de la crise, c'est apprendre à reconnaître les nouvelles terres où nous abordons, les empires qui se constituent et les forces qui peuvent les combattre. Tant de voix cherchent à nous convaincre qu'il faut attendre des jours meilleurs, un changement de vent, comme si nous étions sur un radeau à la dérive réduits à l'espoir de survivre. Il faut se défaire de cette fausse sagesse et réapprendre à analyser la société, ses enjeux et ses combats, pour l'aider à se sentir responsable de ses choix[11].

Voyons maintenant comment ces multiples préoccupations et politiques des femmes se développent dans des thématiques différentes de celles du cinéma masculin produit pendant la même période.

---

11. Alain Touraine, *Au-delà de la crise,* Paris, Éditions du Seuil, 1976, p. 55.

## II. LES THÉMATIQUES DES FILMS FÉMINISTES

Les films que nous avons choisi d'étudier ont tous en commun d'être à différents niveaux des films du *cinéma non sexiste.* Afin d'orienter notre recherche nous nous sommes inspirée du manifeste d'Utrech d'août 1977, définissant les conditions de ce nouveau cinéma. À titre de référence, voici quelques rappels et définitions de l'antisexisme:

> Sont antisexistes les films qui ne reconduisent pas la répartition traditionnelle des rôles masculins et féminins sans la condamner explicitement ou implicitement, ou les films qui mettent en scène les luttes pour changer l'actuelle situation des choses...

> Est antisexiste toute tentative pour sortir de cette situation, depuis la révolte individuelle et purement ponctuelle, jusqu'à la lutte collective sur les fronts professionnel, sexuel, politique et idéologique pour obtenir l'égalité entre les hommes et les femmes... Est antisexiste la participation des hommes au ras du quotidien, au cœur de la vie, pour prendre soin des enfants et pour assumer les tâches ménagères dont il convient d'ailleurs de réévaluer le coût économique et d'analyser la véritable valeur... [12].

### Vie familiale et portraits de femmes

Plusieurs films s'intéressent à décrire les rapports des femmes avec leur famille. Ils cherchent à comprendre les difficultés des protagonistes à la lumière de leur éducation familiale, des liens avec leur père, leur mère, leurs sœurs... De manière directe ou implicite, ces documents posent des questions sur la nécessité de la famille actuelle et sur son rôle social. La famille nucléaire que nous connaissons, repliée sur elle-même, est-elle encore viable ou souhaitable dans une perspective de libération des femmes?

Dans les films de Mireille Dansereau, de Brigitte Sauriol et, parfois, de Denyse Benoît, les relations des femmes avec leur milieu familial sont souvent conflictuelles. Ainsi dans *L'Arrache-*

---

12. CinémAction, «Manifeste pour un cinéma non sexiste», *Le Cinéma au féminisme,* dossier réuni par Monique Martineau, n° 9, automne 1980, p. 20-21.

*cœur*, le personnage principal, une écrivaine d'environ trente ans, mère d'un petit garçon de quatre ans, se retrouve périodiquement chez sa psychologue pour tenter de mieux comprendre ses insatisfactions. Parallèlement à ces visites, nous retrouvons Céline chez ses parents qui, avec le mari et la psychologue, constituent presque ses seuls liens avec le monde extérieur. Ce besoin de sécurité familiale, très minutieusement décrit, entre en profonde contradiction avec son besoin d'autonomie. Le père apparaît comme un personnage distant, maladroit, mais pourtant omniprésent. La mère, indépendante et organisée, constitue un véritable modèle pour Céline, dont elle voudrait par ailleurs s'affranchir. Le film de Mireille Dansereau accuse donc la famille d'être un terreau fertile de culpabilité et de dépendance des femmes. Il décrit aussi l'impossible amitié entre les deux sœurs pourtant si semblables, mais placées en position de rivalité par ce qu'en disent les parents.

Le deuxième volet du film décrit Céline dans sa vie de couple. Son mari, un cinéaste d'avant-garde, ne trouve pas d'emploi. Elle assure donc le gagne-pain, alors qu'il s'occupe de leur fils à la maison. Céline désire poursuivre son travail d'écrivaine, mais l'atmosphère est trop tendue. Le mari est insatisfait de son emploi du temps; Céline se sent coupable de ne pas s'intéresser assez à la maison et à son enfant. C'est donc toute la description du désarroi des femmes dans une société qui n'est pas prévue pour elles.

Céline vit presque seule, elle n'a pas d'amis. Elle cherche à l'intérieur d'elle-même et dans ses liens avec sa famille les causes de son malaise. Elle explique ses difficultés du fait de son caractère exigeant et de sa sensibilité. C'est là un premier parti pris du film. Le deuxième est de sous-entendre à différentes reprises que le travail domestique et l'éducation des enfants sont affaire de choix. Si son mari ou elle ne se sentent pas valorisés en passant des semaines seuls à la maison avec un enfant de quatre ans, ce n'est pas une question personnelle particulière à ce couple, encore moins un signe de manque d'affection pour cet enfant. Pourquoi faut-il que seuls les parents aient l'entière charge d'éduquer cet enfant? Les femmes ont-elles vraiment accès au marché du travail lorsqu'elles ont de jeunes enfants? Faut-il remplacer les femmes à la maison par leur conjoint ou, au con-

traire, tendre à collectiviser les travaux domestiques et l'éducation des enfants? Autant de questions ignorées par le film, qui
personnalise trop le conflit et le limite.

Dans ses films précédents, *J'me marie, j'me marie pas* et *Famille
et Variations*, la cinéaste s'était aussi intéressée aux modèles familiaux. Dans le premier, elle avait interrogé différentes femmes
sur leurs désirs face à la famille, au couple, aux enfants. Nous
avions ainsi retrouvé quatre situations très nouvelles pour l'époque: une femme-artiste choisit de vivre seule avec son enfant
tout en souhaitant vivre un jour une situation plus égalitaire
dans le couple; une autre vit avec un jeune homme qui assure la
garde de leur bébé; une troisième, à trente-cinq ans, prend tout
juste conscience de sa grande dépendance et veut apprendre à
mieux se connaître; une dernière enfin, artisane à la maison,
partage son temps entre son travail et l'éducation de ses enfants.

Le film *J'me marie, j'me marie pas* présentera, somme toute,
des femmes assez semblables au niveau de leur appartenance
sociale. Des femmes en rupture avec les modèles de couples traditionnels. L'idée de *rupture* jaillit d'ailleurs à plusieurs reprises
dans les différents témoignages: Linda et Francine laissent leur
premier foyer; Jocelyne travaille à l'extérieur pendant que Maurice s'occupe du jeune bébé à la maison. Toutes rejettent ainsi la
morale traditionnelle sur le mariage considéré par plusieurs
comme «la fin du bon vieux temps pour les hommes et le début
du prestige pour les femmes». Ici le mariage n'est plus la seule
façon de vivre enfin sa sexualité, ni la consécration institution-
nelle de cette activité. Le film témoigne de plus des limites impo-
sées aux femmes: après leur mariage plusieurs se sont retrouvées
seules à la maison, isolées; souvent la maternité a empiré la
situation. En se mariant plusieurs ont troqué leur identité pour
correspondre momentanément aux modèles imposés de la
femme effacée, de l'hôtesse irréprochable.

Tout en rejetant les rapports de dépendance propres au couple traditionnel, les témoignages demeurent cependant ambigus
sur la place de l'amour dans la vie de chaque femme. Le témoignage de la cinéaste Tanya est particulièrement révélateur. Elle
décide de placer l'amour au centre de sa vie. Qu'est-ce qui distingue alors cette prise de position de celle des couples mariés
traditionnels? Le film n'y répond pas; son mérite pour l'époque

a été de soulever la question et de pressentir les nombreux changements en cours dans la vie de couple au Québec.

Ces changements ne sont pas étrangers aux questions soulevées récemment par le mouvement contre-culturel.

> À la servilité de plus en plus marquée exigée par la structure, à une situation où les forces de répression interviennent de plus en plus pour maîtriser les tensions engendrées par le chômage, la surexploitation des minorités et la guerre, la nouvelle culture répond par un anti-autoritarisme radical affirmé comme nécessaire pour dépasser l'accentuation des rapports actuels de subordination et de dépendances au sein des hiérarchies...[13].

Avec *Famille et Variations*, Mireille Dansereau poursuivra sa réflexion sur les modèles familiaux non traditionnels. Ce long métrage documentaire procède en effet de la même manière que *J'me marie, j'me marie pas*; il nous présente quatre interviews témoignant de quatre situations différentes. Ces témoignages successifs ont en commun de s'inscrire contre la «normalité» des modèles traditionnels. C'est le choix de la cinéaste qui confère l'unité au film. Ainsi, elle nous introduit dans différents modèles de familles. Dans la première, on élève un enfant déficient avec beaucoup de respect et de générosité. Dans une autre, deux femmes séparées élèvent ensemble leurs enfants respectifs. Nous irons aussi dans les Laurentides où des professionnels vivent en commune. La sympathie de Mireille Dansereau va vraisemblablement vers ce modèle, et à toute tentative de se défaire des schémas de la famille répressive. Enfin le film nous présentera des enfants de couples séparés. Toutes ces situations nous introduisent dans un univers en changement. Peut-on alors parler d'un seul modèle familial? Sûrement plus! L'idéalisme des vieux schémas en prend pour son rhume. Mais ces remises en question portent aussi leurs angoisses et leurs difficultés. Même si elles partagent ensemble le poids de la vie quotidienne et de l'éducation des enfants, les deux femmes divorcées sont marquées par le divorce et l'adaptation à cette vie nouvelle. Bref, ce n'est ni un roman-photo, ni un conte de fées. La lutte des femmes pour accroître leur autonomie au sein du couple n'est pas

---

13. Luc Racine et Guy Sarrazin, *Changer la vie,* Montréal, Éd. du Jour, 1973, p. 83.

toujours acceptée et plusieurs font le dur apprentissage de la solitude.

Par contre dans le film, l'attitude d'écoute de Mireille Dansereau a aussi son envers. Nous sommes surprises de ne retrouver aucune question de la réalisatrice sur le rôle des femmes face aux enfants. La seule intervention sur le sujet vient justement d'un homme qui parle au nom du couple. Ginette, sa compagne, demeure complètement en arrière-plan. En conséquence on ne saura pas que c'est elle qui assure seule le gagne-pain de la commune. On n'interroge pas plus la solution «modèle» de retirer les enfants de l'école du quartier afin, dit-on, de leur éviter les modèles d'apprentissage «autoritaires».

Ces films-témoignages de Mireille Dansereau portent sur des modèles de vie différents surtout pour ceux et celles dont l'éducation, le milieu social, les moyens économiques le permettent. Basée essentiellement sur les témoignages des protagonistes, la démarche de la réalisatrice manque de recul et d'esprit critique sur la famille, le couple, l'amour et l'éducation des enfants, comme si on se contentait d'enregistrer seulement les changements sans en cerner les fondements.

Dans son film *L'Absence*, Brigitte Sauriol présente aussi les nouveaux rapports sociaux avec minutie. Contrairement à celui de Mireille Dansereau, son témoignage ne procède pas d'interview mais d'une histoire fictive. Il sera question de Louise, photographe de trente ans, et de sa vie avec François, vie soudainement perturbée par le retour du père, absent depuis plusieurs années. Louise n'a jamais accepté le départ de son père du milieu familial; elle lui en garde une rancœur tenace. Les autres membres de la famille ont passé l'éponge sur ce drame familial et cela d'autant plus vite que le père réapparaît très malade. C'est donc un profond déchirement entre des sentiments contradictoires. Être aimée et aimer un père qui nous a toujours attirée, lui en vouloir d'être parti, mais pardonner; ou tenir tête à tous ceux qui oublient si facilement. Les contrecoups de cette réflexion vont aussi toucher le couple. François essaie d'être patient, mais il n'arrive pas à comprendre Louise, dont les sautes d'humeur le déconcertent. À nouveau, se construisent les personnages de la femme-irascible-sensible-volontariste et de l'homme-patient-adolescent-démuni. Les tête-à-tête illustrent les contradictions de l'un et de l'autre: il trouve difficile la vie de couple avec une femme si volontaire et si perturbée par ses liens familiaux; elle cherche un appui et un soutien chez ce compagnon qui ne comprend pas très bien le problème, ni ce qu'il peut faire. Les longs silences, les échanges traduisent avec sensibilité le quotidien de ce couple. Cet aspect intimiste bien rendu dans le film cohabite avec le didactisme de la thèse psychanalytique. Retour au complexe d'Œdipe où Louise enfant, jalouse de sa mère, tente de séduire son père et se sent doublement rejetée par un départ aussi brutal qu'incompréhensible. Elle finira par se rendre à l'hôpital voir son père mourant qui attendait son pardon.

Comment croire à une pareille simplification? Les contradictions actuelles des femmes sont-elles réductibles à ces rapports freudiens de séduction et de rejet avec le père? Sommes-nous toutes handicapées à vie par l'absence du père et les difficultés familiales de notre enfance? C'est à tout le moins un débat à poursuivre.

Avec le court métrage *Le Loup blanc*, Brigitte Sauriol avait déjà amorcé sa réflexion sur la vie de couple. Dans ce film, Suzanne vit la fin d'une liaison. Elle décide d'en finir avec l'attente sclérosante: son ami va-t-il se décider à s'impliquer davantage dans le couple? Va-t-il enfin sortir de son adolescence? cence?

Dans les films de cette cinéaste, les hommes sont en retrait et incapables de s'impliquer dans la relation de couple. Dans *Le Loup blanc*, Suzanne avait posé des conditions à la poursuite de la liaison. Son ami a choisi la vie de bohème dans son «shack» des Laurentides; il a préféré la vie d'ermite à la vie de couple. Suzanne-Sauriol tuera alors le chien-loup, fidèle compagnon de son ex-ami, symbole sans doute du retrait social. Avec l'éclairage du film précédent, on voit mieux l'ambiguïté de la finale du *Loup blanc*. Suzanne aspire à l'indépendance, mais elle ne peut qu'affirmer son désir d'être autonome un jour. Émotivement elle n'arrive pas à vivre la séparation. C'est contre ses valeurs et ses aspirations.

Les femmes que nous présente Brigitte Sauriol vivent des choix déchirants et n'arrivent pas à faire éclater les barrières intérieures. Elles ne veulent plus vivre l'étroitesse du couple, mais paradoxalement elles s'y enferment. Ayant hérité, comme de nombreuses femmes, d'une éducation culpabilisante, elles sentent ces insatisfactions mais n'arrivent pas à les faire partager à leur entourage. Cela explique le climat intimiste, fermé et angoissant de ces récits.

Dans le premier long métrage de Mireille Dansereau, *La Vie rêvée*, on est au contraire en pleine euphorie, même si on y retrouve certaines préoccupations des films de Brigitte Sauriol. *La Vie rêvée* raconte l'histoire de deux jeunes filles fascinées par certains stéréotypes du «super-mâle», genre cadre d'âge mûr des revues *Lui* ou *Playboy*. Les deux filles travaillent dans le domaine artistique: l'une fait du dessin pour une compagnie d'animation, l'autre est graphiste. Elles déambulent naïvement dans la grande ville, cheveux au vent, en mini-jupe. C'est l'été, il fait beau et des images en couleur de l'homme rêvé apparaissent. Nous sommes donc en plein délire publicitaire. Les filles vivent la vie rêvée et la caméra est leur complice. Elles décident d'exorciser leur fantasme et d'inviter cet homme fascinant à passer une nuit avec l'une d'elles. Mais déjà, elles ont pu mesurer l'écart entre leurs désirs et la réalité plus quotidienne lors de leur séjour à la campagne. La campagne, est-ce aussi la vie rêvée? Chose certaine, l'ami qui accompagne les deux jeunes filles n'a rien du super-mâle de leurs fantasmes. À la campagne, les trois s'amusent et font la fête devant la caméra. Nus, ils jouent à cache-cache avec l'objectif. Plus tard, en accéléré, ils sont harassés par les moustiques au milieu du lac. Puis on revient en ville.

Tout au long du film, l'auteure oscillera entre la critique des images mythiques et son désir de transformer le quotidien en jeu. Le film se termine sur la fin d'un des fantasmes: l'homme de rêve a passé une nuit avec une des deux filles. Au matin, le voici au naturel, pressé de partir. Elle ne le retient d'aucune manière car cela en vaut-il la peine? On se quitte facilement. Le dernier plan nous montre les deux femmes déchirant le poster de super-femme encore accroché au mur de la chambre. C'était en 1972, le premier long métrage de fiction fait par une femme dans l'industrie privée.

À cette époque, où d'autres cinéastes choisissent les films-témoignages en direct sur le monde ouvrier, Mireille Dansereau va à contre-courant: elle choisit de réaliser une fiction sur les fantasmes de deux femmes, sujet intimiste assez léger. Son film

rend compte de la démarche courante des premiers films de femmes: ce sont souvent des films intimistes, autobiographiques,
plutôt descriptifs que didactiques. *La Vie rêvée* a eu ainsi le mérite
d'aborder l'image publicitaire des femmes et de critiquer, par
l'exemple, les valeurs qui y sont raccrochées. Mireille Dansereau fut l'une des premières à s'en prendre à l'imaginaire des
femmes dont, dit-elle, une bonne partie leur a été imposée. À
l'époque, ces images de complicité entre femmes, sans agression, ont sans doute ouvert des pistes. Aujourd'hui toutefois,
nous sommes plus critiques face à cette représentation naïve de
la nouvelle liberté des femmes. Il ne suffit pas de mettre en scène
des femmes jolies, célibataires, délurées, drôles et complices
pour témoigner des nouvelles aspirations des Québécoises. Ces
jeunes femmes en retrait de toute vie sociale sont d'ailleurs plus
proches du monde de l'enfance que de celui de l'autonomie.
Elles jouent encore à la poupée et évoluent dans un univers en
vase clos. De plus, les images qui veulent dénoncer cette situation ressemblent plutôt à des «spots» publicitaires de Seven-Up
et de Coca-Cola issus de la vague contre-culturelle: cheveux au
vent, images au ralenti avec un bruit sourd de vagues à l'arrière-
plan... nous sommes transportées!...

En utilisant une même facture d'images (ralentis, longue
focale, flous, tons pastels) pour dénoncer et pour visualiser les
fantasmes des femmes, Mireille Dansereau rend son propos con-
fus. On ne sait plus si elle se distancie des images rêvées ou si elle
les regrette. Le traitement des séquences imaginées sur le bord
de la mer ressemble à s'y méprendre à celui qu'elle utilise pour
rendre le réel de la ville. Où veut-elle en venir? Cette confusion
se retrouve dans sa volonté d'opposer les milieux de vie des deux
jeunes femmes. Ainsi au début du film, nous voyons Isabelle
dans son milieu familial très douillet. La caméra insiste sur la
rigidité de la vie familiale et la contrainte qui en résulte pour Isabelle. Chez sa copine nous nous retrouvons au contraire dans
l'est de la ville, dans un appartement pauvrement meublé, per-
méable aux bruits de la rue. Le passage géographique et social
d'un milieu fermé à un autre très ouvert veut-il témoigner des
nouveaux choix d'Isabelle? Est-ce que cela signifie pour elle de
nouvelles valeurs? Ces questions auraient sans doute valu un
développement. Le film ne s'y arrête pas.

Les films de cette première vague ont donc en commun de procéder par tableaux psychologiques. Ils nous présentent de jeunes femmes se débattant avec leur entourage immédiat pour affirmer leur autonomie. Ils s'en tiennent ainsi à un seul milieu social, à une seule catégorie d'âge.

*Denyse Benoît, comédienne*, de Luce Guilbault, ouvre d'autres perspectives. Tout en nous intéressant à Denyse, nous faisons aussi connaissance avec des femmes d'autres milieux sociaux et plus âgées. Denyse Benoît travaille avec un groupe de femmes dans un quartier de Montréal. Elle constate que les personnes âgées ont refoulé leur capacité d'expression. Partant de sa propre expérience, elle décide avec elles de monter une pièce de théâtre sur le mariage et la famille. L'animation par le théâtre permet de mieux comprendre les problèmes de ces femmes et les stéréotypes qu'elles véhiculent.

Ce film laisse présager ce que deviendra la démarche d'autres réalisatrices. Elles délaissent les sujets axés sur la famille à partir d'*un* cas, pour s'intéresser davantage à *des* portraits de femmes des milieux ouvriers et populaires.

Les films centrés sur les rapports femmes-famille ont mis à l'écran, dès les années 70, la difficulté d'être des femmes libres. Pour ce, les réalisatrices ont utilisé surtout la fiction, nous proposant des histoires simples d'où sont bannis les clichés éculés des scènes de couple et les scènes de lit romantisées. Elles présentent avec minutie des personnages féminins dans leur quotidien et évitent la caricature «macho» des personnages masculins. Bien qu'effacés, ils ne seront ni objets, ni ennemis, encore moins bourreaux. À l'opposé, il n'y aura pas non plus de femmes héroïnes. La sobriété des caractères est importante. Pensons simplement à la manière dont on fait évoluer Louise Marleau dans beaucoup de pièces de théâtre et de films (dirigés par des metteurs en scène), et à la manière dont nous la présente Mireille Dansereau dans *L'Arrache-cœur*. On peut remarquer le même phénomène pour Luce Guilbault dirigée par Arcand ou Mankiewicz, et qu'on retrouve très différemment dans *Le Temps de l'avant*, d'Anne-Claire Poirier. Ce n'est pas le personnage seul qui diffère, c'est le *regard* sur le personnage qui est diamétralement opposé.

*L'Arrache-cœur* de Mireille Dansereau, avec Louise Marleau, Samuel Cholakian et Michel Mondié. (Photo: Warren Lipton/Collection Cinémathèque québécoise)

*La Vie rêvée* de Mireille Dansereau, avec Véronique Le Flaguais, Jean-François Guité et Liliane Lemaître-Auger. (Collection Cinémathèque québécoise)

Malheureusement, le respect du corps des femmes n'est pas
une constante dans le cinéma québécois. C'est pourtant une
caractéristique importante des films réalisés par les femmes. Ce
type de mise en scène, qui évite autant le voyeurisme que le puritanisme, traverse d'ailleurs l'ensemble des films de femmes.

### *Le corps, la tête et le cœur*

Cette dernière remarque nous introduit d'emblée au sein de
nouvelles thématiques choisies par les femmes cinéastes. Voulant rompre avec le voyeurisme du cinéma traditionnel, elles
choisissent d'explorer la vie psychique des femmes; certaines
s'attarderont en même temps à préciser les rapports des femmes
avec leur corps (sexualité, maternité, maladie, etc.). Plusieurs
posent même la question: comment l'appartenance au sexe
féminin a-t-il toujours été source sociale de contraintes, de
répression et de traumatisme? Les femmes payent par la violence le fait d'être des femmes.

Un premier film s'intéresse indirectement à la question : *Les
Filles du Roy*, d'Anne-Claire Poirier. Une séquence particulièrement significative du film nous présente Danielle Ouimet, connue comme star québécoise dans le «film de fesses» de Denis
Héroux, *Valérie*, devenue ici une longue figurine couverte de ban-
delettes. Une femme enlève devant nous lentement ces bandelet-
tes qui recouvrent le corps de Danielle pour mettre à nu, avec
beaucoup de tendresse et sans complaisance, le vrai visage des
femmes. Le commentaire (Poirier-Blackburn) dira d'ailleurs,
en s'adressant aux hommes, qu'ils doivent apprendre à regarder
les femmes, à les accepter avec leurs rides, les marques de
l'amour et de l'enfantement. Il leur faut rejeter le voyeurisme du
*star system*. Anne-Claire Poirier poursuivra cette réflexion dans le
film bien connu *Mourir à tue-tête*. Cette fois-ci, il s'agit de viol.
Elle montre d'abord à quel point le viol n'est pas un attentat à la
pudeur, un acte sexuel répréhensible, mais qu'il est un acte de
haine contre toutes les femmes. Le viol a d'innombrables répercussions sur le psyché des femmes. Suzanne, le personnage principal du film, est handicapée moralement et physiquement. Le
viol lui a enlevé sa dignité et le goût de vivre. Elle découvre l'hor-
reur de la haine. Ses proches n'arrivent pas à lui faire oublier

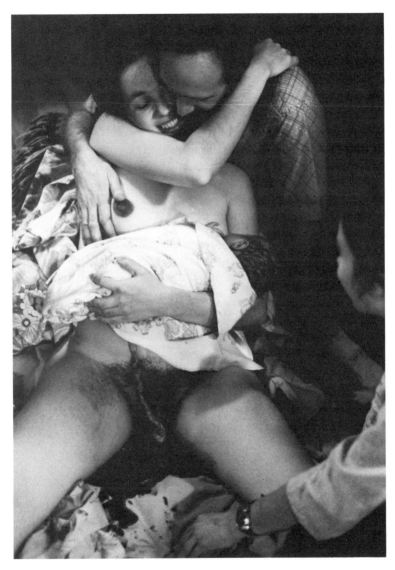

*Depuis que le monde est monde* de Sylvie Brabant, Louise Dugal et Serge Giguère. (Photo les Films du Crépuscule)

l'événement. Et alors prend forme un long réquisitoire de toutes les femmes violées contre tous les violeurs, les juges, les policiers, les médecins qui prolongent les souffrances de la femme violée une première fois.

Les films centrés sur ces thématiques sont rarement aussi explicites que ce film d'Anne-Claire Poirier. Les cinéastes s'intéressent plutôt au drame intérieur du personnage confronté à l'incompréhension de son entourage. On pense en particulier à *Anasthasie, oh ma chérie, Strass Café, La Crue, Pensée, Les Maisons de carton, La Cuisine rouge, Un instant près d'elle.* Les émotions des femmes, leurs désirs, leurs phobies et leurs rituels deviennent ainsi les sujets de plusieurs films. Ce n'est sans doute pas un hasard si plusieurs d'entre eux choisissent la transposition onirique des rêves et des fantasmes des femmes.

D'autres films abordent les thématiques liées au corps des femmes en utilisant le documentaire. Dans *T'étais belle avant,* Chantal Éthier démonte le mécanisme de séduction en nous présentant la vie d'une strip-teaseuse. Elle nous introduit dans les différents milieux de travail. Là, le marchandage du corps féminin est évident: on veut acheter son sourire, ses seins, ses fesses. À vingt-sept ans, la «carrière» d'une strip-teaseuse est pratiquement terminée. Les patrons la trouvent trop vieille pour intéresser vraiment les clients. Maintenant, il faut de l'action! Danser nue à deux pouces du client, voilà ce qu'il faut! Et alors la danse de la séduction, les belles années du strip-tease comme art, dit la protagoniste, tout cela est maintenant fini! Bien sûr, on reste très sceptique aussi sur ces prétendues belles années de strip-tease dans les cabarets des années 50 et 60 au Québec. Par contre, on sympathise beaucoup avec cette femme qui à la fois subit et comprend fort bien le rejet social à l'égard des femmes. Le drame de la strip-teaseuse c'est, d'une certaine façon, le drame de toutes les femmes dont on évalue le «bonheur» et l'insertion sociale selon les succès de leurs charmes et de leurs attraits. Comment échapper à ce marchandage qui fait vivre les compagnies de cosmétiques et de parfums, sans compter les industries très lucratives de la pornographie, de la prostitution et des cabarets en général?

Cette notion de marchandise du corps des femmes reviendra dans le film de Sylvie Brabant, Serge Giguère et Louise Dugal,

*Depuis que le monde est monde.* Les femmes accouchent-elles ou se font-elles accoucher? Comment les conditions sociales, l'organisation des hôpitaux font-elles de l'accouchement et de la capacité des femmes de donner la vie, un acte aseptisé, rentable et impersonnel? Comment les femmes peuvent-elles se réapproprier cette mise au monde?

À ce sujet, on remarque qu'ordinairement les films de femmes sont moins sensibles aux joies de l'existence qu'aux problèmes engendrés par le fait d'être femme. Dans ce contexte répressif, la folie sera une thématique choisie par plusieurs cinéastes, la folie-révolte, la folie-traumatisme.

Dans le film de Paule Baillargeon, *Anasthasie, oh ma chérie*, Anasthasie choisit de s'enfermer dans un appartement et de s'apprivoiser par des rituels. Elle se barricade, pour se protéger de la violence extérieure et de l'envahissement destructeur de la vie de famille. Elle cherche à reprendre pied dans la réalité en s'imposant de nouvelles habitudes et de nouveaux référents émotifs. Ainsi, elle épingle sur un tableau des objets familiers et s'entoure de tout un cérémonial. Des policiers brisent alors cet univers, la délogent et tentent de la rendre semblable à cette catin-femme, modèle souhaité pour toutes les femmes. On la transportera ainsi toute de rouge vêtue, ultra-maquillée et silencieuse chez le psychologue-guérisseur. Là encore, tout l'appareil répressif se liguera contre elle. Avec toute sa sagesse, le psychologue intervient pour guérir cette pauvre femme. Pourtant, le malade n'est pas celui qu'on pense; le psychologue est pris de tics nerveux incroyables et Anasthasie veut s'enfuir. Ce film allégorique rendra compte des moyens contraignants par lesquels on veut imposer aux femmes de se conformer à certains modèles. Mais on peut se demander si le repli ou la fuite sont alors les seules portes de salut pour les femmes.

Le second film de Paule Baillargeon, *La Cuisine rouge*, va développer cette thématique. Cette fois, il s'agit de la réception de mariage d'un couple. Attablés dans une grande salle, les invités attendent avec impatience que les femmes leur servent le repas de noces. À la cuisine, la désorganisation s'installe peu à peu et les femmes deviennent incapables de remplir leurs rôles de servante, de cuisinière et d'hôtesse. Pendant ce temps, les hommes discutent de politique, de sport et de prouesses de toutes sortes. Ils se mesurent les uns aux autres comme des coqs de basse-cour. Ils feront même un tour à la cuisine, histoire de voir où en sont les femmes. Pourtant, même s'ils y vont, ils ne les voient pas: comme elles ne correspondent pas à ce qu'ils attendent, elles deviennent littéralement invisibles. «Elles n'y sont pas», disent-ils. C'est simple...

Dans un deuxième temps, les femmes chercheront à vibrer ensemble. Elles ont partagé la dépression, le désordre, le rejet. Elles prendront maintenant un bain au soleil, se caressant, se peignant lentement. Leur rituel deviendra ainsi le faux-fuyant face à l'agression et au mépris des hommes. Par ailleurs, ce tableau est assez ambigu: s'agit-il d'une allégorie ou fait-on référence à des expériences tangibles? S'agit-il d'un choix réel ou d'une critique de ces rituels aliénants? Le scénario disait en effet: «Pendant ce temps, l'enfant femelle, fille des sorcières, se révolte, refuse ces images et décide de faire sa valise. Pieds nus, elle s'en va. Elle porte en elle, et avec elle, les germes de la révolution.»

Cette fonction critique des rituels féminins n'est pas claire dans ces films où prime l'allégorie. On a l'impression que ce sont plutôt les passages filmiques constituant de véritables charges, voire des caricatures grossières, qui ont le plus d'impact. Par exemple, le psychiatre dans *Anasthasie...* et les discours masculins de *La Cuisine rouge*. D'autres films vont utiliser avec succès la charge et l'ironie. C'est le cas de *Plus qu'imparfait*, de Liliane Patry, où les situations sont complètement inversées. Rares sont les films québécois jusqu'à présent qui ont réussi à développer une critique sociale convaincante, en utilisant différents registres dramatiques dans une même œuvre. Très souvent, la confusion risque de prendre le dessus. Le mélange de fable, de documentaire et de charge exige en effet une maîtrise parfaite à laquelle peu de cinéastes sont arrivés.

Ainsi, dans un autre film, *La Crue,* de Denyse Benoît, intéressant à plusieurs niveaux, la dénonciation décrite dans le scénario n'arrive pas à percer l'écran: «Dans *La Crue...* la mentalité des adultes apparaît comme but et modèle de développement, mais le rapport de force et l'ennui des modèles proposés obligent l'enfant à osciller entre l'état d'enfant et l'état d'adulte suivant son intérêt.»

Il faudra donc voir ces films d'abord comme une saisie de certains malaises féminins et non comme une analyse critique articulée. En ce sens, plusieurs films vont réfléchir autant sur les rituels d'appropriation féminins que sur les désordres psychiques des personnages. Le film *Plus qu'imparfait* illustrera de manière fort ironique comment les pseudo-qualités féminines et les lieux communs sur la sexualité sont erronés. Ainsi, au lieu d'avoir des femmes secrétaires à l'université, nous retrouvons uniquement des hommes secrétaires. Ils sont complexés par leur pénis et par l'absence d'organes féminins. Leur éducation les a malheureusement infériorisés et ils sont victimes du chauvinisme des femmes qui les considèrent comme de simples objets sexuels. L'allégorie et les inversions de situations nous brosseront ainsi des tableaux des plus cocasses...

D'autres films vont poursuivre la réflexion amorcée par Paule Baillargeon sur la santé mentale des femmes. Notre société, par le biais de ses institutions médicales et psychiatriques, a établi des critères de «normalité» très rigides et souvent fort réducteurs. Par exemple, une femme sera considérée comme normale si elle accepte son oppression sans se plaindre et si elle reste muette face aux inégalités sociales de toutes sortes. Elle devra cumuler une double journée de travail pendant des années sans en questionner les effets sur sa santé physique et mentale. Après avoir élevé toute sa famille, elle devra aussi s'adapter à sa nouvelle solitude et recentrer sa vie sur d'autres préoccupations sans que rien n'y paraisse. Bref, elle devra constamment se taire ou étouffer ses conflits au sein de la famille.

À partir du moment où les femmes manifestent leur colère ou leur désarroi et ne peuvent plus se contenir, elles risquent d'être étiquetées «anormales» ou «folles». C'est une insulte qui a si souvent réussi à faire taire les femmes, n'est-ce pas?

Si certains hommes acceptent plus facilement maintenant qu'une ménagère ou une travailleuse salariée ait droit, de temps en temps, à un congé complet de toutes les tâches domestiques, ils comprennent rarement à quel point ce travail implique une fatigue psychologique et nerveuse. Ils comprennent rarement aussi à quel point l'oppression quotidienne des femmes, la négation constante de ce qu'elles sont, au profit de ce qu'elles devraient être, provoque des problèmes psychologiques réels.

La maladie mentale n'est pas le propre des femmes, elle ne fait aucunement partie de leur nature et elle est souvent une conséquence sociale de la répression qu'elles subissent. Voilà en gros le message de différents films dont *C'est pas le pays des merveilles*. Le film nous présente plusieurs interviews de femmes qu'on a jadis internées à l'hôpital psychiatrique et qu'on a ainsi doublement cassées. Ces rencontres sont entrecoupées par une histoire fictive, mais combien réelle, d'une femme isolée qui devient progressivement névrosée. Nous la suivons au cours de son traitement à l'hôpital et constatons à quel point il est question d'achever la malade plutôt que de la guérir. Un troisième volet du film nous montre le cheminement d'une de ces femmes qui en rejoint d'autres dans une troupe de théâtre; elles montent une création collective, *Alice au pays des merveilles*. Elles ont senti le besoin de se retrouver ensemble pour sortir de leurs cauchemars et de leurs mauvaises expériences passées. Le théâtre devient ainsi une force collective et une thérapie. Mais pourquoi l'allégorie d'*Alice au pays des merveilles*? Est-ce pour exorciser leurs rêves de jeunes filles emprisonnées dans des chimères ou cherchent-elles à s'y réfugier à nouveau? On ne saisit pas très bien les rapprochements. Pourtant, malgré ces ambiguïtés de la finale, le film propose une dénonciation claire de la violence faite aux femmes.

Les interviews bouleversantes disent combien pour de nombreuses femmes les maisons sont des prisons. Elles y vivent l'isolement, la dévalorisation, pensant toujours qu'elles sont uniques dans cette situation. Le film laisse deviner aussi à quel point l'éducation des femmes «au service des autres», les pressions du mari et de la famille, constituent une autre prison sans barreau.

Un autre film s'intéressera au phénomène des névroses chez les femmes: *Fuir*, d'Hélène Girard, nous décrit parallèlement deux portraits de femmes. Le premier, celui de Jeannine, une professeure vivant seule avec sa fille; l'autre, celui d'une adolescente qui prépare son suicide. Seule dans sa chambre, elle se laisse progressivement mourir et brise irrémédiablement tous les ponts avec l'extérieur (elle ne répond plus à la porte ni au téléphone, ne nourrit plus les poissons...). À cette mort correspond la lente ascension de Jeannine à la vie. Sa thérapie lui permet de comprendre ses liens avec sa fille, ses liens haine-amour avec sa propre mère. Elle nous explique ses névroses successives par son histoire personnelle: elle ne s'aimait pas, elle était trop grosse, trop dépendante de son mari. En substance, Jeannine est convaincue qu'elle est masochiste, faible de caractère, apathique.

Les réflexions de Jeannine sont rarement questionnées par la cinéaste Hélène Girard. Cette non-intervention ne cautionne-t-elle par les interventions et le diagnostic de Jeannine? Tout cela, comme si les thérapies étaient neutres et toujours bienfaisantes. À ce niveau, l'on mesure encore les apports nouveaux d'un film comme *C'est pas le pays des merveilles* et sa distance critique face aux psychiatres et à l'«infaillibilité» des thérapies behavioristes. Par ailleurs, les deux films nous font bien comprendre le chemin qui mène les femmes à la névrose et au suicide.

Pour les cinéastes, il est sans doute très difficile d'exposer un problème en sympathisant avec les protagonistes et de garder un certain recul critique vis-à-vis de leurs drames. C'est là que réside souvent le dilemme de plusieurs films féministes: témoigner et prendre position, se contenter d'enregistrer, ou dénoncer clairement une situation. Jusqu'à maintenant, les femmes cinéastes dénoncent souvent avec ardeur ce qu'elles ne veulent plus. Elles énoncent encore avec timidité ce à quoi elles aspirent:

> Nous commençons à connaître les multiples répressions qui ont étouffé chez les femmes davantage que chez les hommes le potentiel créatif. Mais nous ne savons pas encore ce qu'une pensée, un regard, une écoute, une parole de femme décolonisée, déconditionnée de la pensée masculine, de ses structures mentales, centrée sur la seule norme masculine comme critère d'évaluation de toute création pourrait révéler de la spécificité des femmes, de notre rapport au langage (à la langue de nos mères), à notre corps, à l'espace, au temps, au futur.
>
> Nous ne savons rien de notre énergie créatrice car nous avons toujours, depuis des siècles, centré notre énergie sur l'amour expiatoire et sacrificiel. Nous avons tout à apprendre de nous...[14].

Cet intérêt des réalisatrices pour montrer-dénoncer la violence physique et psychique faite aux femmes est récent. Cette démarche s'accompagne ou non d'une recherche des fonde-

---

14. Anne-Marie Dardigna,

ments de l'imaginaire féminin. À l'opposé, d'autres réalisatrices comme Léa Pool s'intéressent avant tout à cet imaginaire même. Dans *Strass Café*, elle veut ainsi amorcer une réflexion sur le temps et l'amour. L'imaginaire et le réel deviendront étroitement entremêlés comme l'histoire de ces deux êtres, un homme et une femme, qui se sont connus jadis. Se sont-ils déjà connus? demande la narratrice. Ce long métrage nous parle de deux personnages déambulant dans une grande ville, aux prises avec leurs désirs et leurs souvenirs. Elle est artiste, chanteuse, dans un café. Elle, c'est une voix qui parle à celui qu'on ne verra presque pas; elle lui rappelle leurs ressemblances, leurs rencontres, leurs images communes.

Ce long voyage dans l'imaginaire d'une femme procède à la manière de certains films d'Alain Resnais et de Marguerite Duras. La cinéaste utilise les longs travellings sur les endroits déserts, les contre-jours, les plans fixes dans les rues vides. On revient aux mêmes endroits, comme en rêve. L'association des images et des sons devient incantatoire. Les êtres se cherchent et s'appellent dans la nuit.

Pourtant l'habileté de la cinéaste, la beauté de la photographie, ne réussissent pas à donner une dimension humaine à ces masques d'homme et de femme. Nous sommes aussi très déçues par le narcissisme de cette vision de la femme et du couple. Le statisme des plans, l'hypertonie des sentiments de cette femme, rendent uniquement l'anxiété et les tendances phobiques des personnages; mais, même cela nous le perdons à cause de cette volonté constante chez la réalisatrice de «faire de belles images» et de nous «envoûter» par le mystère. *Strass Café* nous «dit» la contemplation d'une femme, prostrée dans ses pensées. Devons-nous la suivre? Une réflexion d'Elena Belotti dans son livre bien connu, *Du côté des petites filles*, me revient à ce sujet: «Notre individualité a de profondes racines qui nous échappent car elles ne nous appartiennent pas; d'autres les ont cultivées pour nous, à notre insu. La petite fille qui, à quatre ans, s'extasie devant sa propre image dans le miroir, est déjà conditionnée à la contemplation par les quatre années précédentes[15].» *Strass Café* ne nous

---

15. Elena Gianini Belotti, *Du côté des petites filles,* Paris, Éd. des Femmes, 1974.

rejette-t-il pas à nouveau dans ce miroir déformé de la contemplation?

Il me semble que les films précédents étaient beaucoup plus
explicites sur les traces «négatives» qu'on «a cultivées pour nous,
à notre insu». Liliane Patry, Frédérique Collin, Paule Baillargeon, Nicole Giguère, ont rejeté dans leurs films les valeurs de
soumission, d'abnégation, de «féminité» accolées au psychisme
féminin. Leurs films ont ouvert un champ d'investigation
encore peu touché sur les incidences de la culture sur les femmes
elles-mêmes et sur leur lutte.

Il serait en effet important de comprendre les liens entre
l'éducation donnée aux femmes, le poids répressif souvent conjugué de la famille, des religions et des institutions, et leurs
répercussions sur la culture féminine. Il vaudrait mieux mettre
au jour le foisonnement de cet imaginaire féminin, non seulement sur ses aspects «colonisés», mais aussi sur sa propension
aux changements. Il faudrait pouvoir un jour questionner dans
des films, par l'allégorie ou autrement, et avec virulence, non
seulement les thérapies répressives des institutions psychiatriques sur les femmes, mais celles aussi, plus subtiles, des «cours
de personnalité», des *marriages encounters,* comme il faudrait s'en
prendre au lavage de cerveau des autres médias, des téléromans
aux chansons insipides, en passant par romans-photos et publi-
cités de toutes sortes.

Le processus d'autonomie des femmes est devenu récemment un thème important des films québécois réalisés par des
femmes. Il a été conjugué tantôt en lien avec la famille, avec la
tête, le corps et le cœur; il sera bientôt conjugué au présent et
décrit comme un processus non plus individuel mais collectif.

## La vie quotidienne

La série *En tant que femmes* a amorcé pour la première fois une
intrusion dans le quotidien des femmes. Elle a montré que les
femmes avaient énormément de responsabilités sociales; elle a
insisté pour montrer que ce travail caché était dévalorisé, non
payé et qu'en plus, dans les conditions sociales actuelles, il con-
tribuait à inférioriser les femmes, à les retrancher de toute vie
sociale. Le fait de s'occuper des enfants, du mari, des tâches
domestiques est vu comme une «norme» sociale. Les films de la

série vont dénoncer cet à priori. Pourquoi les femmes éduqueraient-elles seules les enfants chez elles? Pourquoi faut-il qu'il n'y ait que des femmes dans les garderies? Pourquoi les femmes doivent-elles refuser des responsabilités sociales lorsqu'elles acceptent la maternité? Pourquoi faut-il que les femmes assument seules la contraception, la responsabilité du couple?

Bref, le monde a changé, dira la série *En tant que femmes...* mais en a-t-on fait profiter les femmes? demanderont les autres films. Au fait, qu'est-ce qui a vraiment changé, et qui?

*Les Filles c'est pas pareil,* d'Hélène Girard, avait montré en 1973 comment des filles d'une polyvalente de Montréal vivent les rapports amoureux et amicaux. Ces adolescentes qu'on forme à la soumission ne veulent plus devenir des exécutrices à la merci des hommes. Elles revendiquent un univers sans compétition, où les liens d'égalité tiennent la première place. Elles ne seront plus comme leur mère, disent-elles. Elles veulent continuer de travailler après leur mariage. C'est une garantie importante pour leur autonomie. Quelques années plus tard, *Le Grand Remue-ménage*, de Sylvie Groulx et Francine Allaire, répondra justement à ces craintes des adolescentes. Les deux cinéastes ont en effet choisi deux prototypes du machisme[16]: Champ et Gogui.

Le premier, Champ, est un jeune homme d'environ trente ans, propriétaire d'un café italien. Pendant plusieurs minutes, il nous présentera sa conception des femmes et ses méthodes pour les conquérir. Son frère culturel, c'est Gogui, un petit gars du quartier centre-sud à Montréal. Lui aussi a appris très vite, dans sa rue, l'art d'être un homme.

Francine Allaire et Sylvie Groulx réussissent très bien par ces interviews parallèles à montrer comment, dans les milieux populaires, les stéréotypes masculins s'articulent sur la force physique, l'assurance, l'autoritarisme et la vantardise: atouts indispensables à la conquête sexuelle. Ces manifestations de chauvinisme mâle diffèrent de celles des milieux intellectuels où la force physique fait place à des attitudes plus diffuses et plus

---

16. Machisme: le dictionnaire marque toujours un certain conservatisme, voire un certain retard, à propos des termes illustrant les rapports des sexes. «Machisme» est traduit de l'espagnol *machismo* et signifie «chauvinisme mâle».

«onctueuses» de mépris et de paternalisme, souvent voilées par de grands discours théoriques sur l'oppression des femmes. *Le Grand Remue-ménage* brosse deux portraits d'hommes d'âge différent mais conditionnés par un même contexte social. Ce sera l'armée, les images publicitaires des femmes-objets, la radio: conquête des hommes sur les femmes, apprentissage d'attitudes autoritaires.

Dans le film, les femmes prennent la parole à leur tour et leurs témoignages, grâce à l'astucieux montage des cinéastes, ont tôt fait d'ébranler la limpidité du discours de Champ et d'en dévoiler les contradictions. Bien sûr, Champ est conscient de ses privilèges et il tire avantage du maintien des stéréotypes sexuels. Mais les réalisatrices refusent de jouer les pseudo-«observatrices impartiales» et elles prennent parti pour ces femmes combatives qui requestionnent les stéréotypes.

Ces femmes cinéastes ont amorcé une réflexion critique fort pertinente sur le sexisme quotidien et rarement des personnages masculins ont été présentés avec autant de relief. En effet, la majorité des films de cinéastes masculins portant sur le couple et les rapports hommes-femmes nous présentent, soit des hommes-adolescents refusant de vieillir (*Où êtes-vous donc?*, *Ti-cul Tougas*, *Les Grands Enfants*, *T-Mine*, *Bernie pis la gang*, etc.), soit des héros de films américains (*La Gammick*, *Quelques arpents de neige*, *Les Smattes*), ou encore des personnages de bandes dessinées (*IXE 13*, *Les Chiens chauds*, *Au clair de la lune*, *C'est pas la faute à Jacques Cartier*). Quant aux manifestations du «sexisme ordinaire» des milieux intellectuels, peut-être ces cinéastes en sont-ils trop près pour en être conscients... *Le Temps d'une chasse* ou *Le Soleil a pas d'chance* nous ont présenté des comportements fort critiquables, mais le caractère caricatural de ces portraits rend les intellectuels imperméables aux critiques; ils n'ont rien à voir, disent-ils, avec ce chauvinisme grossier! Bref, la réflexion mériterait d'être poursuivie et les personnages gagneraient à être mieux cernés et davantage raffinés.

Récemment, certaines cinéastes ont cherché à montrer que le rapport des femmes avec le quotidien est un savant mélange de débrouillardise et d'aliénation, et qu'elles se heurtent constamment à ces deux aspects contradictoires. Dans cette présentation des films de *confrontation*, nous retrouvons le film de Diane

Létourneau, *Les Servantes du bon Dieu,* et celui de Louise Carré, *Ça peut pas être l'hiver, on n'a même pas eu d'été.*

Ce dernier long métrage nous raconte l'histoire d'Adèle, une femme de cinquante-sept ans, mère de huit enfants, dont le mari vient de mourir. C'est le dur apprentissage de la solitude. Dans ce couple traditionnel, Adèle était une mère avant tout. Elle avait la responsabilité des enfants, s'occupait du ménage et ses tâches étaient principalement axées à l'intérieur du foyer. À la mort de son mari, elle constate qu'elle n'a plus d'amis. L'administration de la maison lui ayant échappé, elle ignore sa situation financière, ne sait pas non plus comment entretenir la bâtisse.

Adèle demeurera plusieurs semaines cloîtrée dans la maison, incapable de se prendre en main. Elle s'était toujours occupée des autres, mais elle n'a jamais appris à penser à elle. Cette femme deviendra peu à peu autonome malgré elle. Elle n'a plus le choix. Elle doit réagir, sinon les médicaments, la tristesse et la solitude auront raison d'elle. Description exemplaire de la lutte des femmes pour leur autonomie où trop souvent celle-ci leur est imposée par les circonstances: elles doivent se débrouiller... sortir de la maison, s'impliquer socialement, organiser leurs loisirs.

Ce film de Louise Carré, transposition de la démarche de milliers de femmes des années 70, qui ne sont ni veuves, ni âgées de cinquante-sept ans, élargit le débat sur l'autonomie des femmes.

Le film de Diane Létourneau, *Les Servantes du bon Dieu,* illustre tant l'aliénation et la soumission que la débrouillardise étonnante des religieuses de la Sainte-Famille. Elles s'occupent de la réparation d'un camion, de l'administration des affaires de la communauté, aussi bien que des malades. Bref, elles accomplissent elles-mêmes l'ensemble des fonctions d'une petite société. Certaines occupent ainsi des emplois dits non traditionnels: horlogère, cordonnière, chauffeuse de camion; autant d'illustrations de leur autonomie.

Mais l'envers du décor, c'est leur soumission au clergé et leur dépendance psychologique. Servantes d'une communauté religieuse d'hommes, elles s'occupent du ménage, du lavage, de la cuisine de l'Évêché. Plusieurs sont aussi au service de curés dans les presbytères. Diane Létourneau nous montre donc com-

ment ces femmes mettent leur travail et leur autonomie au service de ces hommes et de leur pouvoir dans l'Église et la société.
Un prêtre le dit clairement, d'ailleurs: les qualités exigées des
petites sœurs sont la patience, l'humilité, la débrouillardise et
l'amour du Christ.

Une séquence en particulier illustre bien la dépendance des
religieuses. Au presbytère, deux religieuses ont préparé le repas
pour les prêtres. Au son de la cloche, elles accourent faire le service. Eux continuent de discuter ensemble, pendant que l'une
d'elles grignote sur un coin de table. Le menu n'est pas le même
à la salle à manger et à la petite cuisine. On se croirait dans les
maisons bourgeoises du XIX$^e$ siècle! L'intelligence, l'habileté,
la polyvalence de ces femmes sont donc sacrifiées au sexisme traditionnel de la hiérarchie cléricale.

Diane Létourneau sait nous rendre ces femmes attachantes,
mais elle reste presque muette sur l'aliénation religieuse, la
dépendance psychologique et l'exclusion sociale de ces Servantes du bon Dieu. On ne peut en outre présenter ce portrait sans le
resituer dans le contexte de la société québécoise sortie depuis
peu de l'obscurantisme religieux et dont les séquelles marquent
toujours le système d'éducation et freinent encore l'émancipation des femmes.

Mais il n'y a pas que les Servantes du bon Dieu qui soient
vouées à l'entretien des autres sans limite de temps, sans salaire
ni bénéfices marginaux; toutes les femmes ou presque assument
à un moment ou l'autre de leur vie ce «service féminin obliga-
toire»: le travail domestique.

Encore une fois la série *En tant que femmes* a innové à cet
égard. Le film d'Aimée Danis, *Souris, tu m'inquiètes*, nous présente une femme de banlieue, Francine, pour qui les tâches
domestiques deviennent de plus en plus abrutissantes. Tournée
comme un documentaire, l'histoire de Francine avec son mari et
ses enfants se confond avec celle de nombreuses ménagères insatisfaites de la routine quotidienne et accablées par ce mal sans
nom que Betty Friedman appela le «syndrome de la ménagère».

Dans un film d'animation, un groupe de cinéastes reprend
cette même thématique mais en la situant davantage dans le contexte social. Les femmes ne sont pas simplement isolées dans
leur maison: elles subissent les pressions des profiteurs et des

vendeurs de toutes sortes. *Marie coquette qui n'a ni chaud ni frette*, de Mitsu Daudelin, Rachel Saint-Pierre et Estelle Lebel, montre les ménagères en action; après s'être fait berner une à une par l'exploiteur Marie coquette, ces femmes en prennent conscience collectivement et décident de le remettre à sa place.

Délaissant l'imagerie Walt Disney, ce film d'animation s'appuie sur la tradition populaire pour proposer des images de solidarité. La présentation visuelle des femmes, les chansons folkloriques, l'utilisation de la danse, illustrent avec intelligence le lent réveil des femmes, puis leur cohésion et leur colère contre le profiteur Marie coquette.

Un autre film d'animation, *Petit bonheur*, de Clorinda Warny, révèle aussi avec ironie d'autres aspects de l'exploitation des ménagères. Ici ce sont les «spécialistes» qui abusent de la bonne foi et de la crédulité d'une femme. Par un bel après-midi d'été, une mère promène en landau un bébé gazouillant. Tout va bien — le soleil brille, les oiseaux chantent — jusqu'à ce que bébé, sans prévenir, se mette à hurler. La femme utilise tous ses pauvres trucs: elle lui donne un biberon, une suce, lui fait de grands sourires, le prend dans ses bras. Le curé y va de son discours, le psychiatre donne sa version sur les «manques» dont est victime le poupon, le militaire assure que la discipline et l'exercice physique sont les garants d'une solide santé. Bref, tous s'essaient. La mère éplorée se culpabilise, elle écoute et cherche la vérité jusqu'à ce que bébé, sans crier gare, se mette à sourire puis à gazouiller gentiment. *Petit bonheur*, une autre fable pertinente sur le pouvoir des discoureurs et des spécialistes.

Après ces films-constats, ces films-dénonciations, qui permettent de rendre enfin visibles le travail domestique et la douleur profonde du mépris et de l'isolement social des femmes, une nouvelle vague de films tentera de comprendre les racines de notre oppression.

Ti-Grace Atkinson, Kate Millet, Margo Jefferson, Lila Karp, et bien d'autres, sont interviewées dans *Some American Feminists*, qui témoigne des rapports du mouvement féministe avec les mouvements pacifistes, les mouvements gais et ceux qui militent pour l'égalité raciale. Le film interroge aussi l'avenir du mouvement, les solutions possibles, la place des lesbiennes. Des documents d'archives nous permettent de revoir certaines grandes manifestations féministes. Document historique et album de famille, *Some American Feminists* informe prioritairement les familiers du mouvement des femmes; le film procède en effet par sous-entendus et il relève d'une démarche interne au mouvement, d'où une complicité apparente entre militantes féministes devant et derrière la caméra.

Ainsi les raisons de leur cheminement, le choix de leurs moyens d'action et les conséquences des luttes demeurent peu analysés. Cela affaiblit vraisemblablement le document. Il est dommage aussi qu'on évoque si peu la forte répression qui, à cette époque, soit en 1975-1976, s'abat sur le mouvement féministe américain et particulièrement sur ses leaders radicales. En effet, plusieurs d'entre elles, malgré leur haut niveau de scolarité et leur expérience de travail, ne trouvent plus d'emplois et vivent du bien-être social. On cherche à les tenir à l'écart tant à cause de leurs prises de position politiques générales que de leur possible leadership sur les luttes féministes.

En outre, il est curieux de constater que le seul film québécois connu sur ce sujet porte sur le mouvement féministe américain, et on peut s'interroger sur la non-implication de l'Office national du film dans un tournage similaire au Québec. On a certes remarqué quelques liens entre les films de la série *En tant que femmes* et certains groupes féministes, mais ces témoignages disparaissent en cours de montage... À l'exception de *Some American Feminists*, les protagonistes des films de femmes n'ont aucun lien direct avec les mouvements féministes québécois. Jamais nous n'entendrons parler du Centre des femmes, ni de la répression des lesbiennes, ni des batailles des femmes chefs de famille, ni de l'important travail de création littéraire et artistique. Seules les vidéos rendent compte de ces luttes, avec des Québécoises des années 70, et font les liens avec le mouvement féministe.

Luce Guilbault rappelait, lors de sa présentation de *Some American Feminists*, l'étroitesse d'esprit prévalant alors au Québec quant à cette thématique du mouvement féministe. Ainsi, en 1980, alors qu'elle travaillait avec d'autres femmes à monter un spectacle pour le quarantième anniversaire du droit de vote des femmes, occasion importante pour souligner les acquis de la lutte des femmes au Québec, elle put observer les résistances des milieux officiels. Elle voulait tenter de montrer sur scène ce qui n'était pas possible de faire au cinéma. Or, ce spectacle, pourtant financé en partie par le Parti québécois, était jugé inadéquat. Les femmes ne devaient pas montrer dans un spectacle national comment elles avaient été bernées, autant par les politiciens et le clergé, que par les élites locales. C'était trop cru. Pas question non plus d'associer le retard du droit de vote des femmes avec le conservatisme des politiques de l'Union nationale, des Libéraux et du clergé. Le climat référendaire de 1980 devait ménager les sensibilités nationalistes avant tout. Donc, pas question de critiquer les positions réactionnaires. Les femmes ont fait à nouveau les frais de la pseudo-priorité des nobles et grands intérêts de la politique. Le spectacle a dû être organisé sans le soutien financier du Parti québécois.

Si on a eu tant de difficultés à organiser un simple spectacle, on peut comprendre pourquoi le cinéma donne si peu de place aux luttes des femmes. Lorsqu'elles se défont de leur rôle de victime, on les tolère, mais lorsqu'elles se mettent à revendiquer et à refaire leur histoire, on les bâillonne.

Avec ces films québécois de femmes, il est maintenant impossible d'oublier l'envers du décor, ce dont nous parlent rarement les films: la vie quotidienne, le travail ménager caché et la souffrance de l'oppression.

### L'univers du travail

Avant 1975, seuls quelques films parlent de l'arrivée massive des femmes sur le marché du travail. Mais en général, les femmes cinéastes se sont écartées de ce sujet comme s'il s'agissait d'un univers avant tout masculin.

Les réalisateurs québécois ont été assez loquaces sur le monde du travail. Dans les films de Denys Arcand, Arthur Lamothe, Maurice Bulbulian, Pierre Perrault, nous avons de nombreux référents sur les rapports des hommes avec leur milieu de travail, sur leurs conflits, solidarités ou harmonies. Mais lorsque les cinéastes parlent de cet univers, les femmes en sont généralement absentes, à moins d'être reléguées au rôle de la traditionnelle «waitress». De *Françoise Durocher, waitress*, au *Temps d'une chasse* et aux scènes de *Parlez-nous d'amour, Bar salon*, et *Gina*, en passant par *Entre la mer et l'eau douce*, nous sommes confinées au monde de la restauration et du *show-business*.

*D'abord ménagères*, réalisé par Luce Guilbault en 1978, nous donnera un son de cloche fort différent. Le film aborde à la fois la question du travail domestique et celle du travail à l'extérieur du foyer. La caméra s'attarde à ces gestes répétitifs quotidiens: préparer les repas, s'occuper des enfants, du ménage, du mari. Les femmes, salariées ou non, sont toutes «responsables de la maison». Le travail domestique n'est pas un passe-temps pour elles, c'est un travail fatigant physiquement et psychologiquement, un travail isolé, invisible, dévalorisé, non payé et constamment à recommencer.

On rappelait très justement dans une émission de télévision comment le vocabulaire utilisé par les femmes elles-mêmes à propos du travail ménager tend à réduire l'effort fourni. Elles parlent de «donner un petit coup de fer à repasser», de faire «un peu d'époussetage», d'«éponger le plancher», de donner «un coup de main aux enfants avec leurs devoirs», etc. Même si les annonces publicitaires insistent sur la rapidité et l'instantanéité du lavage du linge ou de la vaisselle, toutes nous connaissons le temps et l'énergie exigés par l'addition et la répétition constante de ces travaux.

*D'abord ménagères* nous permet donc une introduction dans le monde familier des femmes à la maison. Certaines, après avoir accompli ces tâches pendant de nombreuses années, ont décidé de regagner le marché du travail. Elles devront alors fournir une double journée. Dans la cuisine, nous observons une ouvrière, déjà harassée par sa journée à l'usine, qui prépare le repas du soir avec ses filles alors que les hommes, petits et grands, regardent paisiblement la télévision. La caméra suit fidèlement chacun des gestes de ces femmes qui, durant tout le repas, servent les hommes de la famille.

Le film laisse entendre en outre que le travail domestique, c'est aussi le rapport sexuel au mari, l'entretien général de sa force de travail. S'il était comptabilisé, ce travail non payé des femmes représenterait des milliards de dollars.

De tous les témoignages de ce film, le plus percutant demeure celui de Carmen: «Je me bats pas juste pour la condition des femmes mais pour l'avenir, pour que ça soit amélioré.»

Carmen ne décrit pas seulement son travail, elle témoigne de son engagement social en tant que femme et assistée sociale. Elle raconte comment, après sa peur initiale d'«être embarquée», elle s'implique peu à peu avec d'autres femmes afin de résoudre collectivement leurs problèmes de loyer, de violence et de solitude.

Il est regrettable que le film *D'abord ménagères* n'ait pas davantage souligné le dynamisme de certaines ménagères particulièrement actives dans des organisations progressistes. C'est sans doute attribuable à ce parti pris de «non-intervention» caractéristique du cinéma documentaire québécois.

Cette attitude dite de «non-intervention» de la cinéaste est manifeste dans la manière d'interviewer les femmes: ainsi on les questionne à brûle-pourpoint, sans préparatif, pendant qu'elles travaillent; on ne poursuit pas leur propos en dégageant leurs réponses et en poussant plus loin leurs affirmations. Par exemple, il aurait été intéressant de savoir pourquoi les femmes considèrent comme normal d'avoir une double journée de travail. Ont-elles essayé de partager des tâches avec leur conjoint? Y a-t-il meilleure division des travaux domestiques chez elles depuis quelques années? À cause de ces interviews qui ne sont pas assez approfondies, un climat statique, inchangeable sur la condition des femmes ressort du film, que le témoignage de Carmen survenant à la fin ne peut contrebalancer.

Le mérite de ce film a été d'être le premier véritable coup de sonde sur le travail des femmes, de confronter leurs témoignages avec les discours mensongers des «experts» sur le travail ménager supposément si simple et si libérateur.

> Les femmes n'ont pas besoin de connaissances approfondies dans une multitude de sciences. Elles ont plutôt besoin d'un état d'esprit qui les amènera à voir ce qui est nouveau de façon objective, à s'intéresser au progrès de la science...

> La femme experte en arts ménagers possède le doigté du sociologue, le tempérament d'une artiste, des connaissances en sciences naturelles et cette touche féminine si appréciée...[17]

Certains films vont pousser plus loin le constat en illustrant que l'exploitation des femmes ne peut être mesurée seulement

---

17. Dreide English et Barbara Ehrenreich, *Des experts et des femmes,* Montréal, Éd. du Remue-Ménage, 1982, p. 168.

par rapport au travail domestique et à leur exclusion sociale. Les femmes sont exploitées et opprimées dans l'emploi par une législation encore à l'arrière-garde. À différents niveaux, des films comme *Les Voleurs de job*, de Tahani Rashed, *Les Borges*, de Marilú Mallet, *Madame, vous avez rien*, de Dagmar Gueissaz, *Token Gesture*, de Micheline Lanctôt, *Thetford au milieu de notre vie*, de Iolande Rossignol, *Une histoire de femmes*, de Sophie Bissonnette, Joyce Rock et Martin Duckworth, présentent des femmes dans des moments de décision. Elles veulent participer de plain-pied au travail ou aux luttes syndicales, mais en sont empêchées; elles veulent sortir de leur ghetto, mais les structures sociales cherchent à les y maintenir.

Dans *Les Borges*, de Marilú Mallet, nous suivons une famille d'origine portugaise où les hommes témoignent de leurs conditions d'immigrants au Québec et notamment de leurs difficultés d'adaptation et de la discrimination dont ils sont victimes. Certains espèrent un éventuel retour au pays d'origine, mais la majorité d'entre eux compte rester au Québec. À la suite de ces premières séquences, les femmes commencent lentement à prendre la parole. La mère s'oppose à son mari en affirmant son ferme désir de demeurer au Québec. Pour elle, il y a un véritable fossé entre leur ancien mode de vie et le nouveau. Les travaux domestiques dans une petite ferme de la campagne portugaise n'ont rien de folklorique! Ses conditions de vie et de travail sont en jeu. Plus pratique et plus concrète que son mari, elle n'hésite plus à s'opposer aux traditions pour affirmer son point de vue et défendre ses acquis.

*Les Voleurs de job*, de Tahani Rashed, s'intéresse aussi aux immigrantes. D'ailleurs la réalisatrice, comme Marilú Mallet, est d'origine étrangère. Toutes deux sont fort sensibles aux réalités de l'immigration et elles témoignent d'une grande attention aux femmes. Elles réussissent à les faire parler ouvertement de leur travail à l'usine, de leurs rapports au sein de leur famille et de leur communauté ethnique. *Les Voleurs de job* remet profondément en question cette vision idyllique d'un Québec non raciste et décape les clichés sur les immigrants. Chauffeurs de taxi, peintres en bâtiment, employés à l'entretien ménager, laveurs de vaisselle, ils ne connaissent pas la *dolce vita*.

Quant aux femmes, non seulement subissent-elles le poids de la discrimination sexuelle et de la xénophobie, mais encore doivent-elles constamment composer avec les normes sociales de leur communauté d'origine et les modèles d'émancipation proposés par la société d'adoption. Ainsi, celles qui utilisent des moyens de contraception, exigent plus d'autonomie ou divorcent sont fortement critiquées ou même boudées par leurs compatriotes. Elles doivent donc affirmer leurs droits à la fois en tant que femmes, immigrantes, ménagères, travailleuses, etc. À ce propos, la séquence finale des *Voleurs de job* est fort significative. Un groupe d'immigrés endimanchés, perdu au fond d'une immense salle, se fait servir un discours ampoulé sur les droits et devoirs des futurs citoyens canadiens, par une femme-juge. Ils prêtent ensuite serment d'allégeance à la reine et récitent sans conviction la litanie des engagements inconditionnels à la cause canadienne. La cérémonie s'achève, et tous quittent la salle. Puis arrivent en douce, une, deux, cinq femmes de ménage, cinq immigrantes, qui nettoient la place...

Dans la même veine documentaire, *Une histoire de femmes*, de Sophie Bissonnette, Joyce Rock et Martin Duckworth, porte sur l'implication sociale des femmes dans une lutte ouvrière. Les premières images brossent un rapide tableau des conflits syndicaux de la région de Sudbury et du rôle joué par les femmes, avant de s'attarder sur la vie de ces femmes durant la grève de 1979-1980.

Au cours des années 70, plusieurs films avaient abordé la question de la *participation des femmes aux luttes ouvrières,* c'est-à-dire de leur appui au mari et aux parents lors des grèves. C'est ainsi que leur participation était représentée dans des images autour des comités d'appui, des lignes de piquetage, des soupers et des multiples collectes, comme dans *Les Femmes dans la grève de l'amiante*, vidéo tournée à Thetford Mines, ou encore la vidéo de la grève de Firestone à Joliette, ou enfin le long métrage *On a raison de se révolter*, tourné en 1972 lors de l'occupation de l'usine Regent Knitting Mills de Saint-Jérôme devenue par la suite Tricofil. Les femmes participent aux assemblées, prennent des initiatives, posent des gestes concrets. Pourtant aucun de ces films ne s'intéresse aux leçons de leurs implications, aux retombées de leur participation. Dans *Les Femmes dans la grève de l'amiante,* on se limite à quelques allusions sur leur volonté d'autonomie vis-à-vis du syndicat et sur les conséquences de leurs interventions lors de la grève.

Mais avec *Une histoire de femmes*, les cinéastes mettent tout l'intérêt sur la vie quotidienne des femmes et sur l'action du comité des femmes. Avant et pendant le tournage, les cinéastes ont vécu plusieurs mois dans la région avec les protagonistes, ce qui a permis d'établir des complicités et d'atténuer le scepticisme à l'égard des intellectuels, trop souvent beaux parleurs directifs. Le film nous fera vivre les multiples phases de la lutte de ces femmes qui refusent d'être constamment à la remorque des actions syndicales. Certaines veulent que le comité des femmes soit financièrement autonome et non plus dépendant de la caisse syndicale. Elles exigent une plus grande liberté d'action, et la possibilité d'exprimer leurs propres points de vue sur le conflit. La caméra s'intègre à la discussion: une femme avoue que, pour elle, la lutte c'est de suivre son mari, d'autres s'opposent à cette vision des choses; nous sommes au cœur du débat «privé et politique».

La grève constitue un moment privilégié pour apprendre, organiser, diriger des actions, rencontrer d'autres femmes. Cela n'est pas sans conséquence sur la vie familiale et sur les liens avec le conjoint. C'est aussi une occasion d'inverser les rôles. Un gréviste fait le dur apprentissage du travail domestique, alors que sa femme travaille à l'extérieur. Malgré tous ses efforts, dit-elle, l'égalité est loin d'être acquise dans la maison. Qui se lève la nuit pour le petit? Qui planifie le travail domestique? Les hommes, sous prétexte de se sentir diminués par ce travail, vont prendre un verre et rencontrer leurs amis dès que leur épouse est de retour à la maison. Leurs loisirs sont sacrés… alors que les femmes font la double journée…

Malgré de profondes remises en question, la fin de la grève marque un certain retour à la «normale» et bon nombre de femmes éprouvent alors une impression de «vide». Certaines veulent suivre des cours; d'autres vont travailler dans un comité de femmes de la région. Après ces mois intenses d'activité, vont-elles accepter de retourner docilement à la maison et de se consacrer exclusivement aux tâches domestiques? *Une histoire de femmes* s'achève sur cette question sans présenter de solution de rechange. Le film dénonce la condition d'«auxiliaires» et de fai-seuses de sandwiches, de ces femmes de grévistes, trop souvent utilisées et dominées lors de ces conflits ouvriers, et pose le pro-blème de leur pouvoir, de leur autonomie et du partage des res-ponsabilités et des tâches avec hommes et enfants.

Le film *Thetford au milieu de notre vie*, de Iolande Rossignol et Fernand Dansereau, aborde la même thématique. Inscrit dans la tradition québécoise des films d'animation sociale, ce long métrage est le fruit d'une intense collaboration avec les gens de la région minière de Thetford. Deux ans de travail collectif de scénarisation et un tournage échelonné sur plusieurs mois ont permis de bâtir des personnages reflétant les préoccupations des mineurs et de leurs familles tout en rendant compte du climat de la région. Le film, c'est celui de cette population en grève avec ses conditions de vie difficiles, ses problèmes de santé et ses con-flits interpersonnels.

C'est aussi l'histoire d'une famille dont le père est représen-tant syndical, la mère ménagère et la fille étudiante. Ils héber-gent aussi Midas, le frère de Louise. En voulant s'intégrer au marché du travail, la femme constate sa marginalité sociale: sa riche expérience de vie et de travail en tant que mère de famille et administratrice de la maison n'est aucunement reconnue par les employeurs. Ils exigent des diplômes et de l'expérience profes-sionnelle.

Le couple traverse une profonde crise: ce syndicaliste affairé, énergique, habitué à commander les hommes, a du mal à dialoguer avec sa femme et à établir des rapports égalitaires. Pourtant, dans ce contexte de grève, tout se bouscule et il est forcé de modifier ses rapports, forcé d'accepter que se transfor-ment les relations entre jeunes et vieux, entre étudiants et mineurs.

Ces tensions entre les êtres, sur fond de conflit minier, rap-pellent le très beau film *Le Sel de la terre*. Certains recoupements rendent compte de la filiation entre les deux œuvres où des tra-vailleurs ont contribué à rendre le scénario et les dialogues plus authentiques. Par ailleurs, l'implication sociale des femmes et les déchirures qui s'ensuivent sont plus significatives ici pour bon nombre de femmes. Elles se reconnaissent sûrement davantage dans ce portrait de mère de famille québécoise que dans celui d'Esperanza, la femme *chicana* du *Sel de la terre*.

Le réalisme social de *Thetford* voisine malheureusement avec des lourdeurs certaines. De plus, dans l'intrigue, le caractère théâtral de quelques scènes a sans doute contribué à affaiblir l'intérêt pour ce long métrage québécois. Mais ces faiblesses ne peuvent expliquer le silence quasi total à propos de ce film. Étant donné son sujet, son expérience collective de scénarisation et l'implication des gens du milieu, ce film mériterait d'être mieux connu.

Un autre film récent s'intéresse aussi aux femmes des régions périphériques du Québec. Dans *Madame, vous avez rien*, Dagmar Gueissaz nous fait connaître des «femmes collaboratrices» en agriculture. Centré sur le changement technologique en agriculture et ses répercussions dans la vie des femmes, sur leurs luttes et leurs difficultés d'adaptation, ce film ouvre une problématique fort peu abordée jusqu'ici. Une caméra attentive et complice nous introduit d'une exploitation à l'autre et nous fait découvrir le quotidien de ces agriculteurs. Ces «inserts» sont entrecoupés par une entrevue avec une ex-fermière, Montréalaise d'adoption et assistée sociale. Après avoir travaillé de nombreuses années sur la ferme de son ex-mari, elle a tout perdu: meubles, parts dans l'entreprise et même une pension alimentaire, et cela malgré plusieurs procès.

Le film de Gueissaz confronte le point de vue des maris et de leurs épouses. Pourquoi les femmes n'auraient-elles pas droit à 50% des parts de l'entreprise plutôt qu'à 49%? Qui va trancher les problèmes en cas de litige si femme et homme sont égaux sur le plan contractuel? Oppositions entre hommes et femmes mais aussi contradictions des femmes entre elles. Peu d'hommes appuient cette démarche d'autonomie et d'égalité des femmes: seuls des immigrants hollandais le font dans ce film alors que les Québécois d'origine restent muets sur le sujet. Quant aux femmes plus jeunes, elles semblent plus réticentes que leurs aînées à faire des démarches pour avoir des parts dans l'entreprise de leur mari. Faudra-t-il que ces jeunes femmes affrontent les mêmes expériences pour que s'effritent ces idées conservatrices et qu'elles luttent pour s'affranchir?

*Madame, vous avez rien*, excellent outil d'animation, conclut par les propos d'une «pionnière» rappelant à quel point les changements s'opèrent lentement.

Plusieurs films et vidéos québécois ont ainsi présenté différentes démarches d'autonomie des femmes: lutte pour des emplois dits non traditionnels (*Six femmes à leur place*), luttes pour le respect du choix des femmes (*Le Temps de l'avant*, à propos de l'avortement, *T'étais belle avant*, à propos du type d'emploi) et le respect de leurs engagements sociaux (*La Perle rare, Histoire des luttes féministes, Une histoire de femmes*, etc.).

Plusieurs des documents précédents nous rappellent les luttes pour le travail et pour l'obtention de droits égaux à ceux des hommes. Par contre, documentaires et films de fiction ne nous présentent jamais des femmes combatives sur les lieux de *travail*. Dans la fiction, l'intégration de personnages féminins dynamiques qui travaillent est encore inusitée. S'il est question d'expériences positives de lutte au sujet du travail, ce sera exclusivement dans des documentaires. Et là on a tendance à nous présenter des constats plutôt que des pistes de transformation.

Un plus grand souci dans la précision des caractères de femmes et dans la présentation de leurs contradictions vis-à-vis du travail ou de la double journée ajouterait, il me semble, crédibilité et émotion à ces descriptions de situations d'exploitation et d'oppression. Si nous pouvions arriver à présenter différents points de vue de femmes dans leur interdépendance et leurs relations sociales, le cinéma féministe gagnerait des adeptes. C'est souvent en traduisant les rapports contradictoires entre personnages que le spectacle cinématographique touche réellement le public. En centrant les thématiques sur des personnages de femmes isolées — isolées à la maison, au travail —, en ne définissant pas mieux ce que nous entendons par autonomie, nous risquons d'osciller entre l'optimisme un peu naïf qu'on retrouve dans la finale de *Souris, tu m'inquiètes* et la désillusion de *Mourir à tue-tête*.

Il faudrait réussir à rendre la situation complexe des femmes actuelles, au travail, au Québec, avec ou sans homme, avec ou sans ami (et amie), avec ou sans enfant.

*D'abord ménagères* de Luce Guilbault. (Collection Cinémathèque québécoise

Marguerite Duparc-Lefebvre, productrice-monteuse (décédée en
1982), pendant le tournage de son film *Histoires pour Blaise*. (Photo four-
nie par J.-P. Lefebvre)

*Digression sur l'ambiguïté de deux films*

Toutes les femmes ne sont pas féministes, toutes les femmes cinéastes ne prétendent pas non plus contribuer à l'abolition des différences entre les sexes. Certaines plus que d'autres refusent clairement toute association avec le mouvement féministe. Elles y voient un danger et préfèrent, disent-elles, rester en dehors de toute partisanerie. Habituées à jouer des coudes dans un monde **d'hommes, elles ont «réussi» leur percée sociale. Nous** n'avons pas parlé de leur production car, comme nous le disions précédemment, nous nous sommes intéressées ici aux films anti sexistes.

Pourtant, parmi les cinéastes féministes et parmi les films féministes, nous constatons aussi des «glissements» dans la lutte contre l'oppression des femmes. Deux exemples peuvent servir à illustrer cette réalité. Il s'agit du film *Shakti*, de Monique Crouillère, fait en 1976 à l'Office national du film, et du film de Diane Létourneau, *Le Plus Beau Jour de ma vie*, réalisé en 1980.

Nous pourrions développer aussi certains exemples tirés de la production vidéo, comme *Ma vie c'est pour le restant de mes jours*, mais cela nous obligerait à les situer dans l'ensemble de la production vidéo faite par les femmes, ce que nous avons omis volontairement dans notre étude.

Au-delà de leurs qualités descriptives, je reproche à *Shakti* de sublimer la condition des femmes indiennes et le matriarcat, et au *Plus Beau Jour de ma vie*, de confondre la lutte contre une institution sociale (le mariage) et la lutte plus ambiguë contre les rituels d'une classe sociale.

*Skakti* nous propose une réflexion sur la vie des femmes en Inde, et particulièrement sur leurs rituels. La caméra les observe peignant leurs cheveux, faisant la toilette aux jeunes enfants, organisant le logement. On insiste ainsi sur leur rôle obligé de mères et de gardiennes des traditions. Images et commentaires[18] du film débordent progressivement la gestuelle des femmes pour faire corps avec la philosophie hindouiste et rendre hommage

---

18. Les commentaires sont signés Marthe Blackburn.

aux femmes indiennes : « Laisse-moi te regarder vivre, femme de l'Inde, pays dans lequel tu représentes l'acceptation, la continuité... ; se peut-il femme de l'Inde que tu fasses les choses à la perfection... L'eau purifie et devient source de renouvellement... Laisse-moi te regarder princesse très sage. Il n'y a pas de fatalité, il n'y a que des forces à vaincre. Je voudrais connaître ta claire austérité... Pas de travail dur. Chaque action doit devenir une offrande. Ainsi n'existe jamais la servitude... »

Le film de Monique Crouillère étonne. Comment peut-on s'en tenir à la philosophie religieuse et aux seuls rituels, sans parler de la malnutrition, de la pauvreté, de la corruption gouvernementale et du système des castes ? Comme si l'analphabétisme, la précarité des conditions de maternage, les problèmes d'hygiène ne faisaient pas partie des conditions de vie des femmes indiennes ! Certes, ce film ne témoigne pas de l'ensemble de l'œuvre de la réalisatrice et encore moins de celle de la scénariste Marthe Blackburn. Une telle réalisation nous amène néanmoins à nous demander si le parti pris pour les femmes implique une défense inconditionnelle de tous leurs faits et gestes sans tenir compte de leur contexte social.

Critiquer la démarche de Diane Létourneau dans *Le Plus Beau Jour de ma vie* risque d'être plus périlleux encore, car cela requestionne la « neutralité » d'un cinéma où les témoignages en direct impliqueraient la « neutralité » d'intervention des cinéastes et l'« impartialité » du discours.

Diane Létourneau aborde le thème du mariage sous trois angles différents : les cinquante ans de mariage d'un couple du quartier Plateau Mont-Royal à Montréal, le divorce d'un couple qui a deux enfants et, enfin, les préparatifs et le mariage de concubins vivant ensemble depuis deux ans.

Le premier volet du film, sur le couple âgé, nous introduit au cœur d'une famille québécoise typique où les femmes sont particulièrement attachées aux cérémonies. Les discours des hommes et des femmes se croisent mais semblent muets l'un à l'autre. Le mari a tendance à dorer le passé ; la femme se souvient surtout de l'inconfort de la maison et de la charge des enfants. Ils ont vécu ensemble, mais leurs vies ont été fort différentes. Les jeux de caméra nous invitent ensuite à participer sagement, froidement, au « pittoresque » de la réception du cinquantième anniversaire :

pas d'interview, pas de question, nous sommes là pour regarder...

Le deuxième volet du film présente non plus l'harmonie consentie, mais la confrontation, par suite de la séparation d'un couple. La femme, plus que son ex-conjoint, vit des difficultés d'adaptation importantes. Nous sentons que, même divorcée, elle subit encore ses pressions. Mais pour être impartial, sans doute, on nous présente les deux conjoints *également* blessés par le divorce, occultant ainsi la pauvreté et l'isolement plus marqués des femmes.

Mais là où le bât blesse, c'est au troisième volet. Après les deux premiers portraits, nous commençons à sentir toute l'ambiguïté du propos de Diane Létourneau. Dans cette partie, il est question du mariage d'un couple de travailleurs qui s'endette de 6 000 $ en frais de location d'habits pour toute leur escorte, frais de salle, de repas et de voyage à l'étranger. Le film est riche en détails: les descriptions sont minutieuses, incisives même. On voit clairement la supercherie des dépenses exorbitantes du mariage, enrobées par les images idylliques du couple proposées par publicistes, curés et parents.

Les images les plus insistantes du film décrivent les rituels d'aliénation du milieu social ouvrier. Le premier volet montre à quel point la famille typique québécoise demeure traditionnelle et s'enferme dans des retrouvailles inutiles. Le dernier volet s'en prend surtout à certains symbolismes et accessoires du mariage religieux en milieu ouvrier: le typique gâteau de noces à étages avec ses figurines en plastique, les couleurs en tons pastels et les habits de gala du cortège des mariés, la cérémonie à l'église avec fleurs et discours pompeux.

On qualifie d'aliénation tous les signes de fêtes et de cérémonies. La manière dont les gens dansent, se rencontrent, ne traduirait que pittoresque et «quétainerie». Le rire gras entendu à plusieurs reprises pendant les nombreux visionnements du film rend bien compte de cette complicité des cinéastes et des spectateurs qui se sont déplacés jusqu'à maintenant pour voir le film.

En choisissant ces exemples dans une seule classe sociale et en confondant institution et rituel, Diane Létourneau pipe les dés: le mariage tel qu'il est pratiqué par une classe est aliénant, il devient vite ainsi le symbole de l'aliénation de toute cette classe.

Les personnages ne sont plus des groupes exploités dans une société de consommation, mais plutôt des individus «pognés» dans des «quétaineries». Rien non plus ne nous permet de saisir la signification plus générale de ces fêtes québécoises.

Le film rate la cible en s'en prenant aux rituels du mariage plutôt qu'aux lois qui le fondent et aux inégalités hommes-femmes qu'il consacre. Le film reste peu loquace et assez superficiel quant aux motifs des personnes interviewées, aux pressions qu'elles subissent et à leur réalité sociale. La cinéaste n'a pas tiré le meilleur parti ni du sujet, ni de ses personnages. Sa remise en question du mariage est légère et laisse des doutes quant au respect de la classe sociale filmée. On se demande si le film aurait été aussi «charmant» et aussi «drôle» s'il avait présenté de jeunes intellectuels avec leurs amis lors d'un méchoui à la campagne pour fêter l'union d'un couple de leur «gang».

La démarche du film ressemble aux critiques condescendantes de ceux qui méprisent les «fans» aliénés de Murielle Millard, la «quétainerie» du *show business*, tout en passant sous silence leur propre fascination face à Diane Dufresne, les seins nus dans ses plumes et ses paillettes inondées de lumière...

Les prétentions de «neutralité» du cinéma direct doivent toujours être questionnées. Être cinéaste, manier la caméra, interviewer des gens, c'est déjà un privilège. Les choix de sujets, de personnages, de dialogues, de prises de vue, de montage, ne sont pas «neutres» dans le cinéma direct. Ce genre cinématographique ne peut servir d'alibi pour taire ou moduler les critiques, sous prétexte qu'il s'agit d'un cinéma réaliste donnant la parole aux gens. Et il faut être vigilantes et critiques quand des femmes cinéastes n'arrivent pas à dépasser certains clichés populistes, propres trop souvent à ce genre, et reproduisent une image superficielle des femmes sans permettre leur expression réelle.

*       *       *

Il est plus que souhaitable que chaque femme perçoive le rôle déterminant des médias, dans les problèmes sur lesquels elle se bute et dont on veut lui faire croire qu'ils sont inhérents à sa nature de femme: la soumission à l'homme et aux enfants, la nécessité de plaire et de séduire, les travaux d'intendance, la passivité sexuelle, économique et sociale dans lesquels on la cantonne. Cela pour la vieille image traditionnelle. Jamais lasse et tapie dans l'ombre, elle ne demande qu'à ressurgir...

Quant aux nouveaux modèles, ils nécessitent encore plus de vigilance. S'il est facile de se dire «femme libérée» en continuant à remplir exactement les mêmes rôles, il est en revanche parfois plus dur de ne pas tomber dans le piège de la compétition avec les hommes, puisque tout est tenté pour nous faire entrer dans la course à la recherche du pouvoir illusoire[19].

Les nombreuses réalisations cinématographiques des femmes apparaissent au moment où le cinéma québécois lui-même connaît des moments difficiles. Les coûts de production ne cessent d'augmenter. Deux courants thématiques se dégagent: entrer en compétition sur les terrains du cinéma américain, ou faire un cinéma «authentiquement québécois ouvert sur le marché international» avec tout ce que cela comporte d'ambiguïtés, de recherches et d'intérêts divers. Le cinéma des femmes a été et continue d'être pris dans ce dilemme. Certains posent maintenant l'alternative suivante: cinéma de rentabilité économique ou cinéma de rentabilité culturelle?

En refusant le *star system*, le voyeurisme, le sexisme et les règles traditionnelles du cinéma de grands spectacles, bon nombre de femmes cinéastes se sont retrouvées à l'écart des grands circuits commerciaux. Malgré cela, quelques-unes poursuivent avec acharnement le travail jumelé de réalisation et de distribution. Elles diffusent leurs films et vont faire de l'animation sur place auprès de groupes de femmes. On songe à l'expérience de femmes comme Suzanne Virtue, Diane Heffermann, aux démarches du Groupe d'intervention vidéo, à celles de Vidéofemmes de Québec et aux expériences stimulantes représentées par les journées du 8 mars où cinéastes, féministes, syndicalistes peuvent enfin échanger ensemble.

Au niveau de la démarche féministe, plusieurs films se limitent malheureusement encore aux symptômes de l'oppression des femmes ou encore aux «comportements féminins» sans présenter d'analyse serrée ni de solution de rechange. Le caractère

---

19. Anne-Marie Dardigna, *La Presse «féminine»*, Paris, Maspero, «petite collection Maspero», 1978, p. 244.

spontané des interviews mériterait d'être doublé par des analyses de situation, des enquêtes fouillées et des critiques féministes articulées. Les films où l'on a commencé à associer enquête et transposition, enquête et lutte, ont donné des résultats fort intéressants comme *Thetford au milieu de notre vie*, *Mourir à tue-tête*, *Une histoire de femmes*.

La plupart des films visionnés nous ont frappée par leur modestie et leur grand respect face à la situation des femmes. Pas de *Chiens chauds* féminins, ni de *Quelques arpents de neige*, ni de *Valérie* féminin. Pas d'«ouverture sociologique» sur le Québec marquée par l'aplaventrisme, la stupidité et la fétichisation, comme dans certains films de Denis Héroux et de Claude Fournier.

Les femmes n'ont jamais camouflé leurs faiblesses ni leurs limites par le cynisme ou la démagogie. Jusqu'à présent, elles nous ont dépeint des réalités multiples et elles ont dessiné des portraits de femmes et d'hommes généralement bien campés. Leur intérêt et leur respect pour la vie de couple, le monde du travail, les conflits humains et sociaux apportent une dimension nouvelle au cinéma québécois. Leurs présentations sobres, efficaces, des femmes et des hommes, figent les rires de ceux qui voudraient bien s'esclaffer et ridiculiser le mouvement féministe, ses analyses et ses revendications.

La complicité entre la réalisatrice et les protagonistes, entre l'intervieweuse et les personnages, n'est pas une complicité entre femmes contre les hommes, mais bien une complicité des femmes contre leur oppression. C'est là une différence d'approche fondamentale entre *Le Grand Remue-ménage*, *C'est pas le pays des merveilles*, par exemple, et la connivence fréquente des hommes contre les femmes dans les westerns, les policiers et les films de sexe.

Le cinéma fait par des femmes s'est souvent penché, et avec justesse, sur la psychologie et les comportements des femmes. Même s'il est encore peu bavard sur tout le domaine de la psyché, des fantasmes, de la sexualité et de l'implication active des femmes... Il a bien saisi l'écart encore actuel entre nos rêves d'égalité et le poids conservateur de l'éducation et des habitudes sociales. Il nous donne des pistes intéressantes sur les changements opérés dans la famille, le couple et la conscience des femmes depuis vingt ans au Québec.

Malgré ces acquis, les expériences cinématographiques de femmes ne sont guère encouragées. Seulement deux réalisatrices francophones sont permanentes au studio «A» de l'Office national du film. Les autres cherchent avec acharnement dans l'industrie privée des miettes de contrat.

La voie empruntée par plusieurs cinéastes utilisant documents réels, éléments autobiographiques, tournage direct, documentaire et fiction, échappe aussi aux critères traditionnels d'appréciation des œuvres. «Ce n'est pas ainsi qu'il faudrait faire des films», leur dit-on. N'y aurait-il pas, dans cet artisanat, une conception du monde plus englobante qui rebute à la logique des financiers, des producteurs, eux qui sont garants des goûts du public? Les qualités de films comme *C'est pas le pays des merveilles*, *Ça peut pas être l'hiver, on n'a même pas eu d'été*, *Journal inachevé*, *Thetford au milieu de notre vie*, ne valent-elles pas celles des *Plouffe*, ou mieux, celles de *Quest For Fire* et compagnie?

Au moment où de nombreux hommes se sentent nouvellement concernés par la question des femmes, au moment où de nombreuses femmes «sentent» la nécessité de changements, comment justifier la faiblesse de l'aide financière aux courts métrages documentaires québécois sur les femmes ou aux films de fiction-témoignages?

Et pourtant les femmes continuent d'avoir «faim de modèles positifs d'identification. Faim de voir éclater les tabous phallocrates. Faim de symboles de luttes... Faim de voir briser la stéréo-vision maman-putain... Faim d'une fin qui annonce de nouveaux possibles[20].

Nous sommes la moitié du ciel.

Pourquoi ne pas nous en laisser témoigner?

---

20. Thérèse Lamartine, *in: Copie zéro*, n° 6, *Des cinéastes québécoises*, article «Du cinéma et de-ci de-là, des femmes», Montréal, Cinémathèque québécoise, et Musée du cinéma, juin 1980, p. 32.

# Des femmes
# à l'Office national du film

## Danielle Blais

Travailler à l'Office national du film équivaut, selon les époques, à développer sa créativité ou à la réduire. Dans la conjoncture économique actuelle l'O.N.F. représente pour ses employés un cadre de travail sécurisant, mais les femmes profitent-elles pour leur part de ce cadre?

Chose certaine, dès 1977, elles évaluaient souffrir de discrimination au travail et entreprenaient de faire diverses pressions sur leur syndicat et la direction. Un comité de recherches fut ainsi mis sur pied en 1978. C'est à partir des résultats de ces recherches et de nos propres interviews que nous témoignons ici des aspects cachés de la réalité du travail des femmes à l'O.N.F.[1]

Bien que la majorité des employés croient que les femmes ont une place importante à occuper dans la production cinématographique, l'image traditionnelle de la femme, telle qu'elle est

---

1. Voir les documents suivants de l'O.N.F.: Claire Brassard, Terri Nash, Micheline Saint-Arnaud et Marie-Pierre Tremblay, *Les femmes à l'Office national du film,* 1978; Normand Gagnon, *Pour un véritable changement,* 1979 et *Rapport au Conseil d'administration,* 1980; Women's Programme, *Brief to the Federal Culture Policy Review Committee,* 1981 et *Notes to the Federal Cultural Review Committee,* 1981.

véhiculée par la société, continue à les défavoriser et, il faut le préciser, les femmes ont même tendance à s'auto-stéréotyper. Ainsi, on croit encore que leurs principales qualités sont la minutie, le souci du détail, le sens de l'observation, la diplomatie et la patience, alors qu'on les considère comme désavantagées par «leur faiblesse physique», «leur fragilité», «leur émotivité» et «leur instabilité». Ce sont ces conceptions des rôles qui enferment les femmes dans des ghettos d'emplois. Si elles sont peu enclines à occuper des postes de supervision, où l'autorité, la confiance en soi et la stabilité semblent être les qualités les plus recherchées, elles sont majoritaires dans des fonctions de soutien (scripte, secrétaire de production, monteuse-négatif), pour lesquelles minutie, sens de l'observation et patience sont des qualités primordiales.

Il est évident que les femmes sont défavorisées par leur manque d'expérience et de connaissances techniques; or, ce sont des facteurs particulièrement importants en période d'austérité économique, les emplois disponibles dans l'ensemble de la production se faisant de plus en plus rares. L'apparition des femmes en «grand nombre» depuis 1970 dans le cinéma pose de nouveaux problèmes; elles sont professionnellement jeunes et ont plus ou moins d'expérience pratique. En fait, elles demeurent de nouveaux talents qui n'ont pas eu la chance de s'épanouir. D'autre part, peu de femmes ont acquis une formation dans le domaine cinématographique et elles doivent compter sur des emplois d'assistanat pour apprendre leur métier; or, l'assistanat est souvent relié aux emplois traditionnellement masculins (comme la caméra, le son ou l'éclairage) et reste peu accessible aux femmes. Par conséquent, elles sont souvent «marginalisées» dans des emplois de «second ordre», où leurs qualités de créativité comptent très peu.

L'une des conséquences les plus déplorables de ces facteurs discriminatoires est qu'à l'O.N.F. les femmes occupent généralement des postes sous-évalués et sous-rémunérés, alors que les hommes ont des emplois à prestige, à pouvoir et à forte rémunération. On peut même, semble-t-il, aller jusqu'à prétendre que le prestige d'un poste est relié au sexe de la personne qui l'occupe: ainsi, le travail effectué par un homme paraîtra souvent plus prestigieux et plus important que s'il n'était fait par une femme. De même, on croit que plus d'hommes poseraient leur candidature pour des postes de soutien si ces derniers étaient plus prestigieux et mieux rémunérés.

En général, les femmes doivent avoir des qualifications supérieures pour être considérées comme égales à leurs collègues masculins; d'ailleurs, plusieurs d'entre elles se sentent constamment obligées de prouver leur «surcompétence», contrairement aux hommes pour qui la compétence est un fait acquis, lié à leur identité sexuelle et à leur plus grande expérience du domaine cinématographique.

La plupart admettent qu'il est difficile pour une femme de «faire sa place» à l'O.N.F.: les pratiques officieuses remplacent souvent les politiques officielles, ne facilitant ainsi ni l'accès à l'emploi, ni la promotion. Seuls les postes permanents sont soumis à l'affichage. Cette pratique, qui devrait permettre l'égalité des chances, n'est souvent qu'une formalité administrative: en effet, pour diverses raisons, plusieurs de ces postes sont attribués à l'avance et il est évident que certains employés font l'objet de favoritisme et de patronage. Il semble que les femmes soient moins portées à profiter de ce favoritisme, puisqu'un plus fort pourcentage d'hommes obtiennent leur emploi par des moyens non conventionnels (relations personnelles, offre directe d'une division). Si les politiques officielles visent à donner priorité aux employés de l'O.N.F., il est courant, pour les postes disponibles dans les sections de production, de procéder à l'affichage interne et même externe (journaux, centres de main-d'œuvre, etc.), ce qui a pour effet de diminuer les chances d'avancement.

Les disparités dans l'égalité des chances se multiplient de façon importante pour les emplois contractuels: favoritisme, patronage et discrimination sexuelle y sont monnaie courante. Ces postes sont surtout offerts dans les sections de production et sont reliés aux métiers du cinéma. Mieux rémunérés que les emplois dits temporaires (occupés majoritairement par des femmes et offerts dans la catégorie du soutien administratif), ces emplois contractuels sont aussi exercés par un plus fort pourcentage d'hommes. Trois raisons majeures expliquent ce fait: ces postes ne sont pas soumis à l'affichage et se transmettent par relations personnelles; plusieurs réalisateurs semblent préférer s'entourer de collègues masculins; certains métiers restent traditionnellement masculins et se passent d'homme à homme.

\* \* \*

Comme dans les ministères et organismes de la Fonction publique, tous les postes de l'O.N.F. sont classés sous diverses catégories à l'intérieur desquelles on trouve différents échelons et salaires. À propos du type de représentation des femmes à l'O.N.F., diverses constatations s'imposent: les femmes représentent 40% de la population globale; elles sont surreprésentées dans trois catégories (services administratifs, secrétaire et commis) qui offrent les salaires les plus bas et les possibilités d'avancement les plus faibles; elles sont sous-représentées dans bon nombre de catégories (entre autres: agent de film, technicien, caméraman et production de film) où on les retrouve, par ailleurs, dans l'échelle salariale la plus basse, alors que les hommes sont équitablement répartis selon les divers échelons.

Précisons que le niveau de scolarité ne saurait être une des causes de ces disparités, non plus que des différences salariales, puisque le pourcentage d'employés possédant un baccalauréat est le même chez les hommes et chez les femmes, quoique les spécialisations soient différentes. Notons que plus d'hommes bénéficient de cours d'apprentissage lors d'un nouvel emploi et que les femmes qui reçoivent une formation sont souvent employées dans des métiers traditionnellement féminins.

\* \* \*

Les écarts de rémunération dénoncent de façon concrète le type de discrimination subie par les femmes sur le marché du travail. Comme nous l'avons fait remarquer, à l'O.N.F. les femmes se retrouvent majoritaires dans les emplois à très basse rémunération (niveau inférieur), ou bien sont classées dans les échelons les plus bas des emplois de niveaux moyen et supérieur. De plus, pour un même emploi, lorsque les facteurs d'expérience, de scolarité, d'âge et de compétence sont égaux, les femmes ont généralement une rémunération inférieure de 30% à celle de leurs confrères. Elles sont donc défavorisées au niveau salarial en raison de leur sexe, et ceci est particulièrement frappant dans les sections de production, où la discrimination sexuelle représente environ 35% des facteurs de variantes possibles.

\* \* \*

Pareilles révélations nous permettraient de supposer que les femmes sont insatisfaites de l'ensemble des conditions de travail à l'O.N.F. Ce serait une erreur: même si elles jugent leur salaire inadéquat, la majorité d'entre elles se disent satisfaites de leur emploi. À notre grande surprise, les femmes interviewées se plaignaient très peu de discrimination sexuelle; en réalité, plusieurs d'entre elles nous ont révélé être si accoutumées aux préjugés qu'elles avaient appris à passer outre. Cependant, quelques-unes ont dénoncé les divers aspects de la discrimination sexuelle et se sont montrées peu optimistes face à la situation présente.

En fait, la majorité des femmes sont insatisfaites de la situation du marché cinématographique et affirment que le ralentissement des activités contribue à freiner l'essor des femmes dans la profession. Pour ce qui est de l'O.N.F., il faut dire que l'administration doit faire face actuellement au gel de ses quotas personnes-années (qui permettent de calculer les besoins en effectifs à chaque début d'exercice financier) et qu'elle doit réorganiser les politiques d'emploi afin de réduire au minimum la création de postes supplémentaires. «La situation actuelle, nous a-t-on précisé, est difficile, voire même critique, pour tous ceux qui travaillent à l'O.N.F., hommes ou femmes. Les coupures budgétaires ont limité sérieusement les mises en production et les difficultés financières sont présentes ici comme ailleurs dans le secteur privé, en télévision, etc. Nous avons l'avantage à l'O.N.F. d'être salariés, que l'on tourne ou non, et cette sécurité financière est un atout important.» Les femmes qui occupent des postes permanents à l'O.N.F. sont donc extrêmement conscientes de leur chance, surtout comparativement à celles dont les emplois sont constamment à la merci des fluctuations budgétaires et du nombre de mises en production.

La majorité des femmes interviewées nous ont révélé avoir eu d'excellents rapports avec leurs collègues masculins, sauf exception dans le cas des «brutes» et des «affreux». Bien sûr, le paternalisme est encore répandu sur les plateaux de tournage: «Le paternalisme est encore présent dans la tête des gens et dans celle de la majorité des hommes. Ce n'est pas parce qu'ils ont compris des choses intellectuellement que dans la vie de tous les jours ça va changer.» Cette attitude peut devenir exaspérante, voire insupportable. Quelques femmes ont précisé qu'il leur était difficile de faire accepter leur présence et d'imposer leur autorité. Elles se sont plaintes de plaisanteries souvent grossières et de mauvais goût qui découragent les tentatives de compréhension mutuelle. Elles ont aussi avoué qu'«à partir du moment où ces frictions altèrent la qualité du travail, cela devient un problème important». Toutefois, il semble que les hommes, même s'ils sont plutôt réticents au début, finissent par apprécier la présence des femmes, non comme élément de «décoration», mais à titre de collègues de travail, grâce principalement au «respect mutuel qui finit par s'établir entre les membres d'une équipe et qui dépasse temporairement le fait d'être femme ou homme».

En ce qui a trait aux relations de travail entre femmes, il semble qu'elles soient quelque peu difficiles. Cependant il ne faudrait pas généraliser outre mesure puisque certaines femmes les trouvent enrichissantes et positives. Quelques-unes nous ont expliqué que les motivations diverses des femmes tendent à les isoler dans des groupes fermés, de sorte qu'il devient parfois difficile d'établir des contacts professionnels entre femmes. D'autres estiment que les problèmes sont plutôt liés à la concurrence, tout comme chez les hommes, et ne sont pas d'ordre personnel. Certaines croient aussi que les femmes sont peu habituées à travailler ensemble et qu'elles ont de la difficulté à accepter l'autorité d'autres femmes. Toutefois, on s'accorde à dire que les femmes font de plus en plus d'efforts pour se comprendre mutuellement et éviter les conflits de personnalité. Il semble que la camaraderie féminine se développe de plus en plus et que les femmes constatent que leur force de revendication est plus imposante lorsqu'elles se regroupent et se soutiennent réciproquement.

\*   \*   \*

À l'O.N.F., les femmes croient que le cinéma reste un des moyens les plus puissants pour témoigner de tout changement social, en particulier dans la lutte des femmes. Aussi, les objectifs visant à améliorer la condition féminine couvrent le cinéma à la fois en tant que domaine professionnel et moyen d'expression.

Depuis 1978, avec les recommandations du rapport sur l'égalité au travail, l'O.N.F. a pris certaines mesures dans le but d'éliminer la discrimination dans tous ses secteurs. Les objectifs principaux sont de favoriser la représentation égale des hommes et des femmes au sein de l'O.N.F., particulièrement dans les secteurs où elles sont sous-représentées et dans les postes décisionnels; de réviser les salaires afin d'éliminer les disparités entre hommes et femmes; d'équilibrer le nombre d'hommes et de femmes pouvant siéger sur les comités de sélection; d'améliorer le système de classification, qui défavorise les femmes; de mettre sur pied un comité d'égalité des chances, chargé de surveiller l'application de ces mesures anti-discriminatoires. Dans un document daté de mars 1980, le président du S.G.C.T.-O.N.F. (syndicat, soutien administratif) soulignait l'importance d'abolir le «classement-moquette» (par lequel «le niveau d'emploi d'une secrétaire est relié au titre de son patron»), de réviser les politiques concernant le congé de maternité, d'implanter une garderie et d'adopter «une politique visant à dénoncer et à réprimer les diverses pratiques de harcèlement sexuel à l'O.N.F.».

Malheureusement, les coupures budgétaires ont freiné les changements en cours, malgré les pressions exercées par les représentants des divers groupes d'employées. Il devient de plus en plus urgent, croyons-nous, de créer un environnement plus propice à l'intégration des femmes afin de leur donner la place qui leur est due.

# Quand je serai grande, je serai réalisatrice, scénariste et... féministe

## Marquise Lepage

J'ai toujours préféré les billets de cinéma aux billets de loterie. Ce qui ne m'a jamais empêchée de croire qu'un jour, comme par magie, j'allais gagner le droit de faire du cinéma. À vingt-trois ans, je commence à démystifier le processus d'attribution des privilèges. Ayant dirigé ou participé à une dizaine de tournages d'importance variée, j'apprends la «magie technique» du cinéma, les effets spéciaux, les trucages de toute sorte. Je sais maintenant à quel point il est vrai de dire que le cinéma «c't'arrangé avec les gars des vues».

### Les prédateurs ont-ils un sexe?

Le cinéma est un domaine où l'on s'arrache les quelques «jobs» disponibles, où l'on accorde les subventions aux gens déjà reconnus. C'est aussi un domaine où ce sont les hommes qui contrôlent les maisons de production, les capitaux, la culture... Bien sûr, en aucun temps ils ne nous offriront leurs privilèges. Il nous faudra les réclamer, nous battre. Être femme, dans ce milieu, c'est devoir souvent prouver plus que ses compétences. Pas plus que leurs confrères, les quelques femmes qui ont réussi à percer ne sont intéressées à voir diminuer leur pouvoir. Dans ce métier, chacun défend chèrement sa place et les prédateurs (comme les anges) n'ont pas toujours de sexe, mais souvent les cheveux grisonnants...

Ainsi, être jeune est un handicap dans une société qui souffre doublement d'insécurité: à cause de la crise, bien sûr, à cause
aussi de la montée de cette génération qui, à son tour, réclame
son droit au chapitre. Je fais partie de la génération à qui on a
tout promis, mais à qui on ne donnera rien! Paradoxalement, on
nous accuse d'être individualistes. Ce n'est là qu'une partie de
la solution que nous avons trouvée pour affronter le rejet collectif
auquel nous devons faire face. J'espère qu'avant longtemps
nous aurons le choix de nos engagements, de nos regroupements. Pour le moment, nous avons trop de contraintes matérielles et financières pour réellement parler de liberté. Et nous
sommes nombreuses et nombreux à déplorer la compétition tout
en ne pouvant l'éviter.

### J'cours les concours...

Dans le cadre d'événements cinématographiques, ce ne sont pas
les occasions qui manquent: festivals, bourses, primes, mentions spéciales, génies, oscars, césars, lions d'or. Saine ou malsaine, la compétition est partout.

Quand j'ai lu l'invitation à participer à «La course autour du
monde», organisée par notre télévision d'État, non seulement
j'ai voulu participer, mais j'ai voulu gagner! La publicité officielle réclamait la présence de filles. Parmi plusieurs candidatures reçues, quelques-unes, dont la mienne, furent retenues pour
l'entrevue.

Je me sentais bien petite devant ces quatre messieurs qui
devaient évaluer mes compétences. Je craignais la sévérité de
leurs exigences professionnelles; or, une des premières questions
qu'on me posa — «Combien tu pèses?» — avait quelque chose
d'inquiétant et d'insolite, d'autant plus qu'elle venait du plus
gras des quatre. Je bafouillai. Pour le reste, mis à part le malaise
d'être une femme jugée par quatre hommes, l'entrevue s'est
bien passée. Avec trois gars et une autre fille, je fus appelée à
participer à la finale canadienne. Deux de nous cinq partiraient
«tourner» autour du monde et tenteraient de se qualifier, au
milieu cette fois de jeunes cinéastes européens.

La finale canadienne fut tissée d'anicroches organisation-
nelles qui éveillèrent à juste titre la méfiance des candidats.
Ainsi, après le tournage de notre premier film, un nouveau can-
didat fut parachuté dans nos rangs, qui n'avait même pas posé
sa candidature cette année-là. On nous accorda les privilèges
d'un souper et de visionnements pour nous faire oublier, mais
avouons que nous fûmes sur les dents jusqu'à la fin du tournage.
Quand le moment fatidique arriva, j'espérais beaucoup gagner,
mais mes cinquante kilos semblaient toujours soulever des
inquiétudes. Les gars étaient plus vieux que les deux filles, plus
expérimentés, plus grands et plus lourds... Effectivement, je ne
faisais pas le poids... Être une fille de petite taille, serait-ce un
signe de légèreté?

Quant à mes films, ils furent assez bien cotés pour me valoir
la troisième place. C'était une moindre défaite, mais une défaite
quand même. Comme le veut la tradition[1], deux candidats masculins partirent représenter le Canada. Cette année-là, la seule
femme qui prit le départ fut victime d'agression. Elle en fit un
film qui fut bien «apprécié». Par la suite, ni cet incident ni le fait
qu'elle était dernière ne vinrent à bout de son moral. Dans la
deuxième partie de la course elle remonta les échelons et finit
quatrième... C'est qu'il faut souvent être deux fois plus forte
pour être reconnue. Moi, je ne fais plus de concours!

## «Les gars: la caméra... les filles: les guenilles...»

C'est à l'université que j'ai eu ma première expérience avec une
équipe de cinéma: nous devions réaliser un film d'une minute,
style message publicitaire. Nous étions sept personnes (plutôt
sympathiques) et nous voulions essayer de sortir des schémas
classiques du «commercial» traditionnel. Tout le monde était
d'accord. Nous nous sommes départagé les tâches: qui voulait
faire quoi?

---

1. Depuis que «La course autour du monde» existe, une seule femme a réussi à
   se qualifier parmi les dix candidats canadiens. Au total, seulement huit femmes ont pris le départ jusqu'ici, parmi les quarante candidats pour tous les
   pays.

Il y avait au moins deux candidatures pour chacun des postes: réalisation, caméra et direction de photographie. Un gars, une fille. Après quelques minutes d'hésitation, toutes les filles se sont désistées en faveur des candidats masculins (moi aussi). Ce qui donna une représentativité tout à fait conforme au «standard professionnel». Les filles ont été scripte, maquilleuse, monteuse et assistante à la réalisation (ce qui voulait dire gardienne des cinq enfants dont nous avions besoin pour le tournage). Le profil des autres équipes de la classe était assez semblable. Le plus triste, c'est que ce ne sont pas les gars qui nous ont imposé cet état de choses, c'est nous qui les avons laissés faire. Ce n'est pas d'hier que les femmes ont la «bonne» habitude d'abdiquer au lieu de s'opposer, par crainte de ne pas être à la hauteur. Pourtant, nous avons aussi envie de jouer autre chose que les ombres chinoises et, heureusement, cette envie folle nous donne parfois du culot.

À la session suivante, nous étions tous encore à l'université avec le défi de réaliser un autre court métrage, de dix minutes cette fois. Notre équipe ayant assez bien fonctionné, nous nous sommes retrouvés les sept autour du nouveau projet. Après avoir rigolé ensemble de la répartition caricaturale des rôles lors de la session précédente, nous nous sommes mis d'accord pour faire des changements radicaux: pour chaque tâche, donner priorité au choix des filles. Malgré le fait que tous étaient d'accord au départ, il nous fallut plusieurs jours de discussion avant de parvenir à départager les tâches, exercice qui n'avait pris qu'une heure la première fois. Certains mâles de l'équipe étant un peu sceptiques quant aux qualités de techniciennes et de réalisatrices de leurs consœurs, le climat fut plus tendu dans les rencontres qui suivirent. Même pendant le tournage, je sentais parfois la pression au seuil de l'insoutenable: «Y fallait surtout pas rater notre coup!»

Dans ces conditions, on comprend pourquoi le premier réflexe des filles, c'est souvent de lâcher (sois donc raisonnable, disait ma mère). Mais, avec les changements qui pointent à l'horizon, on peut espérer qu'en s'entêtant on mettra un peu de cohérence dans nos vies et que les gars «cool» seront forcés de tenir leurs «bonnes résolutions».

*Sur les flots roses de la vie...*

Faites-vous partie d'un ou de plusieurs groupes ci-dessous mentionnés? Cochez:

| | | | | |
|---|---|---|---|---|
| Femmes | ☐ | Gens de couleur | ☐ | |
| Autochtones | ☐ | Jeunes | ☐ | |
| Personnes handicapées | ☐ | Pauvres | ☐ | |

*Si vous avez coché plus d'une case*: Il n'y a rien pour vous, revenez plus tard.

*Si une seule vous convient*: Vous êtes en droit d'espérer.

*Si vous n'avez coché aucune case*: Bravo! le présent et l'avenir vous appartiennent! Pas besoin de bien-être social ni d'assurance-chômage!

Même si quelques-uns s'efforcent de dénoncer oppresseurs et oppressions, notre cinéma national n'en est pas davantage la propriété des «opprimés». Sur les plateaux de tournage, on ne trouve ni canne blanche, ni fauteuil roulant. Quant aux femmes, elles sont encore principalement scriptes, maquilleuses ou habilleuses, pendant que les jeunes, eux, sont assistants à la production[2].

Pour ma part, étant jeune, pauvre et femme par surcroît, je n'ai pas vraiment le droit d'espérer. Mais, j'espère quand même en cachette et j'essaie surtout de combattre la force d'inertie des conditions objectives.

Il est vrai que le rôle des femmes change devant et derrière les caméras, que les principes d'égalité des droits ont une audience de plus en plus large. Il est vrai également que nous profitons du bout de chemin que nos aînées ont fait faire aux idées féministes, mais encore faut-il continuer et rouvrir constamment ce chemin: il y neige souvent...

Quand je serai grande, je serai réalisatrice, scénariste et sûrement féministe! Mais quand est-ce qu'on est grande?

---

2. L'assistant à la production est l'assistant de l'assistant de l'assistant et... commissionnaire en tout genre.

# Une brèche dans le fief

## Louise Beaudet

J'exerce un métier particulier. Sans en avoir fait, je m'occupe de cinéma d'animation, exclusivement, au sein d'une cinémathèque dont l'une des caractéristiques est sa spécialisation en animation. Cette originalité est sans équivalent parmi les membres de la Fédération internationale des archives du film. Mes fonctions consistent à promouvoir et diffuser le film image par image par des moyens multiformes: programmation, acquisition et conservation des documents, participation à diverses manifestations nationales et internationales, rédaction de textes et d'articles, recherches, préparation et présentation de séances à l'étranger, etc.

Il existe, bien entendu, de grands spécialistes du cinéma d'animation à travers le monde, mais leur champ d'activités diffère du mien et certains d'entre eux ne consacrent pas nécessairement tout leur temps au septième art. (Je dis «grands» et «eux», parce que le masculin l'emporte sur le féminin, comme on nous l'a bien appris dans la grammaire et dans la vie. Les hommes se sont approprié le langage, notamment...).

À cause de la nature particulière de mon travail, j'échappe aux comparaisons, du moins dans le sens restreint du terme. Je suis chef de service, sans sous-chefs ni sous-titres. Le service, c'est moi. Par conséquent, à l'intérieur de mon rayon, je ne risque ni discrimination, ni ostracisme, ni misogynie. Confortable et rassurant... parfois. De surcroît, l'équation *cinéma d'animation = cinéma pour enfants* et l'imagerie disneyenne véhiculée par une incarnation de type familial, certifiée sans danger avec ses kilomètres de droit chemin loin des sofas de l'adultère, ont fini par se pétrifier dans les esprits.

Dès lors, quoi de plus «naturel» que de confier à une femme un domaine supposément réservé aux mioches. Les valeurs homologuées ne sont ainsi pas en péril. Comme tout le monde ne le sait pas, il n'est pas futile de protester avec véhémence, une fois de plus, contre ces niaiseries profondes. La notion d'un cinéma d'animation pour adultes a du mal à faire son chemin tant les incertitudes de la diffusion sont grandes.

Ma situation par rapport à l'animation est périphérique, le cœur étant occupé, bien évidemment, par les artistes eux-mêmes. La présence de plus en plus affirmée des femmes dans ce conglomérat limitrophe, constitué par les associations, institutions, organismes reliés au film animé, devient plus visible. Leur infiltration parmi les membres des conseils d'administration commence à ébranler ces groupes autrefois monolithiques. Il n'y a toutefois pas lieu de pavoiser encore maintenant. Au Conseil d'administration de l'Association internationale du film d'animation (ASIFA), on relève, en 1982, six élues sur vingt-deux. Et en vingt ans, une seule présidente. Le chapitre québécois/canadien, ASIFA-Canada, fait mieux: sept femmes sur onze membres au comité directeur; deux présidentes en dix ans. Du côté des festivals internationaux (France, Bulgarie, Yougoslavie, Canada, Portugal), les dames l'emportent haut la main à l'accueil, au secrétariat, à la traduction. Quand il s'agit de direction, la proposition chavire complètement, à une exception près. Le festival d'Ottawa a à sa tête une directrice... solidement encadrée par un directeur international et un producteur. On fait plus volontiers appel aux femmes comme membres des comités de sélection. Le jury demeure un fief masculin avec, occasionnellement, *une jurée...* pour le principe et pour les faire taire. (Mais, enfin, qu'est-ce qu'elles veulent?) Encore là, le dernier mot appartient à ces messieurs. Le carcan des traditions n'est pas prêt de tomber et il ne faut pas compter sur des lendemains qui fredonnent déjà.

Et pourtant... «à partir des années 70, l'équilibre usuel des fonctions de production: les messieurs au «storyboard» et les dames au gouachage et au traçage, parfois à la décoration, s'est quelque peu modifié. Cette année, le nombre des réalisatrices notables est presque supérieur à celui des réalisateurs[1].» Ce constat sur la pro-

---

1. André Martin, «Re-Naissance du cinéma d'animation», *Cinéma Québec*, n° 44, 1976.

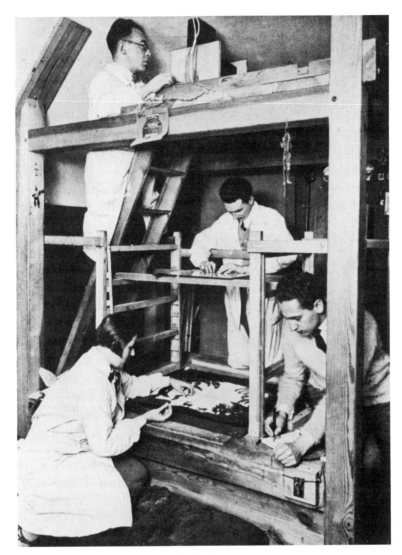

Lotte Reiniger et trois assistants (pour une fois, les rôles sont inversés), travaillant à son film *les Aventures du prince Achmed* au début des années 1920. (Collection Cinémathèque québécoise)

duction mondiale à l'occasion du premier festival d'Ottawa, en 1976, nous oblige à reconnaître la distance parcourue entre le temps où l'Allemande Lotte Reiniger, auteur des *Aventures du prince Achmed* (1923-1926), l'unique long métrage d'animation jamais réalisé par une animatrice[2], se distinguait en outre par sa seule présence en tant que femme dans un univers masculin. Dans le même ordre d'idée, l'Américaine Mary Ellen Bute signait en 1934 le premier film animé non figuratif réalisé en Amérique et elle était la première, dans toute l'histoire cinématographique, à créer des images générées par l'électronique. Elle se signalait du même coup non seulement par ses innovations, mais également comme la seule représentante du sexe «faible» dans un milieu essentiellement investi par le sexe «fort». En remontant le cours de notre passé, on s'aperçoit qu'Evelyn Lambart, «bien connue comme collaboratrice de Norman McLaren», est entrée à l'Office national du film en 1942. Il faudra attendre jusque vers la fin des années 60, c'est-à-dire quelque vingt-cinq ans plus tard, si l'on excepte le bref passage d'Alma Duncan autour de 1950, pour voir apparaître, à la section française d'animation de l'O.N.F., une première vague féminine, Francine Desbiens en tête. Au Québec, depuis une dizaine d'années, les animatrices indépendantes ont commencé à émerger et, toutes différences de situations confondues, elles font maintenant à peu près le poids numériquement et autrement avec leurs homologues masculins, prenant Montréal comme étalon de mesure, si j'ose m'exprimer ainsi.

«Si l'on juge par les tendances récentes de la production, nous allons, sans doute, pouvoir vérifier dans les années prochaines que décidément les femmes réalisant des films d'animation sont moins intéressées que leurs confrères masculins par le «cartooning», par des idées intellectuelles (*sic*), synthétiques et par des trouvailles verbales. De plus, il semble que les réalisatrices ajoutent naturellement des qualités de métier, de précision manuelle, de contrôle complexe des valeurs de sensibilité, d'attention aux individualités et de sens du détail auquel le courant «masculin» des films d'animation ne nous a pas habitués, et qui pourrait bien déplacer quelque peu le

---

2. Lotte Reiniger, décédée en 1981, a réalisé en 1976 pour l'Office national du film du Canada *Aucassin et Nicolette*, puis pour la société Radio-Canada, *La Rose et l'Anneau*.

Evelyn Lambart à l'Office national du film dans les années 1940. (Collection Cinémathèque québécoise)

Jury du festival d'Annecy, Juin 1971 (six pour une!). (Collection Cinémathèque québécoise)

cinéma d'animation mondial[3].» Pour compléter ces remarques, on pourrait souligner une autre tendance, celle de l'autoportrait intime. À première vue, il semblerait que plusieurs animatrices sont obnubilées par leur propre image ou fascinées par leur corps, mais en y regardant de plus près, on constate qu'elles vont au-delà de la révélation autobiographique et qu'elles ne sombrent pas fatalement dans l'anecdote. Ces films-miroirs ont le mérite de répondre à une idée plus authentique, plus conforme à la réalité, servant de contrepartie aux stéréotypes rencontrés nommément dans l'œuvre de l'animateur hollywoodien Tex Avery (par ailleurs grand cinéaste) où on ne trouve que des grands-mères nymphomanes, des allumeuses de choc, des Bécassines ou des laiderons. On peut noter aussi une hésitation certaine vis-à-vis de la nouvelle technologie. Peu de créatrices se sont emparées du crayon électronique, du laser ou de l'hologramme. À cet effet, Caroline Leaf, l'une des plus grandes animatrices au monde, avoue candidement qu'elle a peur des machines. De la même façon, bon nombre d'animateurs, se sentant ébranlés dans l'absolu de leurs valeurs traditionnelles, sont réticents face au renouvellement des normes esthétiques, idéologiques et technologiques.

Il est vrai de dire que les animatrices ne privilégient pas particulièrement l'animation de dessins sur cellulose dont la technique exige une équipe importante. Pour expliquer l'antipathie des femmes à l'égard d'un appareillage technologique complexe et ce goût du travail solitaire, l'hypothèse la plus facile serait de tout mettre sur le dos de la sempiternelle «nature féminine». Ne serait-ce pas plutôt pour se protéger instinctivement contre les forces extérieures souvent aliénantes qu'elles préfèrent surtout travailler directement sous la caméra en utilisant des méthodes quasi artisanales ne requérant qu'un petit noyau de collaborateurs, et partant, conserver la maîtrise complète de leur produit. Je suis loin d'être convaincue que certains modes de représentation conviennent davantage aux hommes. Celles qui ont attaqué l'ordinateur ou le «cartoon» réussissent avec autant de bonheur que leurs collègues masculins. De toute façon, il est probablement prématuré de poser un jugement définitif quant à une vision spécifiquement féminine. Pour le

---

3. André Martin, *loc. cit.*

moment, est-ce à dire qu'il y a deux cinémas d'animation? Peut-être. Mais les différences m'apparaissent plus évidentes sous d'autres cieux. Ici, au Québec, le commentaire social est abordé de part et d'autre. Le propos philosophique, poétique ou esthétique s'équilibre dans les deux camps. La protestation politique est rare chez les unes comme chez les autres. Bref, la thématique se rejoint dans les deux sens, mais, me semble-t-il, avec une nuance dans le traitement, c'est-à-dire, pour les animatrices, une plus grande propension au lyrisme, à la tendresse, à l'émotion, à la sensualité.

Si le thème féministe est absent chez les animateurs (il fallait s'y attendre), par contre, on peut arquer un sourcil étonné en constatant qu'il n'est guère plus présent chez les animatrices. Ce phénomène a sûrement plusieurs causes dont l'une pourrait être le fait que certaines craignent d'afficher leurs idées ou de les transposer à l'écran, de peur d'être mal vues et d'indisposer les matamores qui prennent pour des insultes personnelles la défense des droits des femmes. Elles choisissent de rester neutres, afin d'éviter de plus grandes embûches. À l'inverse, d'autres affirment non seulement qu'elles n'ont pas été brimées, mais qu'au contraire leur carrière a été facilitée par des hommes. Heureusement, il arrive de rencontrer sur sa route autre chose que des troglodytes imperméables et de sombres primates. Seulement on peut regretter que l'inquiétude et la satisfaction des unes et des autres les mettent en marge du combat féminin et marquent l'absence d'une conscience historique quant à la lutte des pionnières. Par contre, on peut penser qu'en s'imposant dans leur art elles travaillent aussi à la cause.

Quoi qu'il en soit, un fait est sûr: les animateurs et animatrices de chez nous ont ceci en commun qu'ils ont acquis une réputation mondiale et défendent partout les couleurs nationales avec éclat. Qu'il suffise de mentionner *Le Mariage du hibou* (1974) et *The Street* (1976), de Caroline Leaf, primés respectivement dix et neuf fois, sans compter une mise en nomination pour un Oscar.

Si, dans toutes les sphères, il reste aux femmes une pente abrupte, oblique et savonnée à escalader pour la conquête de leurs droits, c'est peut-être un peu moins vrai pour les animatrices québécoises (elles me rétorqueront sans doute que cela est plus facile à écrire qu'à vivre). J'avance d'ailleurs cette assertion avec la plus grande prudence. On a vu précédemment que cette presque égalité ne s'est pas opérée spontanément.

# Le montage: une autre réalité

## Pascale Laverrière

Au cours de nombreuses années de montage, j'ai eu l'occasion de travailler sur des films de genres variés: documentaires, émissions de télévision, messages publicitaires, courts et longs métrages de fiction. C'est à ces derniers que vont mes préférences. Un film, pour moi, c'est une œuvre d'art, et la fiction permet d'aller au-delà d'une réalité-témoignage de toute façon déformée par un nombre incalculable de facteurs techniques et humains. Si le documentaire m'intéresse — j'ai toujours beaucoup à apprendre, beaucoup à y donner — son côté hybride (réalité-interprétation de la réalité) me fascine beaucoup moins que la création qui fait place à l'imaginaire, à l'inconscient. Si je parle d'œuvre d'art, c'est pour préciser l'optique dans laquelle je préfère travailler et dans quel état d'esprit j'aborde le métier de monteur. Ou de monteuse.

Le montage est un métier difficile, éprouvant physiquement et nerveusement, tant au niveau du travail à accomplir qu'à celui des rapports humains. L'œil fixé huit heures par jour sur l'écran de la table de montage, à la pénombre, dans un lieu clos généralement petit et sans fenêtre, ne côtoyant que l'assistant-monteur et le réalisateur, le monteur (ou la monteuse) accomplit un travail de bénédictin — alors que l'équipe de tournage, épuisée, est rentrée se reposer et que le producteur est à court d'argent!

Le monteur se trouve confronté aux désirs du réalisateur et aux besoins du producteur. Arrivant en fin de course, il doit rattraper les retards accumulés avant et pendant le tournage. Il doit éponger les écarts budgétaires en travaillant pour un minimum d'argent et de frais. Il doit résoudre les problèmes laissés sur ces mots magiques: «on verra au montage», et affronter les imprévus. Il doit soutenir le réalisateur vis-à-vis du producteur. Finalement, il doit... monter un film. Un film qui n'est pas son film, mais celui d'un autre.

C'est déjà pas mal, mais ce n'est pas tout. En général, une épée de Damoclès est suspendue au-dessus de la tête du monteur: on lui offre bien souvent, en prime, une bonne petite date de finition, car d'innombrables raisons exigent que le film soit rapidement terminé: festival (il y en a toujours un prévu pour demain), date de sortie dans les salles, passage d'un acheteur, etc.

Le monteur se doit donc d'être assez «parfait», d'une perfection correspondant à l'idée que s'en fait le producteur. Il va de soi que les qualités requises sont nombreuses. La première, l'absolue, la *sine qua non*: la *disponibilité*, disponibilité de temps, disponibilité d'esprit. Cette qualité est d'autant plus exigeante pour les femmes qui ont en général plus d'obligations que n'en ont les hommes à l'extérieur du travail. Prolonger la journée de travail pour terminer une séquence, consacrer plusieurs soirées à préparer un visionnement, passer les fins de semaine dans la salle de montage parce que le réalisateur n'est pas libre le reste du temps, ne se concilient guère, par exemple, avec les responsabilités qu'entraîne l'éducation des enfants. Pareille situation se reproduit presque à chaque film: c'est une chose de donner un coup de collier, à l'occasion, c'en est une autre, de sacrifier à tout coup vie sociale, vie familiale, vie intérieure. Quant au refus de travailler certains soirs, il peut signifier qu'on a affaire à une moins bonne monteuse parce qu'elle n'est pas disponible!...

Bien sûr, cette disponibilité va de pair avec la deuxième qualité indispensable: la *responsabilité*. À ce stade de la fabrication, le film repose pratiquement sur les épaules de l'équipe de montage. Aussi, respecter les dates d'enregistrements et de mixage, préparer de bons visionnements pour d'éventuels distributeurs constituent la responsabilité de cette équipe. Une pression constante pèse sur elle pour que soient respectés, coûte que coûte, les

engagements parfois inconsidérés pris malgré elle et malgré
l'évidence de délais trop courts. Ne pas respecter ces engagements entraîne des réactions en chaîne: un visionnement retardé
peut signifier que le distributeur n'achètera pas le film et que,
par conséquent, on n'aura pas l'argent nécessaire pour payer les
travaux de finition de laboratoire, ce qui retardera la sortie de la
copie, etc.

La bonne santé du monteur en prend un coup dans ces conditions car il se doit de travailler dans la plus grande *rapidité*.
Trop souvent, il s'agit d'aller au plus pressé: terminer un premier montage trois jours après la fin du tournage, monter une
émission d'une demi-heure en deux jours et demi, envoyer chacune des bobines au montage sonore au fur et à mesure qu'elles
sont prêtes (et ceci sans avoir vu l'ensemble du film). La liste
peut s'allonger encore... Cette obligation de travailler en toute
rapidité joue souvent de mauvais tours aux membres de l'équipe
de montage. Chacun sort mécontent d'un travail dans lequel il
s'est pourtant donné entièrement mais où le temps a manqué,
l'empêchant ainsi de parfaire au meilleur de ses possibilités. Le
montage d'un film n'est pas toujours évident. Son élaboration,
sa finition demandent du temps, un certain recul, plusieurs
visionnements d'ensemble, des essais de possibilités variées. Ce
qui implique que l'on ne considère pas une œuvre comme un
simple produit, toujours assez bon pour le public, mais que l'on
ait le goût des choses belles, finies, polies.

Une autre qualité exigée du monteur, depuis plus récemment, c'est-à-dire depuis l'arrivée des coproductions américai-
nes au Québec et depuis la crise économique, c'est l'*humilité*, ou
l'art d'encaisser les coups! Il s'agirait d'accepter de ne plus être
respecté en tant qu'être humain, en tant que professionnel. Il
arrive, par exemple, qu'un monteur soit sollicité pour un travail
sans être averti qu'il est en compétition avec d'autres monteurs
et qu'on ne le rappelle jamais pour lui faire part de son non-
engagement. Il arrive encore que l'on renvoie abruptement un
monteur parce que son premier montage, achevé dans des délais
trop courts, ne plaît pas; il est alors remplacé, sans tambour ni
trompette, par un monteur, américain ou autre. Il arrive encore
qu'un confrère en remplace un autre, sans même le consulter
pour connaître sa version des événements. Combien de fois,
dans ce métier, ne se sent-on pas annihilé, nié, en un mot rem-

plaçable par n'importe qui, n'importe quand.

Heureusement, il reste la très grande satisfaction de faire du montage proprement dit! Celle de se trouver transporté dans un lieu enchanté où la communication avec le réalisateur, avec son film, se vit intensément. L'exiguïté de la salle, les nombreuses heures passées côte à côte (plus nombreuses souvent que les heures passées à la maison), l'écran sur lequel on se penche, les *chutes* de film qu'on échange, tissent au fil des jours un lien solide et subtil dans lequel viennent se mêler discussions et confidences. Ce lien va permettre au réalisateur et au monteur de se retrouver sur la même longueur d'ondes, de se «sentir» plutôt que de s'expliquer, ce qui me paraît indispensable dans un métier où l'intuition joue un si grand rôle.

Le réalisateur doit avoir une grande confiance dans les capacités de son monteur, dans sa sensibilité et son aptitude à saisir ses désirs parfois flous ou imprécis. Lorsque cette confiance manque, le travail devient ennuyeux, les initiatives du monteur s'amenuisent et la collaboration devient quasi impossible. Certains réalisateurs (plutôt des européens) réduisent le rôle de monteur à celui de colleur de pellicule lui indiquant chaque coupe avec précision. Le monteur n'est plus alors qu'un simple exécutant. C'est peut-être ce qui explique qu'au départ ce métier est un métier de femmes, habituées à servir les autres, à suivre des directives sans prendre d'initiatives. Le réalisateur n'a pourtant pas intérêt à monter lui-même son film, car il y perd un recul et une objectivité indispensables à une vision d'ensemble.

Par contre, lorsque la confiance règne et que le monteur est capable d'appréhender le sens que le réalisateur désire donner à son film, une sorte de miracle se produit. Une connivence s'établit, on communique à demi-mot, on échange des regards complices, au lieu de se perdre dans des explications ou des discussions interminables du fait que le montage ne repose pas sur des principes ni sur des règles strictes. Nul ne peut en effet établir que deux plans doivent raccorder à tel endroit en fonction de telle ou telle considération. Trop de facteurs entrent en ligne de compte: le rythme de la séquence, le rythme intérieur de chaque plan, le débit des comédiens, le rapport des couleurs d'un plan à l'autre, leur échelle, leur temps de lecture, la vitesse et la direction des mouvements de caméra, etc. Le monteur travaille alors avec sa sensibilité et son intuition. Il est de l'autre côté d'une ligne qui délimite la technique. Le montage devient une sorte de jeu de construction, un puzzle, dont le monteur explore les possibilités: il réunit des morceaux, les change de place, les nuance en raccourcissant un plan, en précise le sens en y ajoutant un autre plan; il calfeutre leurs défauts, il met en évidence leur poésie.

C'est à force d'essais, d'échecs, de remises en question, de bouleversements que le film va prendre forme et personnalité. À force de temps aussi. De temps passé parfois loin de la salle de montage, laissant s'écouler une demi-journée, revenant travailler dans le calme d'un samedi matin ou trouvant la solution d'un problème après une bonne nuit de sommeil. Le monteur a besoin de la liberté de ses horaires, car il n'accomplit pas une tâche automatique, mais bien plutôt créative dans laquelle peut intervenir l'inspiration. Là aussi, le monteur a besoin d'une autre confiance, celle du producteur, qui ne devrait pas paniquer quand il ne le trouve pas dans la salle de montage ou encore quand il le voit «patauger» pendant plusieurs jours dans la même séquence.

Quel plaisir aussi que de soigner le détail, de couper une image ici, ou trois ailleurs, de rajouter un son, de placer une musique... en un mot: de perfectionner son travail!

Le montage sonore fait partie de ce perfectionnement et de l'aboutissement du travail sur l'image. Malheureusement pour le monteur, il est trop souvent confié à un autre, un monteur sonore (toujours à cause des délais). Ayant travaillé sous pression pendant trois mois, le monteur est parfois soulagé qu'il en soit ainsi, mais il se sent frustré de ne pouvoir compléter lui-même une œuvre qu'il aime, qu'il apprécie inconditionnellement malgré ses défauts, pour laquelle il ressent un attachement quasi amoureux.

C'est pour tout cela que le jour du mixage est un très grand jour. Là encore, le charme opère: sur grand écran, on voit enfin réunis les morceaux patiemment rassemblés pour faire un tout. Le film est là, il a pris corps, il existe! De plus, il est encore temps de lui rajouter une petite touche ici et là: un peu de vent, un bruit de porte, un rire lointain, une musique, qui contribuent à lui apporter une atmosphère, un fini, un relief, une personnalité enfin.

# Contrechamp sur les démarches de quelques réalisatrices

## Jacqueline Levitin

### *Kathleen Shannon et le Studio D*

Kathleen Shannon, celle qui allait devenir la productrice du Studio D mis sur pied par l'Office national du film en 1974, est entrée au département de montage sonore de l'Office en 1956. Les batailles perdues qu'elle connut durant les sept années qu'elle passa dans ce département la convaincront plus tard de la nécessité de créer un studio de femmes. «Tout d'abord, dit-elle, j'aurais aimé rejoindre l'unité de Tom Daly, où l'on faisait les films les plus merveilleux de l'O.N.F. Mais on m'a vite fait comprendre qu'il n'y avait pas place pour une femme dans cette unité.»

Par la suite, l'O.N.F. fut réorganisé de telle sorte qu'il n'y eut plus de monopole des productions intéressantes et Kathleen devint monteuse d'images. Son nouveau poste, plus prestigieux, lui coûta cher cependant, car son patron s'occupait peu de l'avancement salarial de ses collaboratrices. Elle ne put jamais en fait égaler son ancien salaire durant les sept années où elle fit du montage d'images. Devant ses récriminations, on lui assurait même qu'elle était assez bien payée. «Quand j'ai fait remarquer aux administrateurs que, dans mon département, il y avait deux hommes que j'avais formés qui gagnaient déjà plus que moi, ils m'ont répondu que j'avais dû les entraîner formidablement bien.»

Pendant cette période, Kathleen arrive à réaliser quelques films puis à en produire d'autres dans le cadre du programme Challenge for Change/Société nouvelle, créé depuis peu. Les plus significatifs sont ceux de la série *Working Mothers*. «Je désirais faire un film pour les femmes qui se trouvaient dans une situation identique à celle que j'ai vécue il y a bon nombre d'années, c'est-à-dire avoir la responsabilité d'un enfant, de la cuisine, du ménage, etc., en plus d'un travail. Pendant de longues années, je me suis sentie coupable et j'avais le sentiment que j'échouerais un jour ou l'autre. Finalement, j'ai compris que ce n'était pas moi qui étais inapte, mais que les exigences étaient déraisonnables. Je voulais donc montrer aux femmes qu'elles ne sont pas des incapables, mais que c'est le système dans lequel elles fonctionnent qui est inadéquat. À cette époque, j'avais été convertie au féminisme par certaines lectures. Tout à coup, tout m'a paru clair et ma vision a changé pour de bon. Je voulais prouver que toutes les femmes, quels que soient leur âge, leur culture, leur situation économique, font face aux mêmes problèmes. Ces messieurs du comité à qui j'avais soumis le projet, tous des Blancs de classe moyenne, ont été choqués quand je leur ai dit que je parlais aussi de leur femme et de leur secrétaire. Ils trouvaient choquant que j'affirme que toutes les femmes vivent les mêmes problèmes, que l'argent peut aider mais qu'il ne règle rien, puisque les femmes restent femmes avant tout.»

En 1974, l'administration de l'O.N.F. décide de créer deux nouveaux studios, l'un en production anglaise, l'autre en production française. Le Studio D est donc mis sur pied et Kathleen Shannon en devient la directrice. «Pourquoi? Je suppose que c'est parce que j'avais fait la série sur les mères au travail. Ils ont tous été étonnés de voir que ces films avaient eu du succès et qu'un large public était accouru pour voir des films sur les femmes. Ils m'ont demandé: Où trouvez-vous toutes ces femmes qui savent si bien s'exprimer? Et j'ai inventé cette réponse astucieuse: En les écoutant! En fait, il n'y avait pas

Beverly Schaffer du Studio «D» de l'Office national du film, durant la réalisation de son film *I'll find a way* (Je trouverai un moyen). (Photo O.N.F.)

beaucoup d'autres femmes du côté de la production anglaise. Je crois qu'ils n'avaient pas vraiment le choix.»

L'administration de l'O.N.F. ne définit que vaguement le rôle de ce nouveau Studio D. «Ça ne devait pas être un studio de femmes, explique Kathleen, mais plutôt un studio dirigé par des femmes.» Kathleen Shannon cherche donc elle-même à préciser le rôle du Studio D. Dans un premier temps, elle convoque une réunion afin de discuter de la philosophie et de la direction du studio. Une quinzaine de femmes y participent pendant trois jours. «J'ai invité toutes les femmes caméraman dont j'avais entendu parler, toutes les monteuses, toutes les preneuses de son, c'est-à-dire des femmes ayant une expérience pratique du cinéma. Même si beaucoup d'hommes sont devenus réalisateurs sans rien connaître de la technique, je savais qu'une femme ne pouvait survivre de la même façon. Une femme n'a pas le droit de faire d'erreur. Si une femme fait une erreur, on en profite pour dire que toutes les femmes sont incompétentes.»

Au tout début, le Studio D fonctionna avec trois personnes. Kathleen Shannon désirait maintenir une organisation de base réduite et se garder libre d'employer des cinéastes de l'O.N.F. ou de l'extérieur pour faire les films. Mais on l'avertit qu'elle n'aurait l'argent pour engager des pigistes que si elle acceptait d'abord de prendre en charge plus d'employés réguliers sur son budget. D'autres personnes joignent alors le studio. Pourtant, elle ne reçoit pas l'argent promis et on lui défend de maintenir une distribution indépendante. À son avis, la discrimination économique continue encore même après les honneurs d'un Oscar pour *I'll Find a Way*, de Beverley Shaffer, et malgré le succès commercial de *C'est surtout pas de l'amour*, de Bonnie Sherr Klein.

Pour beaucoup de femmes cinéastes indépendantes, le Studio D semble être un des rares débouchés dans le monde professionnel. Mais le Studio D s'est davantage orienté vers la formation de femmes n'ayant jamais eu d'entraînement : il leur a offert des ateliers de production, des programmes d'apprentissage, en collaboration avec d'autres studios, et des compétitions de scénarisation. Le Studio D a aussi entrepris d'importants projets, tels un catalogue de films faits par les femmes au Canada, une analyse des films de l'O.N.F. des années 40 et 50 afin d'en comprendre la propagande, et un symposium en hommage aux femmes qui ont travaillé à l'O.N.F. dès ses débuts. Le Studio D joue aussi le rôle de groupe de pression auprès d'organismes politiques dans le domaine du cinéma.

Les succès commerciaux de certains films produits par le Studio D semblent démesurés par rapport au reste de la production de l'O.N.F. Il faut dire que ce studio n'est pas orienté vers l'expérimentation théorique. Les cinéastes y suivent en général des standards professionnels et des voies approuvées. Ce sont donc les sujets et les points de vue différents qui expliqueraient ces succès.

### Bonnie Sherr Klein

Ceux et celles qui ont vu le dernier film de Bonnie Sherr Klein, *C'est surtout pas de l'amour, un film sur la pornographie,* ne se rendent peut-être pas compte du changement de style que marque ce film pour cette cinéaste. Ses films précédents, des documentaires à caractère social, n'ont pas eu le même succès auprès du grand public. Bonnie Sherr Klein s'intéressait peu aux questions stylistiques avant *C'est surtout pas de l'amour,* elle suivait la voie des cinéastes engagés, plus préoccupés par le sujet du film et les besoins d'un public défini, que par la forme.

Comme bon nombre de femmes cinéastes anglophones du Québec, Bonnie Sherr Klein est d'origine américaine. Née à Philadelphie en 1941, elle a fait ses études et ses débuts professionnels aux États-Unis avant de venir s'installer au Québec en 1975.

Ce n'est pas pour devenir cinéaste que Bonnie Klein avait d'abord entrepris des études universitaires. Elle se voyait plutôt actrice et metteur en scène de théâtre. Puis, en cours d'études à l'Université Stanford de Californie, elle change de programme et commence des études en cinéma. À cette époque, Stanford offrait un programme théorique; on y analysait les films plus qu'on en tournait. C'est ainsi que Bonnie put voir les films de l'Office national du film, entre autres *Pour la suite du monde* de

Pierre Perrault et *Jour après jour* de Clément Perron. Ces films furent pour elle une découverte: «Je n'avais jamais vu de films d'action sociale. Ces films avaient tout le showbizz du théâtre, mais y juxtaposaient les préoccupations politiques qui faisaient déjà partie de ma vie.» Elle précise alors sa volonté de faire elle-même du cinéma comme outil de travail politique. Elle filme alors la première manifestation des travailleurs agricoles de Californie. Le film qu'elle réalisa pour sa maîtrise, en son synchronisé — le premier du genre à l'Université — s'adressait, lui, aux professeurs d'écoles secondaires pour les sensibiliser aux problèmes particuliers de l'enseignement aux Noirs.

Ce film lui mérita le prix décerné à la «meilleure étudiante de maîtrise»; le prix au «meilleur étudiant» fut reçu par Michael Rubbo, présentement cinéaste à l'O.N.F. Avec son prix, Rubbo se voit offrir un poste de responsable de l'équipement technique. Quant à Bonnie Klein, elle gagne tout juste le droit d'être secrétaire du responsable des communications, et se voit chargée d'interviewer des étudiants... et de faire le café. «Ne croyez pas que je me rebellais contre tout cela, dit-elle. Je ne savais même pas que cela était inacceptable.»

Pendant ses études à Stanford, Bonnie Klein s'était liée d'amitié avec George Stoney, réalisateur de documentaires sociaux et professeur invité au département. Par la suite, elle l'assistera dans des projets de films tournés en Californie, puis le rejoindra à New York pour le montage des films. Ses débuts professionnels sont interrompus par le recrutement de son mari sous les armes. Partisans du mouvement contre la guerre du Vietnam, ils décident alors de quitter les États-Unis et choisissent de s'installer à Montréal, parce que Bonnie avait apprécié des films de l'O.N.F. «Nous étions des Américains ignorants. Nous ne savions même pas que le Québec était francophone.»

L'expérience acquise aux côtés de George Stoney fut très précieuse pour Bonnie Sherr Klein. Le fait d'avoir été son assistante et la qualité de son film de maîtrise facilitent son entrée à l'O.N.F. en 1967. À cette époque, l'Office entreprenait la production de films à caractère social dans le cadre du programme Société nouvelle/Challenge for Change. George Stoney étant connu et respecté, son assistante fut engagée pour organiser la série des cinq films sur l'animateur social américain Saul Alinsky, dont le matériel était en bonne partie déjà tourné (*Organizing for Power*, 1968). «C'était au moment où les médias se sont mis au service du public. La technique était réduite au minimum; le style consistait à interviewer des gens qui parlaient directement à la caméra.» Mais ce style n'était pas éloigné de l'esthétique de Bonnie Sherr Klein qui se sentait alors plus communicatrice qu'artiste. La série sur Alinsky ainsi que tous les autres films réalisés à cette époque sont dépourvus de tout embellissement. Tournés en noir et blanc, avec un générique des plus austères, ces films servent à informer.

Bonnie et son mari Michael Klein se sont très tôt impliqués dans la communauté francophone de Saint-Jacques; Michael est médecin à la clinique médicale du quartier. Bonnie, elle, décide d'entreprendre un projet d'animation sociale, avec les encouragements et la collaboration de Dorothy Hénaut. Le projet vise à provoquer un dialogue entre les membres de la communauté par l'utilisation de la vidéo, «la première expérience de la sorte que je connaisse», explique Bonnie. Elle livre la caméra à la communauté. *Opération Boule-de-Neige* (1969) résulte de l'enregistrement de cette expérience sur film afin de la rendre plus accessible d'une communauté à l'autre (l'accès à la vidéo n'était pas généralisé à l'époque); ce sont des séquences de dialogues des gens de la communauté qui servent de narration. Un autre film, *La clinique des citoyens* (1970), est tourné sur la clinique médicale Saint-Jacques et comme pour le film précédant, aucun narrateur n'interprète les images. On laisse aux spectateurs le soin de formuler leur propre opinion sur la valeur de cette clinique communautaire. La caméra fait état des témoignages contradictoires des médecins et des patients; elle n'est qu'une observatrice.

Puis Bonnie Sherr Klein quitte le Canada pour suivre son mari qui a accepté un emploi post-doctoral à Rochester, dans l'État de New York. Bonnie essaie d'y trouver du travail, mais découvre que le milieu cinématographique lui est fermé. Elle propose plutôt au Conseil des arts de New York un projet d'éducation populaire par la vidéo. Ainsi, elle forme un réseau de vidéo dont elle devient la directrice (Portable Channel), et réussit à faire programmer ses émissions à un réseau de télévision publique. Mais les problèmes administratifs, la formation et la direction du personnel, lui deviennent lourds à porter. «C'est seulement plus tard, quand j'ai commencé à avoir une prise de conscience féministe en participant à un groupe de femmes en vidéo, que j'ai compris les raisons de mes difficultés. Je me sentais plus à l'aise parmi ces femmes que parmi des groupes de production mixtes. Dans les groupes de femmes en vidéo, je pouvais me libérer des questions de hiérarchie et de pouvoir.» Ainsi, sa perception de son rôle de cinéaste évolue.

En 1975 le séjour à Rochester s'avère plutôt négatif. L'année est perdue en efforts peu fructueux pour financer un film sur la suffragette américaine Susan B. Anthony. Convaincue que nul endroit n'offre une situation aussi favorable aux cinéastes indépendants que Montréal, Bonnie écrit à l'Office national du film. Le Studio D, «le studio des femmes» sous la direction de son amie Kathleen Shannon, lui trouve du travail.

Les films de cette deuxième période à l'O.N.F. montrent l'évolution de son esthétique. Bonnie décrit comme étant un «documentaire» plutôt conventionnel *Du cœur à l'ouvrage* (1976), un film sur les projets P.I.L. (Projets d'initiative locale), jamais distribué au Canada puisque le gouvernement a aboli ce programme d'aide durant le tournage. *Harmony* (1977), le film qui suit, montre plus de changements. Si ce film rejoint les autres œuvres de Bonnie par son contenu communautaire (une colonie de vacances pour musiciens) les images sont devenues cependant beaucoup plus soignées: vision impressionniste, composée de sons et d'images liés par un rythme tranquille. Produit à ses frais, ce film est vendu au Studio C de l'O.N.F. Le film suivant, *Patricia's Moving Picture* (1978), est produit par le Studio D des femmes.

Bonnie se sent à l'aise au Studio D (elle y devient permanente en 1979) et n'a que des louanges pour son fonctionnement qui réussit à mélanger collectivité et autorité. Ses deux films suivants vont pourtant lui apprendre à ne pas toujours se fier sur la collectivité des femmes. Pour *Patricia*, un film sur le passage difficile d'une mère de famille isolée au marché du travail, Bonnie avait cru nécessaire de travailler avec une équipe composée uniquement de femmes. Patricia habitant Vancouver, une camerawoman de cette ville fut engagée par téléphone, parce qu'elle était femme. «Ce fut une mauvaise expérience. Je crois que nous sommes naïves de penser que les femmes s'entendent automatiquement et qu'elles voient les choses de la même façon. Je voulais que l'équipe participe à la vie familiale de Patricia, mais la camerawoman ne pouvait ou ne voulait travailler que dans une situation prévue.» Effectivement, la caméra statique de *Patricia* constraste avec les films précédents.

Contrairement à *Patricia*, la préparation de *The Right Candidate for Rosedale* (1979) fut très rapide. Bonnie et sa co-réalisatrice, Anne Henderson, n'ont pas eu le temps de méditer bien longtemps sur l'idée d'enregistrer la campagne d'une candidate à la nomination libérale d'un comté de Toronto. La description qu'on leur donne de la candidate les intéresse vivement: «C'est une Noire qui inspire confiance, leur dit-on, elle a de profondes racines dans la communauté populaire et elle essaie de traverser la machine libérale.» Bonnie veut montrer le potentiel des femmes dans la politique; elle veut aussi décrire le processus électoral et souhaite inciter d'autres femmes à entrer en politique. Le film qui en résulte est «techniquement impressionnant» selon Bonnie, mais «manque de chaleur». En suivant Anne Cools dans ses activités, Bonnie découvre qu'elles s'entendent mal. Pourtant, les co-réalisatrices n'abandonnent pas le projet, car le sujet est important. Une équipe de tournage commence à se former de façon permanente. La caméra est tenue par Pierre Letarte, qui avait travaillé avec Bonnie depuis *Du cœur à l'ouvrage*; on y retrouve sa caméra mobile. Anne Henderson, qui avait fait le montage de *Patricia* et *Du cœur à l'ouvrage*, est maintenant monteuse et co-réalisatrice. Elle sera de nouveau monteuse et réalisatrice associée pour le film *C'est surtout pas de l'amour, un film sur la pornographie*.

La recherche formelle plus poussée de *The Right Candidate for Rosedale* marque également *C'est surtout pas de l'amour* (1981), film qui a dû aussi être tourné rapidement à cause de raisons budgétaires. Le film mêle au style habituel de Bonnie Sherr Klein qui privilégie la personne interviewée, une narration discontinue comme dans *The Right Candidate for Rosedale*. Mais, cette fois-ci, les voix «off» sont celles de Bonnie et de Linda Lee

Tracey, stripteaseuse qui participe à l'enquête sur la pornographie.

(L'extrait qui suit à propos de *C'est surtout pas de l'amour* provient d'une interview avec Bonnie Sherr Klein réalisée en novembre 1981.)

*J.L.* — Ce qui me surprend le plus du film, c'est la naïveté de sa position initiale: «Je n'avais pas vraiment pensé à ce sujet, c'est ma fille qui...» Était-ce votre position réelle ou plutôt une façon de commencer?

*B.S.K.* — C'était une position absolument réelle...

*J.L.* — Cela me surprends. Je m'attendais à ce que quelqu'un ayant traversé le mouvement féministe soit plus conscient de la pornographie. Je me suis demandé si ce n'était pas un jeu que vous adoptiez afin de rejoindre un plus grand public?

*B.S.K.* — Non. Je crois que maintenant il y a une prise de conscience générale, mais elle est assez récente. Au moment où j'ai commencé le film, la naïveté était typique de la position que nous avions presque toutes. La majorité d'entre nous n'avions pas fait attention à la pornographie. Nous avions fait l'analyse de la violence, mais je ne crois pas que nous ayons vu la pornographie comme un genre. La plupart des femmes que je connais n'avaient jamais vu un striptease, ou regardé des magazines pornographiques.

*J.L.* — Il me semble cependant qu'il y manque de la colère...

*B.S.K.* — On fait le film que l'on est. Mes films sont aussi en colère que je le suis. Mais je n'ai pas eu l'idée d'arriver avec une analyse économique ou une belle phrase disant que la pornographie c'est le pouvoir. Ma méthode est de mettre des idées dans un film et de laisser les gens voir ce qu'ils sont prêts à voir, et non pas de faire une analyse. On a dit que j'étais une intervieweuse passive, parce que je ne provoque pas mes interlocuteurs. Je n'arrive jamais avec une hache. C'est l'influence du style Société nouvelle qui demande qu'on donne aux gens l'occasion de s'exprimer en créant une situation où ils se sentent à l'aise. En général, les gens dans le milieu de la pornographie avaient confiance en nous. Ils croyaient que nous serions justes avec eux. Nous ne cachions pas notre point de vue, même s'il pouvait être dissimulé dans la mesure où nous disions que nous tournions un film sur le «commerce du divertissement sexuel». Ceux qui ont accepté d'être dans le film l'ont fait, je crois, parce qu'ils se sentaient illégitimés auprès du public. Ils étaient satisfaits de pouvoir exprimer leur point de vue. Ils acceptaient d'être dans le film pour obtenir le type de légitimité qu'ils croyaient mériter.

*J.L.* — Dans ce film, et dans tous vos films en fait, vous semblez rechercher une fin optimiste.

*B.S.K.* — C'est vrai, j'essaie de trouver une perspective optimiste. Ce fut un combat acharné dans *C'est surtout pas de l'amour*, parce que j'avais conçu au début que la moitié du film serait une affirmation du sexe, de la femme, de l'homme et de notre sexualité, remplie de merveilleuses images érotiques. Puis, j'ai vu cette partie rétrécir et rétrécir jusqu'à ce que je me rende compte qu'une image érotique ne peut co-exister dans cet univers pornographique. Et pourtant, je ne vois pas la nécessité de faire un film qui laisse les gens sans espoir. Ce que je sentais quand je faisais le film, mais qui n'y est pas, est une sorte d'énoncé final venant de moi. Je crois que le film ne montre pas la position à laquelle j'ai abouti, car il était impossible de l'exprimer dans le film. On peut voir une progression dans les sentiments de Linda, mais je crois que l'on ne voit pas cette progression pour moi.

*J.L.* — La distance que Linda mettait entre elle-même et son spectacle est très brechtienne. C'est aussi ce qui se passe quand on voit les femmes dans la scène des téléphones se mettre à parler de ce qu'elles ressentent. Tout à coup, ces femmes, qui étaient vues avant comme des objets, deviennent sujets, pas seulement bonnes à être consommées mais qui demandent aussi à être écoutées. En montrant les scènes pornos et leur construction, vous semblez vouloir nous montrer les ficelles tirées derrière les scènes?

*B.S.K.* — À chaque fois que je filmais une femme pendant son spectacle, j'allais aussi lui parler, afin de pouvoir montrer dans le film ses deux identités. C'est difficile de filmer une femme nue sans l'exploiter. C'est difficile quand on ne veut pas s'approprier le corps pour montrer ce que l'on montre habituellement. La scène du caroussel est tournée en fragments. On ne voit jamais la personne en entier. Et nous n'avons nous-mêmes jamais fait de plan des organes génitaux.

*J.L.* — Je dirais que *C'est surtout pas de l'amour* est, au point de vue stylistique, le film le plus contrôlé que vous ayez fait jusqu'à maintenant. L'utilisation des couleurs et des fondus, le développement de la structure, le passage de la pornographie modérée au hard-core paraîssent très bien contrôlés.

*B.S.K.* — Le mérite pour le travail stylistique revient surtout à Pierre Letarte et Anne Henderson. Mais personnellement, avec ce film j'ai finalement accepté de me voir comme une artiste, ou d'accepter ce mot, au lieu de le combattre en disant que je ne suis qu'une communicatrice.

*J.L.* — Lors de votre recherche, avez-vous trouvé la situation de la pornographie au Canada aussi grave qu'à New York?

*B.S.K.* — Depuis la Commission présidentielle de 1970, tous les interdits de la censure ont été levés aux États-Unis. Comme il n'y a pas de loi contre le hard-core, tout y est disponible. On nous a appris que tout était disponible ici aussi au Canada, quand on sait comment se le procurer. Mais à mon avis, la frontière géographique est moins significative que l'universalité du sujet. On a suggéré que nous pourrions contrer les objections des bureaux de censure au Canada en éliminant la scène où une femme pratique la fellation à genoux devant un homme, et la scène de la pénétration. Mais la scène de la femme à genoux avec un pistolet dans la bouche par contre n'est pas à censurer parce que la femme est vêtue. Comment accepter ces définitions de ce qui est pornographique? En m'informant sur la pornographie, puis en étant confrontée à la réaction du public, j'ai modifié mon point de vue sur les hommes. Je réalise rétrospectivement que mes présomptions premières étaient de considérer les gens comme «corrects», jusqu'à preuve du contraire. Maintenant, c'est l'inverse. Avant, je croyais qu'en connaissant les faits, les gens deviendraient automatiquement conscients, et que les changements seraient inévitables, car personne n'est profondément pour l'injustice, personne ne voudrait être préjudiciable envers la moitié de la population. Mais dans la pornographie, l'injustice et la haine ouverte, camouflées sous des images léchées ne mettent personne mal à l'aise. Les hommes ne se sentent pas embarrassés ni humiliés de voir ainsi la violence et la haine envers les femmes transformées en excitation sexuelle. Cela montre la complexité du problème et explique pourquoi les femmes du mouvement anti-pornographie sont parfois si déprimées.

### Caroline Leaf et le cinéma d'animation

Bon nombre de femmes anglophones ont produit au Québec des films d'animation de très grande qualité. L'importance récente des femmes dans le film d'animation peut être attribuée à un certain processus de démocratisation du médium. Le passage de la production collective au film d'artiste, accompagné par une floraison de diverses techniques d'animation, ont facilité l'entrée des femmes en animation, domaine qui, jusqu'aux années 60, était en majeure partie réservé aux hommes.

Si nous avons choisi de jeter un regard plus approfondi sur l'œuvre de Caroline Leaf, c'est que nous sommes frappée par sa maîtrise des matériaux d'animation et par son habileté à nous émouvoir avec ses mondes imaginaires. Caroline Leaf est devenue réalisatrice grâce au hasard qui lui fait suivre un atelier de cinéma d'animation lors de ses études en arts visuels au Radcliffe College, université pour femmes, affiliée à l'université Harvard, à Boston, sa ville d'adoption.

*Sand or Peter and the Wolf* (1969), adapté d'un conte pour enfant, est son premier film et son premier essai d'animation avec la technique du sable. De ce premier film au *Mariage du hibou* (1974), première production de Caroline Leaf après son entrée à l'O.N.F. en 1972, on est frappé par un apprentissage sûr et rapide. *Sand* s'attaque aux problèmes techniques de base: comment rendre le mouvement des personnages fluide, comment calculer la durée d'un mouvement. «C'était une découverte, dit-elle, de constater que lorsqu'on recrée le geste d'un ballon jeté dans l'air, le mouvement obéit aux lois de la physique, qu'il commence doucement, puis s'inverse, comme si le ballon restait fixe avant de descendre.» Pour *Sand* elle utilise une caméra fixe. Elle découvre comment donner l'illusion de mouvements de caméra en changeant progressivement la grandeur de ses dessins de sable, méthode qu'elle utilise toujours. «Il m'est devenu impossible de travailler avec un autre procédé de caméra. Ma mémoire doit passer par mes yeux et par mes mains pour que je puisse sentir un mouvement. Cela me bouleverserait de remplacer mes dessins par un zoom mécanique à une vitesse différente de celle à laquelle je suis habituée.» Parce qu'elle travaille avec des arrangements de sable balayés d'image en image, les changements de scène par la méthode traditionnelle (la coupure) lui font problème. À la place des coupures, elle invente donc des transitions animées. «Parce que je pouvais voir et sentir ces transitions à ma façon habituelle, elles me semblaient plus sûres.» Ce n'est qu'avec son avant-dernier film, un documentaire, qu'elle aura l'occasion de «monter» un film.

Ayant envie de travailler avec la couleur, elle importe des pierres colorées pour les moudre en sable; celui-ci cependant se révèle trop poudreux. Avec *Orfeo* (1972), son deuxième film, qui raconte l'histoire d'Orphée perdant son amante, elle expérimente la couleur appliquée à la brosse et peinte directement sous la caméra, reproduisant la non-permanence de la technique utilisée dans *Sand*. Mais les mouvements d'*Orfeo* perdent de la fluidité. La couleur appliquée à la brosse leur donne une rigidité qu'elle ne réussit à éliminer qu'avec son deuxième film fait à l'O.N.F., *The Street*, alors qu'elle découvre l'ancienne technique de la glycérine ajoutée à la peinture et qui l'empêche de sécher, lui permettant ainsi de la «bouger» avec ses doigts comme du sable.

Comme *Sand, Orfeo* fascine par ses transformations magiques. Une queue de cheval se transforme en fille, une fleur devient canard, se change ensuite en satyre. Les transitions de scènes, dessinées, deviennent plus élaborées. Comparativement aux simples balayages du noir au blanc dans *Sand*, la quantité de sable étant réduite jusqu'à sa disparition, Caroline trouve pour *Orfeo* des transitions plus astucieuses et plus intégrées à l'histoire. Par exemple, pour le passage d'Orphée dans les ténèbres, celui-ci se creuse un trou, se traîne à l'intérieur, puis apparaît en silhouette, tournant la tête en haut, là où le trou n'est plus qu'un cercle blanc. Mais ce sont les films suivants, *How Beaver Stole Fire* (1974), d'après une légende indienne, et *Le Mariage du hibou*, qui réussissent véritablement à transporter le spectateur dans un monde imaginaire et surtout à le séduire par son humour cinglant.

Conçu d'après une légende esquimaude, *Le Mariage du hibou* (1974) adopte le regard esquimau anthropomorphique vis-à-vis les personnages d'animaux: un hibou maladroit qui se marie avec une oie élégante. Ceux-ci parlent la langue esquimaude mais leur caractère et leurs sentiments sont donnés par l'animatrice. Mais les animaux ou les êtres humains créés par Caroline Leaf ne sont jamais peints avec l'anthropomorphisme et le sentimentalisme facile d'un Disney. Nous sommes émus par ce hibou gauche qui s'épuise à battre des ailes pour suivre le vol de sa femme, et par la tolérance de celle-ci envers un mari qu'elle doit, par sa façon de se tourner le dos, trouver laid et quelque peu lassant. Les émotions ressenties par un animal dans un film de Caroline Leaf lui donnent la plénitude d'un caractère, mais il reste malgré tout animal, surtout par ses mouvements, qui nous semblent, paradoxalement, plus vrais que les mouvements naturels. Ce sont bien un hibou et une oie que l'on voit dans *Le Mariage* et non, comme dans les films de Disney, des êtres humains déguisés en animaux. Mais Caroline Leaf a aussi des aptitudes pour les personnages humains, comme elle le montre dans ses deux films suivants, *Les Métamorphoses de M. Samsa* (1977) et *The Street* (1976). Ces deux films présentent deux jeunes filles qui se ressemblent par leur âge et leur aspect physique; leurs gestes pourtant les différencient complètement. Elles bougent de manière tout à fait différente, révélant une fille espiègle dans *Métamorphoses* et une adolescente réfractaire au monde adulte dans *The Street*.

Dans ces deux derniers films, ainsi que dans *Interview* (1979), les successions d'images nous éblouissent. Les plans de caméra créés par Caroline Leaf deviennent encore plus fluides que dans ses premiers films; l'espace tout à fait mobile, nous fait pénétrer dans un monde animé. Caroline Leaf a développé une nouvelle méthode de mise en scène qui remplit maintenant tout le cadre et qui n'est plus déterminée par la linéarité de la perspective. Ceci est rendu possible en particulier par la technique d'ombrages apprise dans *Le Mariage du hibou* et perfectionnée dans *Les Métamorphoses*, par l'emploi des couleurs maniables, mais surtout grâce à une simplification des détails du décor pendant un mouvement animé. «J'ai appris que ce n'était pas nécessaire de dessiner chaque brique dans le mur que l'enfant longe en descendant la rue. Ce serait donner trop d'informations. L'oeil ne remarque pas le mur quand l'attention est ailleurs. La caméra est ainsi libérée pour enfin pouvoir voyager dans l'espace, voir le monde avec l'œil subjectif du personnage et se promener avec lui.»

Mais pour Caroline Leaf, animatrice à son apogée, ces films de plus en plus élaborés deviennent aussi moins satisfaisants. «Je ne pense pas que la complication des images soit nécessairement la bonne voie. Dans un autre film d'animation, j'aimerais revenir à une image simple, directement ressentie. En travaillant à mon premier film, j'avais un sens aigu du mouvement des animaux que j'aimerais retrouver. Les mouvements mécaniques très élaborés sont peut-être réussis mais pour moi ils sont pénibles à réaliser.»

C'est le sentiment d'avoir atteint un plateau dans ses films d'animation qui pousse Caroline Leaf à réaliser avec Veronika Soul le film *Interview*, où elle expérimente les techniques d'animation de photos reproduites sur xerox et les images en direct. «J'ai commencé à sentir que je m'épuisais. J'avais toujours pensé que je pouvais travailler en ne comptant que sur mes propres moyens, et faire bouger les choses moi-même. Il me semblait que je n'avais qu'à chercher les choses en moi. Finalement mon monde intérieur a commencé à m'ennuyer.» *Interview* est un premier pas en dehors du monde clos de l'animation. Dans ce film où les deux animatrices s'interviewent, suit le processus d'autocritique de Caroline, qui nous donne une image d'elle-même assise à sa table d'animation, entourée par les animaux qui sortent de son imagination, absorbée par son travail et comme inconsciente de leur présence. Cette image nous séduit par son humour ironique et sa fantaisie. Mais pour Caroline, c'est un constat de son isolement. Des gens se sont sentis embarrassés par le manque de gêne de Caroline à s'exposer dans ce film, mais ce fut sa manière de prendre conscience d'elle-même et de dépasser ce caractère livré sur l'écran. Après *Interview* la porte était ouverte au travail en équipe et aux films tournés en direct.

Ce passage ne se fit pas pour autant sans difficulté. Caroline doit apprendre une autre conception du cinéma. «Mes dessins me permettaient plus de souplesse qu'aucune caméra ne peut en donner. C'est ce que j'ai appris en tournant des images de Veronika pour *Interview*. Je voulais la montrer sous différents points de vue, mais ma caméra ne pouvait pas être de chaque côté d'elle, puisque sa table de travail était posée contre un mur.» Elle avait toujours élaboré aussi le rythme d'un film au fur et à mesure de sa production, en commençant par les parties qui lui semblaient claires, puis en trouvant la durée, les transitions et les autres scènes. Mais une telle méthode ne fonctionne pas pour un film documentaire tel que *Kate and Anna McGarrigle* (1981), film qui, elle l'admet, lui a causé tourments et angoisses. «J'ai appris à monter un film en faisant celui-ci, mais je ne pense pas que j'aie intériorisé l'organisation des blocs d'information, ni compris pourquoi on met quelque chose avant ou après une autre chose. Je ne me trouve pas bonne monteuse et je me méfie de faire un autre documentaire.» Elle s'est mieux retrouvée dans son dernier projet, *An Equal Opportunity* (1982), court métrage de fiction didactique fait pour le Conseil du travail du Canada. Ici, comme pour les films d'animation, elle se sent à l'aise puisqu'un film de fiction peut être imaginé avant de l'entreprendre. Elle a donc dessiné chaque plan d'avance.

En entrevue, quand on l'amène à parler des conditions matérielles de son travail, Caroline Leaf reconnaît que les femmes ont peut-être trouvé un refuge dans le cinéma d'animation, où elles sont mieux acceptées, où les embûches de la technique sont moins nombreuses et où la compétition avec les hommes est moins féroce. Elle reconnaît que les réalisatrices en animation à l'O.N.F. ne sont pas traitées de la même façon que leurs collègues masculins. «En principe, elles sont supposées l'être. Mais en réalité, j'ai découvert que leurs salaires étaient radicalement inférieurs. Je crois que cela signifie que quelque part dans la structure de l'O.N.F. on ne les considère pas de façon égale. Cette inégalité viendrait des deux parties, de la vision que les femmes ont d'elles-mêmes, et de l'administration qui exploite cette vision.»

*Sophie Bissonnette et Joyce Rock*

*Une histoire de femmes* (1980) marque les débuts impressionnants de Sophie Bissonnette et de Joyce Rock dans le cinéma indépendant. Coréalisé avec Martin Duckworth, connu comme caméraman et réalisateur de documentaires politiques, le film a gagné en 1981 le Prix de la critique québécoise. *Une histoire de femmes* traite de la participation des femmes à la grève des travailleurs de la compagnie Inco, à Sudbury, en 1979-1980. Cette grève a duré huit mois et demi. Les cinéastes ont vécu avec les familles des grévistes pendant le tournage, soit pendant plus de quatre mois.

Le métier de cinéaste indépendant oblige à trouver soi-même les fonds nécessaires à la production et cette démarche est quelque peu exigeante. On peut croire qu'elle l'est encore plus pour une femme en début de carrière. Pour faire ce film dit Sophie Bissonnette avec ironie, «il fallait vivre comme les hommes cinéastes qui n'ont à se préoccuper ni du mari, ni des enfants». Bien que Martin Duckworth ait déjà réalisé des documentaires similaires quant au sujet, on remarque de nettes différences dans *Une histoire de femmes* — une chaleur et une intimité que l'on peut attribuer à la sensibilité particulière apportée par les coréalisatrices.

Orginaire d'Ottawa, Joyce Rock travaille depuis longtemps au sein du mouvement de femmes et participe actuellement à la revue féministe *La Vie en rose*. Elle a entrepris des études de doctorat en cinéma à l'université de New York, mais les a abandonnées par manque d'intérêt vis-à-vis la carrière de l'enseignement. Elle fait présentement l'apprentissage de la caméra. Également de la vallée de l'Outaouais mais de souche québécoise, Sophie Bissonnette a suivi le cours de cinéma à l'université Queen's de Kingston (Ontario). Depuis *Une histoire de femmes*, elle a réalisé *Luttes d'ici, luttes d'ailleurs* (1981), court métrage sur la solidarité syndicale internationale produit par la Confédération des syndicats nationaux (C.S.N.). Elle fait présentement les recherches préliminaires à la réalisation d'un long métrage sur l'implantation de la télématique au Québec et à celle d'un court métrage sur les caissières dans les banques.

(Les extraits qui suivent sont tirés d'une interview réalisée pendant l'été 1981. Les deux réalisatrices parlent de leur film *Une histoire de femmes*, du documentaire et des femmes dans le cinéma.)

*S.B.* — Pouvait-on imaginer qu'au Québec aucun film n'avait eu pour sujet les femmes de la classe ouvrière, malgré qu'elles forment un groupe majoritaire? Pour nous, faire ce premier film a eu quelque chose d'effrayant: on ne savait pas comment montrer ces femmes; les seuls portraits que l'on avait d'elles venaient des romans-savons et des annonces publicitaires. Il a constamment fallu combattre nos propres peurs parce que, même si nous étions conscientes de ce que nous voulions éviter, nous ne savions pas quelle orientation choisir. Nous avons pensé qu'il fallait peut-être aller chercher le point de vue du syndicat ou l'opinion des époux. Nous avions peur que le film ne soit pas valable si nous présentions *uniquement* le point de vue des femmes. Pour nous orienter, il a été important pour nous de voir des films féministes qui laissent la parole aux femmes, qui peignent un portrait plus intime et traduisent une compréhension plus profonde des relations humaines.

*J.R.* — Il est important, je crois, de demander qui sont les gens qui font des films dans cette société et d'où ils viennent, qui va dans les écoles de cinéma et qui sont ceux qui ont pu entrer à l'O.N.F. parce que maintenent les portes sont fermées. Il y a vingt ans, lorsqu'on faisait du recrutement, combien de femmes ont été choisies par Tom Daly? Combien de femmes et d'hommes de la classe ouvrière? Cela nous a donné plusieurs bons cinéastes, des hommes cultivés, anglo-saxons de préférence. Mais cela détermine encore, vingt ans plus tard, le type de films produits par l'O.N.F. Alors, quand les gens disent de notre film «Je n'ai jamais vu de film comme ça, c'est fantastique», ça me rend un peu triste, parce que je voudrais que ce soit le centième comme celui-là. Ce film ne devrait pas être le premier. Ce n'est pas parce que ces femmes, ou des femmes comme elles, ou cette grève, ou notre approche, n'existaient pas auparavant. C'est uniquement parce qu'il est très difficile d'avoir accès à la technologie et au budget pour faire un film. Et si c'est difficile pour les hommes, c'est encore pire pour les femmes.

*S.B.* — La qualité des rapports partagés avec les femmes des grévistes vient du fait que je m'implique pour dire que, moi, je suis une femme qui réalise ce film. Pas seulement que je suis une femme, mais aussi que je vis à Montréal et que j'ai certaines expériences personnelles et politiques. Ces femmes avaient confiance en nous. Elles savaient que nous faisions un film sur elles et pour elles, et elles voulaient qu'il soit distribué pour aider d'autres femmes vivant des situations semblables à la leur. Mais, au début, nous avons senti une réticence, et je considère cela comme très sain. À l'époque, ces femmes avaient vécu des expériences négatives avec les médias: elles avaient déjà accordé des interviews pour ensuite voir le sens de leurs paroles détourné par le montage. Ou encore, on leur donnait cinq minutes pour décrire tous les aspects de la grève. C'est ainsi que nous avons accepté de leur laisser le pouvoir de décision sur la copie finale. C'était une façon de leur donner l'assurance qu'elles avaient un certain contrôle sur le film.

*J.R.* — Nous ne devons pas oublier dans quel contexte est sorti ce film. Nous avions peu de portraits justes de la classe ouvrière et, particulièrement, des femmes de la classe ouvrière. C'est déjà très étonnant de voir ces femmes telles qu'on les voyait durant leurs assemblées. Lorsqu'il y aura une cinquantaine de films de ce genre, donnant eux aussi une image plus fidèle de ces femmes, nous serons peut-être en mesure de réaliser un film qui ira au-delà de la superficialité des choses et qui peindra en des termes plus perçants leurs relations et leurs pensées les plus intimes.

*S.B.* — Je me rends compte maintenant, et je fais peut-être erreur, que nous avons fait un film *sur* ces femmes et non *pour* ces femmes. Le film ne s'adresse pas vraiment à elles; il s'adresse plutôt à des femmes comme elles. Je me suis posé beaucoup de questions lorsque je me suis rendu compte que la compagnie Inco est le seul groupe qui ait organisé une projection du film. Celle qui a dirigé les discussions après le visionnement nous a révélé que ce film a été une expérience enrichissante pour les hommes, parce qu'il les a forcés à prendre conscience des problèmes vécus par leurs épouses durant cette grève. Ils savaient que les femmes se rendaient à des assemblées et y prenaient des décisions, mais cela restait un travail invisible, tout comme lorsqu'ils retournent à leur foyer sans se rendre compte de la somme de travail qu'il faut pour entretenir la maison et préparer les repas. C'était la même chose lorsque les femmes se sont impliquées dans la grève: ils restaient inconscients du travail des femmes, de toutes les discussions, de tous les conflits et des luttes avec le syndicat. Ils ne voyaient que le résultat, les 5 000 dollars recueillis aux portes de l'usine ou le procès symbolique des dirigeants de l'Inco. Le film fut très important parce qu'il a permis au grévistes de développer du respect pour leurs femmes.

*J.R.* — Je souhaiterais que tous les cinéastes puissent se libérer des formules cinématographiques stéréotypées. Nous faisons une grande distinction entre documentaire et fiction, comme si nous devions choisir l'un ou l'autre, et nous prenons constamment pour acquis la séparation de ces deux catégories. J'espère que la prochaine fois nous saurons nous montrer plus créatives, tant pour le style que pour la forme.

# Les femmes ont-elles peur
# de la technique?

Albanie Morin, Diane Poitras et Nicole Hubert
Groupe d'intervention vidéo

Parce qu'elle passe par la télévision, la vidéo prend un visage familier. Un moniteur de télévision est un objet quotidien, presque
anodin, domestique. Cette relation de proximité aiguise notre fascination pour le médium. Elle nous défie de rompre les habitudes
d'écoute distraites que la télévision a créées. Elle nous incite à présenter des images, des paroles, des associations de formes et de
sons autres que celles qui y sont habituellement véhiculées. Des
images de femmes, entre autres. De femmes qui ont des préoccupations, des questions, des désirs, des aspirations nouvelles,
vraies, non standardisées. Nous aimons faire sentir, à travers ce
médium qu'on dit froid, la complicité tissée au tournage. Faire
passer des émotions authentiques, des corps non stéréotypés, des
comportements imprévisibles, et trouver le cadrage ou la façon de
monter qui en rendra compte. Quelle satisfaction et quel plaisir
que d'inventer, risquer, bousculer les règles de la télévision, les
défaire, les refaire autrement, les transformer. Chaque fois que
nous vous confions un coffret logeant une bande vidéo, nous souhaitons que vous partagiez notre engouement pour cette magie.

On nous demande un témoignage sur notre expérience de collectif de femmes en production-distribution vidéo. À vrai dire, ce
travail nous bouscule un peu: il nous oblige à aborder des ques-

tions en suspens. Et curieusement, il nous amène à des constats à la fois positifs, très encourageants, mais inquiétants aussi. Nous ne nous rendions pas compte au départ à quel point cette réflexion nous serait difficile à préciser. Écrit à la hâte et dans le feu des activités, ce texte reflète toutefois nos espoirs, nos inquiétudes et nos questions. Mais la réflexion est à poursuivre...

1983: le Groupe d'intervention vidéo (G.I.V.) a huit ans d'existence. L'heure des bilans est toujours un peu angoissante: coup d'œil derrière, regard circulaire... perspectives? Au cours de ces années, il va sans dire, plusieurs événements ont marqué l'évolution du G.I.V. et de ses membres. Du demi-pouce au trois quarts, du noir et blanc à la couleur, de la rue Saint-Denis à la rue Gilford, que s'est-il passé de vraiment significatif? Groupe mixte au départ, nous sommes devenues un collectif de femmes. Nos productions ont changé de ton et d'allure, de forme et de facture. Notre catalogue en est à sa quatrième édition. Huit ans! C'est beaucoup pour un groupe qui a toujours dû survivre en marge de la reconnaissance officielle et des budgets qui l'accompagnent. (Mais la marginalité n'est-elle pas le lot des productrices et des producteurs indépendants?) Plus étonnant encore, nous avons réussi à mettre sur pied un réseau de distribution viable et ceci, malgré le désintérêt des politiques culturelles à l'égard de la vidéo. Un réseau qui a subvenu à nos dépenses de production et de distribution.

Notre acharnement à produire, à diffuser, à survivre coûte que coûte a été motivé par un désir d'autonomie. Cette démarche a commencé dès la naissance du G.I.V. et s'est manifestée à différents niveaux: contrôle de nos moyens de production, maîtrise de la technique, spécificité du médium face à la télévision et au cinéma, autonomie financière.

### *Notre caméra à nous*

Lorsque le groupe s'est formé en 1975, nous tenions à contrôler nos moyens de production. Nous voulions ainsi produire plus facilement, en gardant toute liberté quant aux contenus. La vidéo demi-pouce, encore toute jeune et dite légère, rendait accessible l'acquisition d'équipements de tournage et de montage. De plus, dans le contexte de la lutte entre les gouvernements québécois et fédéral sur la juridiction des communications, on pouvait encore compter sur une aide gouvernementale: subventions, équipements...

Mais rapidement le standard demi-pouce devient désuet. Alerte! Branle-bas de combat: qu'allons-nous devenir? Depuis 1977, le ministère des Communications a exclu les groupes vidéo de son programme d'aide. Après quelques piétinements et des exercices comptables douloureux, il faut nous rendre à l'évidence: nous n'avons pas les moyens d'acquérir de l'équipement trois quarts de pouce tout en suivant l'évolution de la technologie, caméras, moniteurs et magnétoscopes devenant de plus en plus sophistiqués et de plus en plus rapidement désuets. Nous apprenons à nous débrouiller avec les moyens du bord tant pour la diffusion et la distribution que pour la production.

Parallèlement, nous mettons à l'essai différentes formules au niveau de la diffusion et de la distribution: visionnements suivis de débats, en grands ou en petits groupes, publics-cibles pour certaines productions, etc. Il y eut même un festival de nos productions au Conventum, en 1978.

Les bandes circulent et elles circulent beaucoup. Le réseau de distribution s'élargit: groupes populaires, groupes de femmes, associations, syndicats, maisons d'enseignement. Nous ne le savons pas encore, mais c'est ce deuxième volet qui nous permettra de surmonter les coups durs. Toutes les recettes de ventes et de locations étant réinvesties dans le collectif, nous pouvons continuer à fonctionner sans subvention.

Mais ces conditions de survie ne sont évidemment pas les meilleures. Il est difficile de recruter des énergies nouvelles, d'assurer la relève. Par ailleurs, la ferveur militante des premières heures se refroidit à vue d'œil. Le bénévolat-vidéo n'est pas une carrière alléchante. Curieusement, à cette époque, ce sont les femmes qui persistent. Faute de débouchés? Par choix? Il y a peut-être un peu des deux. Chose certaine, nous nous sentons appuyées par le mouvement des femmes en général qui lui aussi persiste malgré la débandade de la gauche québécoise.

En effet, au G.I.V., nous avons toujours favorisé une démarche de production qui associe à la réalisation les futurs utilisateurs et utilisatrices. La diffusion des documents s'en trouve à peu près assurée dans la mesure où ils répondent à un besoin

bien identifié. Cette méthode permet aussi de voir tout de suite la
pertinence des problématiques que nous soulevons. Aussi, dans
un contexte social où la plupart des questions politiques restent
sans réponses, il est évidemment stimulant pour les femmes du
G.I.V. de se sentir épaulées par les groupes de femmes dans
leurs projets de tournage. Cette collaboration peut prendre plusieurs formes: soit au niveau de la définition du cadre théorique,
de l'analyse, soit au niveau de la recherche, des contacts, etc.
C'est ainsi que *La Garderie, c'est un droit* (1975) a été conçu et
tourné avec des membres d'une garderie. C'est ainsi que *Chaperons rouges* (coproduction G.I.V.-Vidéo-femmes, 1979) a été fait
avec des militantes de centres d'aide aux victimes du viol, que *La
Perle rare* (1980) a bénéficié de la collaboration soutenue du
Regroupement des secrétaires du Québec, et que s'est élaboré
*N'attendez pas d'être veuves pour commencer à vivre!*, avec des femmes
âgées, membres de la troupe des «Trésors oubliés».

Nos vidéogrammes répondent à des besoins certains. Mais
même si les réservations ne cessent d'affluer à la permanence,
nous ne pouvons pas nous offrir le luxe de compter sur des
employées salariées à plein temps. Maintenant que la vidéo
commence à acquérir ses titres de noblesse, il arrive qu'on nous
fasse sentir notre «petitesse». Est-il nécessaire de répondre que
nous n'avons pas choisi la marginalité? On nous l'a imposée.
Nous n'avons fait ni vœux de pauvreté, ni vœux de misère.
Exaspérée, une membre du G.I.V. résumait un jour la situation
qui prévalait alors: «C'est pas par plaisir qu'on prend
cinquante-six jobs en même temps, qu'on court livrer une cassette à l'heure du dîner pour aller écouter le répondeur en fin de
journée et retourner les appels le lendemain. Qu'on nous les
donne, les gros budgets, on va les prendre. On ne crachera pas
dessus!»

Progressivement, donc, nous cherchons à développer une
autonomie financière. Petit à petit, la distribution se fait de
façon plus systématique: organisation de visionnements publics
et de tournées, contacts avec les journalistes, campagne de
presse, impression de fiches techniques. Nous améliorons aussi
la présentation du catalogue, nous constituons un fichier d'envoi
et nous nous répartissons différemment les tâches. Les résultats

se font bientôt sentir. Aujourd'hui, une personne s'occupe de la distribution à plein temps.

### *À la recherche d'un style*

Une autre des préoccupations initiales du G.I.V. était (et demeure) de relever le défi d'une production de rechange tant au niveau du contenu qu'à celui de la forme. Il faut dire que, dès le départ, la vidéo a dû surmonter deux handicaps sérieux. D'une part, trop collée à la télévision dont elle utilise le même support, elle avait tendance à en emprunter le style. Combien de fois n'avons-nous pas entendu dire à propos de la vidéo: «C'est de la télévision... en plus *platte*!» (Et malheureusement, il faut admettre qu'à ses débuts c'était souvent le cas.) D'autre part, nous avions du mal, à cette époque, à nous dégager d'une certaine rhétorique: «... trop de phrases stéréotypées, un style un peu trop didactique, trop de triomphalisme. Nos bandes se terminent souvent par des images de manifestations, poings gauches levés et chansons révolutionnaires. Heureusement que nous arrivons à en rire de temps en temps...[1]»

À travers recherches et expérimentations, cependant, nous arrivons à développer un style qui nous est propre. Nous voulons faire des documents qui ont quelque chose à dire et qui le disent autrement. Mais pour atteindre cet objectif, il aura fallu tout d'abord régler les problèmes d'une technique conçue au départ pour des usages domestiques. Grâce à des amis électroniciens ingénieux et généreux, grâce à des échanges de trucs et de rafistolages de toutes sortes, nous arrivons à obtenir une qualité technique très acceptable: un bon son, une bonne image et une possibilité de montage. Mais le mythe de la vidéo d'intervention, grise et verbeuse, persiste. Il arrive encore qu'après un visionnement des spectateurs s'étonnent qu'une bande demi-pouce puisse être bien faite et... agréable à regarder. Pourtant, bien avant de travailler avec la cassette trois quarts de pouce en couleurs, nous avions des exigences techniques qui établirent la réputation des titres du G.I.V.: *Musique populaire, musique du peu-*

---

1. Hélène Bourgault, *Cinémaction*, janvier 1982.

*ple* (1976), *Pays d'abondance* (1977), *Trois mille fois par jour* et *Opération: Liberté* (1978), *Femmes de rêve* et *Chaperons rouges* (1979), *La Perle rare* (1980).

Au moment où le standard demi-pouce devient non seulement désuet mais presque archaïque, l'angoisse nous prend à la gorge encore une fois. Nos inquiétudes sont d'ordre financier. Il faut admettre que la couleur et sa «quincaillerie» sophistiquée nous effraient. Pourtant, certaines d'entre nous, travaillant en production commerciale, connaissent bien cette quincaillerie.

Réaction typique de femmes? Cela mérite qu'on s'y arrête. Il nous semble aujourd'hui que notre manque d'assurance vis-à-vis de la technique était de la même nature que nos craintes vis-à-vis des questions financières: «Quoi? Commencer à utiliser des techniques de marketing, tenir un livre de paye, faire de la gestion de petite entreprise?» Cette insécurité a sans doute quelque chose de féminin, mais il s'y mêlait aussi un certain purisme lié à la tradition des groupes populaires et militants. On se méfiait énormément de tout ce qui était administration, rentabilisation. Il nous faudra beaucoup de temps pour nous dégager de ce malaise.

Réaction de femmes... sûrement. La manipulation de l'argent comme celle de la technologie sont des prérogatives d'hommes, prérogatives que nous avons du mal à nous approprier. Ces difficultés n'étant pas insurmontables heureusement, nous nous rattrapons par des cours, des stages et un re-démarrage de la production.

\* \* \*

Nous pouvons certes affirmer que l'expérience du G.I.V. est une réussite. Nous sentons que nous avons des acquis solides: une plus grande maîtrise de la technique et du langage vidéo, une meilleure connaissance de la gestion et, surtout, une bonne expérience de diffusion et distribution. Pourtant, quelques incertitudes planent à travers ce bilan...

Voici que le médium vidéo acquiert du prestige (l'avènement de la télévision à péage n'est sûrement pas étranger à ce phénomène). On se tourne vers la vidéo. Ceux-là mêmes qui, il n'y a pas si longtemps, méprisaient l'image électronique cherchent aujourd'hui à l'approcher; ils expérimentent. Une découverte! Comme des explorateurs pénétrant dans un immense champ vierge, ils négligent d'y voir les acquis qui s'y sont développés au cours des années.

En fait, les groupes vidéo, malgré leurs efforts et leur cheminement, n'ont pas réussi à extirper la connotation péjorative associée à leur médium. Une amie productrice nous disait un jour: «Arrêtez donc de perdre votre temps et venez travailler avec des moyens sérieux. Vous êtes assez «bonnes» pour faire du cinéma.» Quoique cette amie ait été bien intentionnée, sa remarque n'en illustre pas moins le mépris dont était l'objet ce médium qu'on a toujours classé parmi les «arts mineurs». Un médium dont on a trop souvent dit qu'il était «léger» et «facile». Toute personne qui a, au moins une fois, transporté les câbles et le magnétoscope, monté les trépieds, ajusté les éclairages et le moniteur, balancé la caméra, et qui a sans doute fait face à des problèmes de son, des problèmes électroniques, électriques ou mécaniques, sait à quel point cette «légèreté» est relative. Elle sait aussi que la pratique vidéo exige la connaissance de son langage et de sa «quincaillerie». Quant à nous, nous savons par expérience que les productions mal faites (si intéressant soit leur contenu) ne se vendent pas. Le G.I.V. serait mort depuis longtemps si nous avions pris le médium «à la légère».

Autre connotation péjorative: il fut un temps où la vidéo non commerciale était associée aux «histoires de femmes». Nous avons toutes entendu ces remarques d'un goût douteux sur le rapport entre la vidéo et le «vécu quotidien des femmes». L'univers des femmes, n'est-ce pas, est petit: petits problèmes, petits budgets, petite vidéo...et de peu d'intérêt.

Pourtant, *Chaperons rouges* s'est mérité un deuxième prix lors du festival de Sceaux, en 1981. Pourtant, pendant des années, et dans l'ombre (eh! oui, nous n'avions pas le choix), nos productions ont pénétré toutes les régions du Québec, elles ont été diffusées au Canada anglais, aux États-Unis et en Europe (Paris, Annecy, Marseille, Amsterdam, Berlin, Brest, Bordeaux...). Certaines d'entre elles ont connu une diffusion que bien des films québécois pourraient envier. Au cours des deux premiers mois qui ont suivi sa sortie, *La Perle rare* a été vue par plus de 1 500 personnes. (Nous pourrions sûrement en dire autant de quelques autres titres du G.I.V. Malheureusement, nous n'avons pas les chiffres en main.) Quand on sait que nous n'avons pas accès aux ondes hertziennes (la télévision), quand on sait que les journalistes n'ont pas tendance à couvrir des événements vidéo avec le même empressement qu'ils le feraient pour le cinéma, quand on sait que les diffusions vidéo rejoignent rarement plus de cent personnes à la fois, ces chiffres deviennent impressionnants. Petite production que celle des femmes? Pourtant, nos revenus de ventes et de locations dépassent largement en importance les subventions que nous avons reçues. Ce travail, croyons-nous, mérite d'être reconnu.

Maintenant que la production et la distribution vidéo sont sur la carte, maintenant que bien des gens commencent à s'y intéresser, quelle reconnaissance nous accordera-t-on? L'État québécois, dans l'élaboration de ses nouvelles politiques, se souviendra-t-il de ses anciennes interlocutrices de 1977?

# Exploration féministe
# du documentaire

## Sophie Bissonnette

J'ai reçu une de mes premières leçons de pratique cinématographique en 1977 lorsque j'étais à l'université. Avec un groupe d'étudiants et d'étudiantes, je participais alors au tournage d'un film documentaire 16 mm sur la déliquance juvénile. Armés de savantes études sociologiques sur la question, nous avions résolu de prêter une oreille bienveillante et indulgente à l'égard de ces marginaux!

Pour mener nos recherches, nous avions dû quitter le milieu aisé et clos de l'université (oh! pour quelques heures à peine) et nous aventurer dans des quartiers pauvres qui nous étaient totalement étrangers. Un des personnages centraux de notre recherche était une jeune fille de quatorze ans, S., qui nous avait raconté qu'elle vivait de prostitution. Plus elle nous racontait sa vie, plus nous étions impressionnés et plus nous jubilions en imaginant l'impact de ces révélations dans le film. Quel scoop!

Le jour du tournage, sûrs de nous et pleins d'espoir, nous avions donc envahi son appartement. Nous avons passé beaucoup de temps à installer nos éclairages, nous assurant ainsi de bonnes conditions pour ne perdre ni le poignant ni le «juteux» du film. Au moment de tourner, S. ne disait plus un traître mot ou alors se mettait à nous raconter des histoires dignes des romans Harlequin. Plus nous la questionnions, plus elle s'indignait de nos insinuations douteuses. Et nous cinéastes perplexes, nous devenions de plus en plus irrités devant l'ingratitude de cette délinquante. En taisant devant la caméra les dessous de sa vie, ne se moquait-elle pas tout simplement de nous, ne voyait-elle pas qu'on faisait le film pour elle?

* * *

Un film n'échappe pas aux rapports de pouvoir: le pouvoir de ceux (surtout) et de celles (parfois) qui regardent par la caméra sur ceux et celles qui sont regardés par la caméra.

Comment se situer en tant que cinéaste féministe dans ce rapport déterminant pour le film et aussi pour la relation que le public établira à son tour avec les personnages du documentaire. La qualité de cette relation entre les cinéastes et les sujets filmés, cette tension destructrice ou créatrice entre le discours des cinéastes et celui des sujets du film est primordiale[1].

Depuis mon expérience avec S. et surtout au cours de la production d'*Une histoire de femmes*, j'ai été amenée à réfléchir sur l'utilisation que je faisais de ce pouvoir dans ma pratique documentaire qui privilégie la parole des femmes. J'apprécie mieux aujourd'hui la portée du message de S. Nous étions intervenus dans sa vie avec le même mépris que tant d'autres avant nous —policiers ou travailleuses sociales. Elle remettait en question notre pouvoir et refusait de se soumettre encore à une autre forme de contrôle social.

Quand nous avons rencontré les femmes de Sudbury en février 1979, pour filmer les réunions de leur comité d'appui à la

---

1. Dans ce texte, j'utiliserai sans distinction les termes «cinéaste», «équipe de production ou de tournage» et «réalisatrice» comme s'ils étaient identiques. Il existe, bien entendu, des rapports de force au sein même d'une équipe de production, en particulier lorsqu'une femme réalise et que des hommes contrôlent la caméra et la prise de son, ou lorsqu'il y a coréalisation. Je n'ai pas l'ambition d'aborder ici cette question qui mérite une réflexion approfondie. Quant au terme «sujets du film», je l'utilise pour désigner toutes les personnes qui sont regardées par la caméra et dont l'image s'imprime sur pellicule lors du tournage.

grève, elles ont manifesté de la méfiance à notre égard[2]. Avec
raison: nous étions étrangères à la communauté de Sudbury et
nous débarquions, pleines de bonnes intentions, au beau milieu
d'un conflit de travail qui durait depuis déjà quatre mois.

Les femmes du Comité n'avaient pas manqué les occasions
de voir leurs actions et leurs déclarations passées sous silence ou
déformées par les médias. D'autant plus que la preuve n'était
pas à faire. Les ménagères savent bien que, pour les médias,
elles n'ont qu'un intérêt: faire consommer encore plus de savon
et de margarine et maintenir la primauté de la famille dans les
téléromans. Alors, évidemment, des femmes qui s'en prennent à
une compagnie multinationale, ça ne cadre pas tellement avec
les politiques d'information des journaux et de la télévision!

Dès le début, elles ont donc exigé, en échange de la permission de filmer les réunions, que le groupe ait droit de vote sur la
version finale du film. Le film ne pourrait sortir sans l'accord
majoritaire des femmes du Comité. Toujours animée des plus
belles intentions et dans l'excitation des mois de tournage, je ne
me préoccupais pas outre mesure de ce vote des femmes pour
accepter ou non la copie finale.

C'est en cours de montage, et à mesure que la date fatidique
du vote approchait, que je me mis à mesurer l'importance de
cette contrainte. Comment expliquer aux producteurs du film
(question rhétorique puisqu'on se garda bien de le faire) que des
ménagères du fin fond du nord de l'Ontario avaient droit de véto
sur les revenus potentiels des quelque 130 000 dollars investis
dans la production? Question moins rhétorique: comment justifier à mes propres yeux qu'un investissement émotif et personnel
de près de deux ans de travail exigeant et sous-payé puisse être
ainsi «saboté» au dernier moment? Comment, d'autre part, ne

---

2. *Une histoire de femmes* a été coréalisé avec Martin Duckworth et Joyce Rock.
   Cela expliquer que le texte oscille entre le «je» et le «nous». Le film raconte
   l'histoire des femmes des 11 700 mineurs en grève contre la multinationale
   Inco à Sudbury, dans le nord de l'Ontario, en 1979-1980. Les femmes se
   sont regroupées en comité d'appui à la grève de leurs maris et ont joué un
   rôle décisif dans ce conflit de travail qui dura au-delà de huit mois. Nous
   avons vécu dans leurs maisons pendant les quatre derniers mois de grève
   pour effectuer le tournage principal.

pas se rendre à l'évidence que c'était peut-être le seul mécanisme de contrôle dont ces femmes pouvaient se doter?

Quand j'avais entrepris le projet d'*Une histoire de femmes*, je voulais, par le film, «donner la parole» aux femmes de la classe ouvrière. J'y voyais aussi l'occasion de faire du cinéma féministe et ce qu'on appelle du «cinéma d'intervention sociale» (comme si les «autres» cinémas n'intervenaient pas socialement!). J'avais tendance à concevoir mon rôle plutôt comme un rouage permettant de faire voir et entendre ces femmes de Sudbury. Pendant ce temps, évidemment, je ne manquais pas de structurer le film, d'analyser et d'interpréter les réactions de «nos personnages», de prévoir les séquences, etc.

Et ce, toujours «au service» des femmes du Comité... car si elles participaient souvent à nos discussions au sujet du tournage, nous conservions toujours le pouvoir de décision. À mesure que je me persuadais que c'était «leur» film, je camouflais tout notre travail de cinéastes et je réprimais le sentiment grandissant de propriété qui accompagnait la progression du film. Je tentais d'escamoter par le fait même la présence du discours et du regard des cinéastes dans le film. Je me trouvais à rejoindre les prétentions d'objectivité des reporters d'actualités et des documentaristes par rapport auxquels j'étais si critique.

Les femmes de Sudbury avaient déjà compris, mieux que moi, que ceux et celles qui tiennent la caméra sont en position de pouvoir, et que la parole et l'image à l'écran, ça ne se donne pas, ça se prend... Car une fois la pellicule exposée, l'image appartient aux cinéastes. Tout simplement parce que *les cinéastes contrôlent le processus de fabrication et d'assemblage des images et des sons, et que tout ce qui s'imprime doit passer par leur regard.*

C'est nous qui fixons le début et la fin d'un plan, le cadrage qui souligne un geste ou une parole, le son qui apporte un contrepoint à l'image, l'angle qui suggère ou même engendre une émotion, le mouvement de caméra qui établit des liens, l'éclairage qui crée une atmosphère, la musique qui donne le ton, la narration qui s'impose, la coupe qui privilégie un argument, etc.

L'histoire que je racontais, ce n'était pas simplement l'histoire des femmes du Comité mais aussi la mienne. J'avais quelque chose à dire avec ce film. À l'issue du montage allait émerger

un produit, le film, qui serait un événement en soi, distinct et
d'un ordre différent de la réalité vécue par les femmes pendant
cette lutte syndicale. L'histoire des femmes de Sudbury en grève
avait duré neuf mois et même toute une vie, à bien y penser.
*Notre* histoire des femmes durait soixante-treize minutes, à raison de vingt-quatre images par seconde sur acétate. Je devais
donc assumer la responsabilité de ce geste (le film) avec autant
de courage qu'en avaient eu les femmes de Sudbury en assumant la responsabilité de leurs prises de positions sur le conflit de
leurs maris.

*    *    *

Ayant donc établi que le regard des cinéastes en documentaire passe par un rapport de pouvoir sur les sujets filmés, comment use-t-on de ce pouvoir[3]?

Rappelons d'abord que, confrontés à ce pouvoir des cinéastes, les sujets du film ne sont pas sans recours. Les personnes filmées peuvent choisir l'image qu'elles vont donner d'elles-
mêmes, et peuvent te claquer la porte au nez.

En effet, si les cinéastes fabriquent des images sur pellicule,
les sujets des documentaires peuvent aussi composer leur propre
image en fonction de la caméra et, selon leurs intérêts, décider
du rôle qu'ils joueront. Il ne faut entretenir aucune illusion à cet
égard: *on ne capte sur film que ce que les sujets veulent bien nous donner*.

C'est un jeu qui se joue à deux et dans lequel S., dans le film
sur la délinquance, avait démontré beaucoup d'habileté. Ayant
compris quelle image nous attendions d'elle et le rôle que nous
voulions lui faire jouer dans le film, elle a alimenté nos espoirs et
nos préjugés pour mieux nous signifier par la suite qu'elle
n'avait que faire de notre bienveillance et de notre pitié. (Sans
oublier, bien entendu, qu'elle n'allait tout de même pas prendre
le risque de faire une déclaration sur film qui servirait à enveni-

---

3. Il faut noter ici qu'il est important de distinguer entre le contrôle des cinéastes sur le processus de fabrication et de signification d'un film et leur manque de contrôle *économique* sur les *moyens de production* cinématographique,
   une discussion qui ne peut faire l'objet de ce texte.

mer sa situation auprès de son agent de probation...) C'est d'ailleurs en cela que le documentaire se distingue de la fiction: par cette tension perpétuelle entre la subjectivité des cinéastes et celle des personnes filmées, par cette dualité de discours et de regards qui peuvent se rejoindre ou se développer en parallèle, se confronter ou se conjuguer.

Cette tension se révèle stérile et même destructrice si le regard des cinéastes s'impose aux dépens des sujets du film et réprime toute expression de leur subjectivité. Ainsi beaucoup de cinéastes utilisent l'approche documentaire «malhonnêtement» en faisant dire par d'autres ce qu'eux-mêmes ont à dire. Les sujets sont alors manipulés pour reproduire le discours dominant des cinéastes. Ils ne sont plus les *sujets* du film mais en deviennent les *objets.*

Par contre, cette tension devient fructueuse et créatrice si elle se développe dans un climat de confiance, de complicité et même de solidarité entre les cinéastes et les femmes filmées. Dans ces circonstances, le regard des cinéastes ne cherche plus à s'imposer mais évolue plutôt en interaction avec les personnages du film.

Cela n'est possible qu'à deux conditions. Premièrement, les cinéastes n'ont pas le droit de «voler» d'images, c'est-à-dire qu'il n'est pas question de faire du voyeurisme et de filmer sans la permission des sujets. Sinon, on les prive de leur seul recours: le choix de l'image que les femmes vont donner d'elles-mêmes. Deuxièmement, les cinéastes doivent avoir une «foi inébranlable» dans la parole des femmes et ne pas avoir peur de la multiplicité des points de vue et des contradictions mêmes de cette parole. Cela suppose qu'on soit prêtes en tant que cinéastes — depuis la première journée de recherche jusqu'à la dernière coupe du montage — à constamment remettre en question nos hypothèses au contact de la réalité des femmes.

À cet égard, je me rends compte aujourd'hui que le droit de vote des femmes du Comité sur la copie finale d'*Une histoire de femmes* nous a peut-être servies. Tout au long de la production, cette contrainte m'a forcée à approfondir ma compréhension de la situation des femmes de Sudbury et en particulier de celles qui s'accrochaient à leur rôle traditionnel. Alors que j'étais souvent tentée de les juger et de recourir à des solutions de facilité, je me suis vue obligée de développer mon écoute de leur réalité.

Cela a sûrement joué sur le produit final. Le film fut, à notre plus grand soulagement, accepté à l'unanimité. Et cela malgré les divisions internes. Une fois de plus, j'ai été impressionnée par cette immense capacité des femmes de Sudbury à surmonter leurs divergences personnelles et politiques pour faire cause commune quand les enjeux de leur lutte contre l'Inco l'exigeaient.

Les femmes de Sudbury se risquaient à exprimer tout haut ce que bon nombre d'entre nous disent tout bas. Et c'est leur détermination, leur courage, qui se communique au public à travers le film qui devient alors une source d'inspiration et de pouvoir pour d'autres femmes.

Ceci dit, toutes ces précautions et tous ces liens complices ne sauraient nier le jeu de pouvoir et les tensions qui existent entre cinéastes et sujets du film. Malgré l'écoute la plus attentive, en aucun cas les cinéastes ne peuvent penser se substituer à cette parole des femmes. Elles seules sont en mesure de saisir la complexité et les enjeux de leur situation et de juger si le film défend leurs intérêts.

Ce processus se poursuit d'ailleurs avec le public, à l'étape de la distribution du film, et je n'en suis pas à ma première surprise. Ainsi, à la suite d'un visionnement d'*Une histoire de femmes*, j'ai été renversée de rencontrer une spectatrice qui s'objectait à une séquence tournée à l'intérieur de la fonderie d'Inco: on y voyait une femme au travail et dont les cheveux n'étaient pas attachés. J'avais certainement vu cette séquence une centaine de fois au montage et je n'avais jamais accordé d'importance à ce qui était, selon moi, un détail.

Évidemment, dans mon milieu professionnel, les problèmes de santé et de sécurité se posent autrement. Quand on est femme de mineur ou travailleuse d'usine, ces problèmes sont prioritaires. Il faut préciser que cette séquence avait été «mise en scène»: nous avions demandé à la travailleuse qui nous servait de guide dans l'usine de nous faire une démonstration de son travail.

Cette spectatrice me faisait remarquer, fort justement, que cette séquence pouvait servir à alimenter des préjugés ancrés chez bien des hommes dans les milieux de travail où les femmes

sont très minoritaires. Ils risquaient de se sentir encore plus justifiés d'affirmer: «Vous voyez bien: une femme dans l'usine,
c'est dangereux!»

\*   \*   \*

Cela me rappelle toutes ces histoires de photographes ou de
cinéastes bien intentionnés qui s'amènent pour filmer les misè-
res de la classe ouvrière et qui découvrent, à leur plus grande
déception, que tout le monde a mis ses habits du dimanche.
C'est la douce revanche des femmes et des hommes les plus abu-
sés par les médias.

# Notes sur *Journal inachevé*

## Marilú Mallet

Avec *Journal inachevé*, je voulais incorporer à l'écriture cinématographique québécoise un caractère «féminin». Ce film est une recherche sur l'expression de la culture des femmes. Voici ce que j'écrivais au moment de la présentation du projet:

«Le journal intime aussi bien que la correspondance épistolaire paraissent être deux genres «féminins». Quelle qu'en soit la raison, les femmes semblent avoir vu dans ces genres marginaux la forme adéquate pour exprimer des faits qu'elles savent également marginaux, tels les faits de la vie quotidienne intime. Cette façon d'exprimer «marginalement» la marginalité semble avoir affecté l'évolution de l'expression artistique féminine.

«Les premières artistes-femmes qui nous viennent à l'esprit sont sans doute les vedettes, les divas, celles qui exhibent leur art et brillent de tous leurs feux, masquant ainsi les compagnes des hommes qui les applaudissent. Pourtant, c'est parmi ces compagnes parfois obscures qu'il faut chercher l'autre artiste-femme, celle qui pense «différemment» et qui se retrouve dans la littérature avec Madame Murasaki ou Isak Dinnesen. Non parmi les vedettes du cinéma, mais chez ces jeunes réalisatrices qui, pour la première fois, rendent compte d'une autre quotidienneté, invisible à l'œil masculin, celle-là même qui était présente dans leurs journaux intimes.

«Mais qu'est-ce qu'un journal intime? C'est un texte qui, au moyen d'une certaine rhétorique empruntée à d'autres genres, expose les aspects de la vie quotidienne ou la gestion de tout ce qui lui est propre. Mais le cinéma, ce n'est pas de la littérature; il s'agit plutôt de faire voir ce qui se cache derrière le journal intime: la vision incorfortable des gestes et des attitudes qui se révèlent lors de la cérémonie de la vie quotidienne.

«Dans l'acte de filmer, l'important, par définition est ce que l'on montre. Le discours masculin accorde peu d'importance à la vie quotidienne et à son manque de cohérence, tandis que le regard des femmes déstabilise ce discours en sélectionnant un geste révélateur qui contredit le geste le plus apparent. Libérée de toute rhétorique, la femme donne libre cours à sa capacité d'observation et de sélection d'images, un peu comme l'on montre du doigt.

« La femme qui, durant des siècles, n'a rien fait d'autre que de mettre en relief ce qui est considéré comme secondaire n'est-elle pas la mieux placée pour utiliser ce genre?»

\*   \*   \*

*Journal inachevé* était un projet exigeant, ambitieux parce qu'il tentait de transposer en images un genre littéraire. Ce projet était d'autant plus difficile à réaliser que le fait d'être une femme, une réalisatrice, signifie déjà une lutte dans un milieu changeant, très compétitif, où chaque film coûte une fortune. L'instabilité du milieu et le manque de travail entraînent un manque de continuité et font de l'apprentissage de ce médium un labeur ardu et de longue haleine. C'est d'ailleurs pourquoi, à mon avis, il n'existe pas (au Québec) de véritable langage féminin au cinéma.

La coordination d'une équipe de travail nécessite normalement une connaissance des relations humaines et de leur interaction, tant au niveau verbal qu'au niveau non verbal. La malléabilité est donc une qualité essentielle à développer pour une bonne direction cinématographique.

Il est également difficile d'échapper à l'«image» du réalisateur; lors de mon premier tournage à l'Office national du film, on me disait: «tu n'es pas réalisatrice» parce que je n'avais pas la voix rauque à force de crier...

L'aspect biographique de *Journal inachevé* constituait un autre problème à surmonter, car «se montrer» en assumant sa propre réalité demande du courage: comment s'affronter soi-même en tant qu'exilée, sans racines, femme ou citoyenne de deuxième ordre, mère d'un enfant, épouse d'un cinéaste, et cela dans un monde trilingue.

*     *     *

*Journal inachevé* est un voyage par des états d'âme, à un moment précis de la vie des personnages; et dans un lieu précis, car je voulais montrer le Québec comme je le vois. Étrangère, mon regard portait, dans mon premier film, sur des «étrangers», sur «les autres»; maintenant, il s'agissait du regard d'une autre sur le Québec.

J'avais aussi une idée de l'esthétique du film. Je savais quel style d'images je voulais et j'ai trouvé avec Guy Borremans un caméraman qui accordait autant d'importance que moi à la qualité esthétique de l'image.

Je voyais un fonctionnement par modules — j'ai une formation d'architecte —, par combinaison et retour de ces différents modules; il y avait d'avance dans mon esprit un module «mélancolie», un module «images du Chili», par exemple. Je voulais que le spectateur avance dans le film par petites bribes, par accumulation de détails insignifiants qui prennent progressivement un sens à mesure que le dessin, la figure, comme dans un puzzle, commence à apparaître, et qu'il comprenne complètement à la fin. C'est un film baroque dans l'élaboration, mais simple, je crois, dans le résultat...

Au départ, j'avais l'idée d'un film intimiste sur la vie quotidienne. Je ne préjugeais pas de tout ce qui pourrait arriver, m'arriver pendant le tournage; j'avais le sentiment que le plus intense serait l'imprévu. Je voulais construire une fiction avec du documentaire — les personnages sont des personnes réelles —, qui rejoint la fiction par la construction et le traitement: pas d'entrevues, pas de questions; un travail sur l'image et le son.

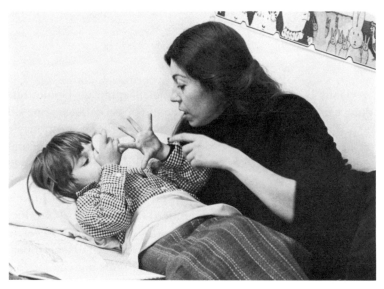

*Journal inachevé* de Marilú Mallet, avec la réalisatrice et son fils Nicolas.
(Photo Christopher Reusing)

Les personnages sont des personnes réelles; mais comme c'est moi-même que je filmais, je n'étais pas tenue au respect d'un matériau extérieur; j'avais une plus grande liberté, je pouvais modifier, inventer. Par exemple, dans le film, les scènes entre Mike (Rubbo) et moi sont bilingues, alors que cela ne s'est jamais produit en réalité.

Il y a des séquences en direct, mais elles sont au service de la subjectivité; il y a des séquences réalistes, mais ce sont celles que j'aime le moins; comme elles sont nécessaires au développement de l'histoire — car il y a une histoire! — j'aurais aimé les filmer à nouveau, mais je n'en avais pas les moyens.

J'ai pu aussi, pour la première fois, choisir moi-même les membres de l'équipe en fonction de l'idée que je me faisais du film. La liberté, la quasi-clandestinité du tournage ont créé entre nous une entente, une complicité même, qui ont permis de donner au film le caractère intimiste que je recherchais, rendant ainsi moins pénible la part d'autorévélation, ou d'impudeur et d'exhibitionnisme, diront peut-être certains. Mais un artiste ne s'exhibe-t-il pas toujours?

\* \* \*

Dans la réalisation de mon projet, l'appui de Dominique Pinel a été fondamental. L'idée lui a plu dès le début: même s'il ne présentait aucune garantie financière pour les institutions, le projet comportait un aspect de recherche sur le langage cinématographique qui l'intéressait vivement. Elle est devenue directrice de production. Son appui inconditionnel, l'amitié profonde qui nous lie maintenant ainsi que tous les problèmes affrontés ensemble nous ont amenées à fonder la compagnie de production Les Films de l'Atalante, inc., afin de pouvoir achever le film. Nous avons été plusieurs fois sur le point de laisser tomber, mais la solidarité et la foi en notre travail nous ont chaque fois poussées de l'avant.

Au montage, Pascale Laverrière a également joué un rôle important, ayant à effectuer un travail sur l'«inconscient», à partir des techniques traditionnelles de classement par séquences, etc. Chacune a pu apprendre alors à appréhender la réalité d'une manière différente, soit par l'intuition, soit par l'analyse. Cela a créé un lien très spécial entre nous.

*Journal inachevé* a sans doute été l'expérience la plus dure que j'ai vécue sur le plan créatif et professionnel, mais la plus riche du point de vue humain. C'est aussi à partir de ce film que je peux me considérer comme cinéaste, ayant appris à «parler» un langage cinématographique, alors qu'auparavant le cinéma n'était qu'un moyen de communication de masse.

*Journal inachevé* est vraiment le produit du travail d'une équipe et cela arrive rarement à l'intérieur des structures habituelles.

# Cinéma et écriture féministe : une conclusion sans happy end

## Louise Carrière

Pour qu'il y ait écriture féministe, il faut une expérience commune d'oppression et d'expression. La première condition est certes réalisée pour la plupart des femmes cinéastes: elles ont dû faire leur chemin et continuent à de multiples égards à lutter contre toutes les formes subtiles de discrimination dans leur métier. Mais est-ce suffisant pour qu'une écriture propre aux femmes naisse de cette situation? Est-il possible par exemple de tirer de la production de films québécois des constantes sur ce qui fonderait l'écriture féminine et l'écriture masculine? Peut-on reconnaître à vue d'œil un film de femmes actuellement?

Toute culture opprimée ne s'exprime d'abord que par bribes et toute écriture opprimée ne s'écrit d'abord qu'en lambeaux ou qu'en jets de colère. Une écriture féministe forte et affranchie ne peut exister dans une société sexiste. Certes, quelques cinéastes européennes commencent depuis quelques années à poser les jalons d'une véritable écriture féminine, mais de telles recherches sont encore balbutiantes au Québec.

\* \* \*

Comme en témoigne le présent ouvrage, les cinéastes québécoises viennent à peine d'accoucher de leurs premiers films. Leur conscience nouvelle de l'oppression des femmes s'est surtout exprimée dans le choix de leurs sujets, thématiques et politiques, où les conditions de vie des femmes tiennent de loin la première place. Rapports des femmes au couple, à la famille, à leur corps, au travail ménager et salarié, autant de questions traitées par les femmes cinéastes au Québec.

Films de femmes où l'écriture s'appuie sur des personnages féminins principaux. Films où la direction d'actrices, dans les films de fiction, et l'enquête auprès de femmes non professionnelles, dans le documentaire, reposent toutes deux sur un long travail préparatoire de complicité et d'écoute.

Secondairement, comme nous le décrivent les textes précédents, cette nouvelle conscience a investi récemment les rapports des femmes à la profession cinématographique. Les réalisatrices, en expérimentant certains changements dans la division du travail (plus de femmes aux postes de décision et à certains métiers non traditionnels), et les femmes, en s'impliquant dans différents organismes cinématographiques (cinémathèque, études, associations professionnelles et syndicales, Institut québécois du cinéma, critique), se donnent de nouvelles conditions pour s'exprimer.

Cette étape d'autoconscience et d'évaluation de leur situation n'a pas fait oublier à plusieurs l'urgence de mieux développer la recherche stylistique et formelle et celle de poursuivre leurs recherches thématiques. Effectivement, parler de *toutes les questions sociales* d'un point de vue féministe, voilà qui s'annonce encore plus difficile. Cela implique un regard vigilant sur les œuvres des auteurs où «objectivité» et «neutralité» sont souvent synonymes de sexisme et d'indifférence.

Cela implique aussi une ouverture plus grande à tout ce qui se passe en nous, avec nous et autour de nous. On ne peut écarter aucune des questions cruciales actuelles comme le chômage, la montée de la répression, le danger de guerre, sous prétexte qu'elles ne touchent pas seulement les femmes. Cet effort est impérieux dans la conjoncture présente même si on sait que plusieurs cinéastes ne peuvent s'exprimer librement à cause du chômage important et des politiques culturelles productivistes.

Voilà autant de conditions dans lesquelles se meut l'écriture féminine en gestation. Cela a d'ailleurs fait dire à Marilú Mallet qu'il n'existe pas d'écriture féminine cinématographique au Québec.

Différencier un film de Diane Létourneau d'un film de Michel Brault, un film de Tahani Rashed ou d'Hélène Girard d'un film d'Yves Dion ou de Jean-Guy Noël autrement que par certaines thématiques et certaines représentations de femmes, est chose pratiquement impensable. Il est donc plus facile de tirer des constantes d'ensemble de la production des femmes et de celle des hommes, que d'esquisser des caractéristiques propres, définitives de l'écriture féminine et masculine.

* * *

La deuxième bribe d'écriture féminine en gestation, il faut la chercher dans la terrible exigence des femmes cinéastes face à elles-mêmes et face aux autres. Ces femmes qui s'expriment et font le cinéma ont pour la plupart entre trente et cinquante ans.

N'a-t-on pas répété à de multiples reprises que cette génération de femmes trace actuellement des voies. Ces voies, elles les font dans le domaine cinématographique par une démarche exigeante dont témoignent les textes réunis dans ce livre: cinéastes, productrices et animatrices poursuivent avec acharnement une recherche à plusieurs niveaux. Elles requestionnent la pseudo-objectivité du documentaire, interrogent les rapports entre cinéastes et sujets du film, tentent d'inventer un nouvel esthétisme et d'établir d'autres rapports au sein des équipes de tournage. Tout est remis en question: le pouvoir de décision, les minimes budgets qu'on leur concède, les jurys, leurs critères mêmes. Cette recherche conteste souvent la culture basée sur le rendement, la compétition, le productivisme. Le sens du travail bien fait se perd, comme le laisse entendre Pascale Laverrière. Sophie Bissonnette parle du pouvoir des femmes et de notre responsabilité sociale.

Ces exigences amènent souvent les femmes qui travaillent dans le domaine cinématographique à être plus critiques face à l'ensemble des réalités sociales. Elles recensent la réalité, reviennent périodiquement sur leur pratique, exigent des changements parfois avec humour, mais toujours avec sérieux. Quand les femmes rassemblent leurs réalités, quand les femmes se rassemblent elles-mêmes, elles dérangent. Cela a des conséquences importantes sur la façon de faire leur métier et sur le contenu des films présentés.

*   *   *

Une troisième bribe de l'écriture des femmes tient à la nature de leur démarche. Les femmes en effet partent moins des *idées* sur la vie que de leur expérience et de leurs émotions. Cela les incite à accorder une place particulière à la vie quotidienne, à l'inconscient dans la traduction de leurs rapports sociaux. Deux films récents s'échafaudent autour de l'articulation vie sociale — vie personnelle, émotion-inconscient : *Le Futur intérieur,* de Yolaine Rouleau et Jean Chabot, et *Journal inachevé*, de Marilú Mallet.

Le premier montre enfin qu'il n'y a pas de sujets de femmes, mais qu'on peut parler des femmes et d'un point de vue féministe à partir de toutes les questions. Il laisse deviner comment homme et femme peuvent collaborer pour faire un travail de réflexion sur la condition féminine actuelle. *Le Futur intérieur* pose en effet des questions importantes sur le rôle de la guerre et sur celui de la violence quotidienne faite aux femmes.

Le deuxième film constitue pour sa part un véritable tour de force. *Journal inachevé* réussit tout à la fois à poser les questions féministes et à travailler une méthode féministe. Les questions naissent de la réalisatrice elle-même, de sa situation d'intellectuelle, cinéaste, Chilienne d'origine, Québécoise d'adoption, mariée à un cinéaste anglophone et mère d'un enfant. Michael Rubbo, son mari, expliquera dans le film surtout leurs désaccords par leur culture différente. Est-ce si simple? «Michael, dit Marilú, pourquoi es-tu si rationnel? Pourquoi travailles-tu si fort, fais-tu tant violence à ton corps? Michael, pourquoi se voit-on si peu? Et si nous nous séparons, qu'adviendra-t-il de Nicolas?» Le film refuse la voix rationnelle de Michael, celle du documentaire basé sur l'action et les événements. Il s'élabore par touches successives, émotivement, il éclate, il revient. «Pourquoi faut-il qu'il n'y ait que ta manière à toi de faire du cinéma qui soit la bonne? Je veux faire du cinéma comme je le veux et comme je le ressens», disent à travers Marilú plusieurs femmes cinéastes.

Nous avons analysé dans la première et la deuxième partie de ce livre comment le cinéma des femmes et celui des hommes au Québec sont différents. Mais avons-nous insisté pour dire que l'absence importante des femmes dans le cinéma masculin, c'est le refus de la souffrance, des grands élans et des grandes joies. À la limite, un cinéma sans passion où l'émotion demeure souvent à ras du sol.

Cinéma introverti où les personnages manifestent émotions et contradictions principalement par silences ou jeux cabotins. Comment arriver alors à les comprendre ou tout simplement à sympathiser avec eux? Ce cinéma masculin consacre encore une thématique basée sur une vision de la vie par «blocs» opaques. Dialogues, narration et sujets, découpent la vie en pièces détachées: il y aurait le bloc travail, le bloc aventure ou le bloc politique (selon les cas et selon les gars), le bloc sexe (selon les goûts), le bloc amitié (masculine s'il y en a) et la vie quotidienne, l'amour et les émotions (les petits blocs). À la limite, chaque bloc peut être réduit à l'aspect oasis ou en son envers, la fuite.

Actuellement, les femmes plus que les hommes cherchent au contraire à rendre l'unicité de la vie et ce qu'elles considèrent comme une totalité. C'est pourquoi dans leurs œuvres on retrouve étroitement mêlées les questions d'émotions, de travail, d'amis, de passé, de présent, de couple, de futur et d'enfants.

Cette attitude donne souvent un ton intimiste à leur écriture et, à leur continuité narrative, une impression de «collage». Les morceaux s'imbriquent, se collent les uns aux autres. Là réside aussi une des grandes différences entre l'écriture masculine actuelle et l'écriture féminine en gestation.

Pour toutes ces raisons, l'écriture féministe n'est pas une recette qu'on copie, un tableau qu'on peut reproduire en série. Il faut la chercher car elle est encore à construire. Cette écriture c'est la recherche actuelle, multiple de plusieurs cinéastes. Une écriture qui s'élabore contre une autre, rationnelle, dominante. Une écriture en devenir!

# Index des films et vidéos

* Vidéo

# Collaboratrices

LOUISE BEAUDET, responsable de la conservation et du développement du cinéma d'animation à la Cinémathèque québécoise, ex-présidente de l'Asifa-Canada (Association internationale du film d'animation), a aussi organisé plusieurs expositions nationales sur le cinéma d'animation et publié des articles sur ce cinéma.

SOPHIE BISSONNETTE a enseigné le cinéma dans différents collèges, puis a co-réalisé le long métrage *Une histoire de femmes*, et réalisé un film sur la Bolivienne Domitila Barrios De Chungara. Elle prépare actuellement un film sur les incidences de la télématique.

DANIELLE BLAIS, étudiante à l'université Concordia, où elle prépare un baccalauréat en cinéma.

JOSÉE BOILEAU, étudiante en droit à l'Université de Montréal et auteure pigiste. Elle collabore à la télévision communautaire de Ville La Salle.

LOUISE CARRIÈRE, présidente de l'Association québécoise des études cinématographiques, est professeur de cinéma au collège du Vieux-Montréal et auteure d'une thèse de sociologie sur *Les films de «Société nouvelle» dans un Québec en changement (1969-1979)*. Elle a publié des articles et collaboré à différents ouvrages sur le cinéma québécois.

MONIQUE CAVERNI, professeur de philosophie au collège du Vieux-Montréal et chargée de cours à l'Université du Québec à Montréal, prépare aussi une maîtrise en sexologie.

NICOLE HUBERT, écrivaine, ALBANIE MORIN, réalisatrice, et DIANE POITRAS, réalisatrice (*La Perle rare*), sont membres du Groupe d'intervention vidéo.

PASCALE LAVERRIÈRE, monteuse de films, a acquis sa formation en France; établie au Québec depuis 1970, elle a fait le montage de plusieurs films.

MARQUISE LEPAGE, étudiante en études cinématographiques à l'Université de Montréal et «apprentie» scénariste et réalisatrice.

JACQUELINE LEVITIN est professeur de cinéma à l'université Concordia. Également réalisatrice de radio, elle vient en plus de réaliser un premier long métrage sur les ex-psychiatrisés.

MARILÚ MALLET, Chilienne d'origine et architecte, est devenue au Québec écrivaine et cinéaste. Elle a réalisé *Les Borges* (Office national du film) et un long métrage personnel, *Journal inachevé*.

CHRISTIANE TREMBLAY-DAVIAULT, enseigne le cinéma à l'université McGill. Également scénariste et assistante-réalisatrice, elle travaille actuellement à la rédaction d'un roman.

# Table des matières